SI LE GRAIN NE MEURT

Né à Paris en 1869, André Gide grandit dans une atmosphère de protestantisme assez rigide qui orientera toute son existence en le poussant à la révolte contre la morale et les habitudes bourgeoises dont s'accommode mal sa nature complexe. Sa vie privée est étroitement liée à son œuvre, où il tente de s'expliquer et de se justifier (Corydon, Si le grain ne meurt), etc. Il a défini dans Les Nourritures terrestres (1897), *dont l'influence a été considérable, son idéal anticonformiste qui aboutira à la thèse de « l'acte gratuit » (développée dans* Les Caves du Vatican). *Sur le plan social, il dénonce les abus du colonialisme en Afrique où il a fait de nombreux voyages.*
Le prestige de cette analyse au style classique lui vaut le Prix Nobel en 1947. Mort à Paris en 1951, André Gide a laissé, entre autres, un important Journal *et diverses correspondances (avec Valéry, Claudel, etc.). Il avait, en 1908, été un des fondateurs de* La Nouvelle Revue Française.

André Gide a dépassé la cinquantaine quand il entreprend d'écrire ses mémoires. Si, depuis longtemps déjà, il tient un journal et use des événements de sa vie privée comme d'un tremplin pour son inspiration, il a toujours voilé ses sources par la fiction littéraire. Dans *Si le grain ne meurt*, il raconte sans fard ses vingt-six premières années, de sa naissance à ses fiançailles. Lors de la parution, le volume scandalise ses contemporains.

Pourquoi jeter bas le masque avec cette audace provocante? Provoquer est dans la nature de Gide, comme y est aussi une sorte d'obsession de la sincérité. Tout dire, et tant pis pour les conséquences - ou plutôt tant mieux si l'hypocrisie en étouffe. Dans son récit, il appelle Emmanuelle sa cousine et future épouse Madeleine Rondeaux - et dote de pseudonymes les compagnons de ses randonnées, mais la vérité n'en pâtit guère. *Si le grain ne meurt* est, avec le *Journal*, l'œuvre où il se montre le plus vrai, et où il nous touche comme tous les grands mémorialistes, de Rousseau à Chateaubriand.

ŒUVRES D'ANDRÉ GIDE

POÉSIES

LES CAHIERS ET LES POÉSIES
D'ANDRÉ WALTER.

AMYNTAS.

LES NOURRITURES TERRESTRES.
LES NOUVELLES NOURRITURES.

SOTIES

LES CAVES DU VATICAN.

PALUDES.

LE PROMÉTHÉE MAL ENCHAÎNÉ.

RÉCITS

ISABELLE.
LA SYMPHONIE PASTORALE.

THÉSÉE.

L'ÉCOLE DES FEMMES, *suivi
de* ROBERT *et de* GENEVIÈVE.

ROMAN

LES FAUX-MONNAYEURS.

DIVERS

LE VOYAGE D'URIEN.
LE RETOUR DE L'ENFANT PRODIGUE.
SI LE GRAIN NE MEURT.
VOYAGE AU CONGO.
LE RETOUR DU TCHAD.
MORCEAUX CHOISIS.
CORYDON.
INCIDENCES.
DIVERS.
JOURNAL DES FAUX-MONNAYEURS.
SOUVENIRS DE LA COUR D'ASSISES.
RETOUR DE L'U. R. S. S.
RETOUCHES A MON RETOUR DE L'U. R. S. S.
PAGES DE JOURNAL 1929-1932.

NOUVELLES PAGES DE JOURNAL.
JOURNAL 1889-1939 (1 vol., *Biblio-
thèque de la Pléiade*).
DÉCOUVRONS HENRI MICHAUX.
JOURNAL 1939-1942.
JOURNAL 1942-1949.
L'AFFAIRE REDUREAU.
LA SÉQUESTRÉE DE POITIERS,
INTERVIEWS IMAGINAIRES.
AINSI SOIT-IL OU LES JEUX SONT FAITS.
LITTÉRATURE ENGAGÉE.
*textes réunis et présentés
par* Yvonne Davet.
ŒUVRES COMPLÈTES (15 VOL.).

THÉÂTRE

THÉÂTRE (Saül, le roi Candaule, Œdipe,
Perséphone, le Treizième Arbre.)

LES CAVES DU VATICAN, *farce d'après
la sotie du même auteur.*

LE PROCÈS,
en collaboration avec J.-L. Barrault, d'après le roman de Kafka.

CORRESPONDANCE

CORRESPONDANCE AVEC FRANCIS JAMMES
(1893-1938). (*Préface et notes de Robert
Mallet.*)

CORRESPONDANCE AVEC PAUL VALÉRY
(1890-1942). (*Préface et notes de Robert
Mallet.*)

CORRESPONDANCE AVEC PAUL CLAUDEL (1899-1926). (*Préface et notes de Robert Mallet.*)
ANTHOLOGIE DE LA POÉSIE FRANÇAISE. (1 vol., *Bibliothèque de la Pléiade.*)
ROMANS, RÉCITS ET SOTIES. Œuvres lyriques. (*Bibliothèque de la Pléiade.*)

Chez d'autres éditeurs :

DOSTOIEVSKY (Plon).
ESSAI SUR MONTAIGNE (J. Schiffrin)
(*Épuisé*).
NUMQUID ET TU? (J. Schiffrin) (*Épuisé*).
L'IMMORALISTE (Mercure de France).
LA PORTE ÉTROITE (Mercure de France).

PRÉTEXTES (Mercure de France).
NOUVEAUX PRÉTEXTES (Mercure de
France).
OSCAR WILDE (In Memoriam — De
Profundis) (Mercure de France).
UN ESPRIT NON PRÉVENU (Kra).

Parus dans Le Livre de Poche :

LA PORTE ÉTROITE.
LA SYMPHONIE PASTORALE.
L'IMMORALISTE.
LES NOURRITURES TERRESTRES *suivi de* LES NOUVELLES NOURRITURES.

ISABELLE.

LES CAVES DU VATICAN.
LES FAUX-MONNAYEURS.
L'ÉCOLE DES FEMMES, *suivi de* ROBERT.

ANDRÉ GIDE

Si le grain ne meurt

GALLIMARD

PREMIÈRE PARTIE

I

JE naquis le 22 novembre 1869. Mes parents occupaient alors, rue de Médicis, un appartement au quatrième ou cinquième étage, qu'ils quittèrent quelques années plus tard, et dont je n'ai pas gardé souvenir. Je revois pourtant le balcon; ou plutôt ce qu'on voyait du balcon : la place à vol d'oiseau et le jet d'eau de son bassin — ou, plus précisément encore, je revois les dragons de papier, découpés par mon père, que nous lancions du haut de ce balcon, et qu'emportait le vent, par-dessus le bassin de la place, jusqu'au jardin du Luxembourg où les hautes branches des marronniers les accrochaient.

Je revois aussi une assez grande table, celle de la salle à manger sans doute, recouverte d'un tapis bas tombant; au-dessous de quoi je me glissais avec le fils de la concierge, un bambin de mon âge qui venait parfois me retrouver.

« Qu'est-ce que vous fabriquez là-dessous? criait ma bonne.

— Rien. Nous jouons. »

Et l'on agitait bruyamment quelques jouets qu'on avait emportés pour la frime. En vérité nous nous amusions autrement : l'un près de l'autre, mais non l'un avec l'autre pourtant, nous avions ce que j'ai su plus tard qu'on appelait « de mauvaises habitudes ».

Qui de nous deux en avait instruit l'autre? et de qui le premier les tenait-il? Je ne sais. Il faut bien admettre qu'un enfant parfois à nouveau les invente. Pour moi je ne puis dire si quelqu'un m'enseigna ou comment je découvris le plaisir; mais, aussi loin que ma mémoire remonte en arrière, il est là.

Je sais de reste le tort que je me fais en racontant ceci et ce qui va suivre; je pressens le parti qu'on en pourra tirer contre moi. Mais mon récit n'a raison d'être que véridique. Mettons que c'est par pénitence que je l'écris.

A cet âge innocent où l'on voudrait que toute l'âme ne soit que transparence, tendresse et pureté, je ne revois en moi qu'ombre, laideur, sournoiserie.

On m'emmenait au Luxembourg; mais je me refusais à jouer avec les autres enfants; je restais à l'écart, maussadement, près de ma bonne; je considérais les jeux des autres enfants. Ils faisaient, à l'aide de seaux, des rangées de jolis pâtés de sable... Soudain, à un moment que ma bonne tournait la tête, je m'élançais et piétinais tous les pâtés.

L'autre fait que je veux relater est plus bizarre, et c'est pourquoi sans doute j'en suis moins honteux. Ma mère me l'a souvent raconté par la suite, et son récit aide mon souvenir.

Cela se passait à Uzès où nous allions une fois par an revoir la mère de mon père et quelques autres parents : les cousins de Flaux entre autres, qui possédaient, au cœur de la ville, une vieille maison avec jardin. Cela se passait dans cette maison des de Flaux. Ma cousine était très belle et le savait. Ses cheveux très noirs, qu'elle portait en bandeaux, faisaient valoir un profil de camée (j'ai revu sa photographie) et une peau éblouissante. De l'éclat de cette peau, je me souviens très bien; je m'en souviens d'autant mieux que, ce jour où je lui fus présenté, elle portait une robe largement échancrée.

« Va vite embrasser ta cousine », me dit ma mère lorsque j'entrai dans le salon. (Je ne devais avoir guère plus de quatre ans; cinq peut-être.) Je m'avançai. La cousine de Flaux m'attira contre elle en se baissant, ce qui découvrit son épaule. Devant l'éclat de cette chair, je ne sais quel vertige me prit : au lieu de poser mes lèvres sur la joue qu'elle me tendait, fasciné par l'épaule éblouissante, j'y allai d'un grand coup de dents. La cousine fit un cri de douleur; j'en fis un d'horreur; puis je crachai, plein de dégoût. On m'emmena bien vite, et je crois qu'on était si stupéfait qu'on oublia de me punir.

Une photographie de ce temps, que je retrouve, me représente, blotti dans les jupes de ma mère, affublé d'une ridicule petite robe à carreaux, l'air maladif et méchant, le regard biais.

J'avais six ans quand nous quittâmes la rue de Médicis. Notre nouvel appartement, 2, rue de Tournon, au second étage, formait angle avec la rue Saint-Sulpice, sur quoi donnaient les fenêtres de la bibliothèque de mon père; celle de ma chambre ouvrait sur une grande cour. Je me souviens surtout de l'antichambre parce que je m'y tenais le plus souvent, lorsque je n'étais pas à l'école ou dans ma chambre, et que maman, lasse de me voir tourner auprès d'elle, me conseillait d'aller jouer « avec mon ami Pierre », c'est-à-dire tout seul. Le tapis bariolé de cette antichambre présentait de grands dessins géométriques, parmi lesquels il était on ne peut plus amusant de jouer aux billes avec le fameux « ami Pierre ».

Un petit sac de filet contenait les plus belles billes, qu'une à une l'on m'avait données et que je ne mêlais pas aux vulgaires. Il en était que je ne pouvais manier sans être à neuf ravi par leur beauté : une petite, en particulier, d'agate noire avec un équateur et des tropiques blancs; une autre, translucide, en cornaline, couleur d'écaille claire, dont je me servais pour *caler*. Et puis, dans un gros sac de toile, tout un peuple de billes grises qu'on gagnait, qu'on perdait, et qui servaient d'enjeu lorsque, plus tard, je pus trouver de vrais camarades avec qui jouer.

Un autre jeu dont je raffolais, c'est cet instrument de merveilles qu'on appelle kaléidoscope : une sorte de lorgnette qui, dans l'extrémité opposée à celle de l'œil, propose au regard une toujours changeante rosace, formée de mobiles verres de couleur emprisonnés entre deux vitres translucides. L'intérieur de la lorgnette est tapissé de miroirs où se multiplie symétriquement la fantasmagorie des verres, que déplace entre les deux vitres le moindre mouvement de l'appareil. Le changement d'aspect des rosaces me plongeait dans un ravissement indicible. Je revois encore avec précision la couleur, la forme des verroteries : le morceau le plus gros était un rubis clair, il avait forme triangulaire; son poids l'entraînait d'abord et par-dessus l'ensemble qu'il bousculait. Il y avait un grenat très sombre à peu près rond; une émeraude en

lame de faux; une topaze dont je ne revois plus
que la couleur; un saphir, et trois petits débris
mordorés. Ils n'étaient jamais tous ensemble en
scène; certains restaient cachés complètement;
d'autres à demi, dans les coulisses, de l'autre côté
des miroirs; seul le rubis, trop important, ne dis-
paraissait jamais tout entier.

Mes cousines qui partageaient mon goût pour
ce jeu, mais s'y montraient moins patientes, se-
couaient à chaque fois l'appareil afin d'y contempler un changement total. Je ne procédais pas de
même : sans quitter la scène des yeux, je tournais
le kaléidoscope doucement, doucement, admirant
la lente modification de la rosace. Parfois l'insen-
sible déplacement d'un des éléments entraînait des
conséquences bouleversantes. J'étais autant intrigué
qu'ébloui, et bientôt voulus forcer l'appareil à
me livrer son secret. Je débouchai le fond, dénom-
brai les morceaux de verre, et sortis du fourreau
de carton trois miroirs; puis les remis; mais, avec
eux, plus que trois ou quatre verroteries. L'accord était pauvret; les changements ne causaient
plus de surprise; mais comme on suivait bien les
parties! comme on comprenait bien le pourquoi
du plaisir!

Puis le désir me vint de remplacer les petits
morceaux de verre par les objets les plus bizarres :
un bec de plume, une aile de mouche, un bout
d'allumette, un brin d'herbe. C'était opaque, plus
féerique du tout, mais, à cause des reflets dans les
miroirs, d'un certain intérêt géométrique... Bref,
je passais des heures et des jours à ce jeu. Je crois
que les enfants d'aujourd'hui l'ignorent, et c'est
pourquoi j'en ai si longuement parlé.

Les autres jeux de ma première enfance, pa-

tiences, décalcomanies, constructions, étaient tous
des jeux solitaires. Je n'avais aucun camarade... Si
pourtant; j'en revois bien un; mais hélas! ce n'était
pas un camarade de jeu. Lorsque Marie me menait
au Luxembourg, j'y retrouvais un enfant de mon
âge, délicat, doux, tranquille, et dont le blême
visage était à demi caché par de grosses lunettes
aux verres si sombres que, derrière eux, l'on ne
pouvait rien distinguer. Je ne me souviens plus
de son nom, et peut-être que je ne l'ai jamais su.
Nous l'appelions Mouton, à cause de sa petite pe-
lisse en toison blanche.

« Mouton, pourquoi portez-vous des lunettes?
(Je crois me souvenir que je ne le tutoyais pas.)

— J'ai mal aux yeux.

— Montrez-les-moi. »

Alors il avait soulevé les affreux verres, et son
pauvre regard clignotant, incertain, m'était entré
douloureusement dans le cœur.

Ensemble nous ne jouions pas; je ne me souviens
pas que nous fissions autre chose que de nous
promener, la main dans la main, sans rien dire.

Cette première amitié dura peu. Mouton cessa
bientôt de venir. Ah! que le Luxembourg alors
me parut vide!... Mais mon vrai désespoir commença lorsque je compris que Mouton devenait
aveugle. Marie avait rencontré la bonne du petit
dans le quartier et racontait à ma mère sa conversation avec elle; elle parlait à voix basse pour que
je n'entendisse pas; mais je surpris ces quelques
mots : « Il ne peut déjà plus retrouver sa bouche! »
Phrase absurde assurément, car il n'est nul besoin
de la vue pour trouver sa bouche sans doute, et je
le pensai tout aussitôt — mais qui me consterna
néanmoins. Je m'en allai pleurer dans ma chambre,

et durant plusieurs jours m'exerçai à demeurer longtemps les yeux fermés, à circuler sans les ouvrir, à m'efforcer de ressentir ce que Mouton devait éprouver.

Accaparé par la préparation de son cours à la Faculté de droit, mon père ne s'occupait guère de moi. Il passait la plus grande partie du jour, enfermé dans un vaste cabinet de travail un peu sombre, où je n'avais accès que lorsqu'il m'invitait à y venir. C'est d'après une photographie que je revois mon père, avec une barbe carrée, des cheveux noirs assez longs et bouclés; sans cette image je n'aurais gardé souvenir que de son extrême douceur. Ma mère m'a dit plus tard que ses collègues l'avaient surnommé *Vir probus;* et j'ai su par l'un d'eux que souvent on recourait à son conseil.

Je ressentais pour mon père une vénération un peu craintive, qu'aggravait la solennité de ce lieu. J'y entrais comme dans un temple; dans la pénombre se dressait le tabernacle de la bibliothèque; un épais tapis aux tons riches et sombres étouffait le bruit de mes pas. Il y avait un lutrin près d'une des deux fenêtres; au milieu de la pièce, une énorme table couverte de livres et de papiers. Mon père allait chercher un gros livre, quelque *Coutume de Bourgogne* ou *de Normandie,* pesant in-folio qu'il ouvrait sur le bras d'un fauteuil pour épier avec moi, de feuille en feuille, jusqu'où persévérait le travail d'un insecte rongeur. Le juriste, en consultant un vieux texte, avait admiré ces petites galeries clandestines et s'était dit : « Tiens! cela amusera mon enfant. » Et cela m'amusait beaucoup, à cause aussi de l'amusement qu'il paraissait lui-même y prendre.

Mais le souvenir du cabinet de travail est resté
lié surtout à celui des lectures que mon père m'y
faisait. Il avait à ce sujet des idées très particulières, que n'avait pas épousées ma mère; et souvent je les entendais tous deux discuter sur la
nourriture qu'il convient de donner au cerveau
d'un petit enfant. De semblables discussions étaient
soulevées parfois au sujet de l'obéissance, ma mère
restant d'avis que l'enfant doit se soumettre sans
chercher à comprendre, mon père gardant toujours
une tendance à tout m'expliquer. Je me souviens
fort bien qu'alors ma mère comparait l'enfant que
j'étais au peuple hébreu et protestait qu'avant de
vivre dans la grâce il était bon d'avoir vécu sous
la loi. Je pense aujourd'hui que ma mère était
dans le vrai; n'empêche qu'en ce temps je restais
vis-à-vis d'elle dans un état d'insubordination fréquente et de continuelle discussion, tandis que, sur
un mot, mon père eût obtenu de moi tout ce qu'il
eût voulu. Je crois qu'il cédait au besoin de son
cœur plutôt qu'il ne suivait une méthode lorsqu'il
ne proposait à mon amusement ou à mon admiration rien qu'il ne pût aimer ou admirer lui-même.
La littérature enfantine française ne présentait
alors guère que des inepties, et je pense qu'il eût
souffert s'il avait vu entre mes mains tel livre
qu'on y mit plus tard, de Mme de Ségur par exemple — où je pris, je l'avoue, et comme à peu près
tous les enfants de ma génération, un plaisir assez
vif, mais stupide — un plaisir non plus vif heureusement que celui que j'avais pris d'abord à
écouter mon père me lire des scènes de Molière,
des passages de l'*Odyssée, La Farce de Pathelin,*
les aventures de Sindbad ou celles d'Ali-Baba et
quelques bouffonneries de la Comédie italienne,

telles qu'elles sont rapportées dans les *Masques*
de Maurice Sand, livre où j'admirais aussi les figu-
res d'Arlequin, de Colombine, de Polichinelle ou
de Pierrot, après que, par la voix de mon père,
je les avais entendus dialoguer.

Le succès de ces lectures était tel, et mon père
poussait si loin sa confiance, qu'il entreprit un jour
le début du livre de Job. C'était une expérience à
laquelle ma mère voulut assister; aussi n'eut-elle
pas lieu dans la bibliothèque ainsi que les autres,
mais dans un petit salon où l'on se sentait chez
elle plus spécialement. Je ne jurerais pas, naturellement, que j'aie compris d'abord la pleine beauté
du texte sacré! Mais cette lecture, il est certain, fit
sur moi l'impression la plus vive, aussi bien par
la solennité du récit que par la gravité de la voix
de mon père et l'expression du visage de ma
mère, qui tour à tour gardait les yeux fermés
pour marquer ou protéger son pieux recueillement,
et ne les rouvrait que pour porter sur moi un regard chargé d'amour, d'interrogation et d'espoir.

Certains beaux soirs d'été, quand nous n'avions
pas soupé trop tard et que mon père n'avait pas
trop de travail, il demandait :

« Mon petit ami vient-il se promener avec moi? »

Il ne m'appelait jamais autrement que « son
petit ami ».

« Vous serez raisonnables, n'est-ce pas? disait ma
mère. Ne rentrez pas trop tard. »

J'aimais sortir avec mon père; et, comme il s'occupait de moi rarement, le peu que je faisais avec
lui gardait un aspect insolite, grave et quelque
peu mystérieux qui m'enchantait.

Tout en jouant à quelque jeu de devinette ou
d'homonymes, nous remontions la rue de Tournon,

puis traversions le Luxembourg, ou suivions cette
partie du boulevard Saint-Michel qui le longe, jusqu'au second jardin, près de l'Observatoire. Dans
ce temps les terrains qui font face à l'Ecole de
Pharmacie n'étaient pas encore bâtis; l'Ecole même
n'existait pas. Au lieu des maisons à six étages,
il n'y avait là que baraquements improvisés,
échoppes de fripiers, de revendeurs et de loueurs de
vélocipèdes. L'espace asphalté, ou macadamisé je
ne sais, qui borde ce second Luxembourg, servait
de piste aux amateurs; juchés sur ces étranges et
paradoxaux instruments qu'ont remplacés les bicy-
clettes, ils viraient, passaient et disparaissaient dans
le soir. Nous admirions leur hardiesse, leur élégance. A peine encore distinguait-on la monture et
la roue d'arrière minuscule où reposait l'équilibre
de l'aérien appareil. La svelte roue d'avant se ba-
lançait; celui qui la montait semblait un être fantastique.

La nuit tombait, exaltant les lumières, un peu
plus loin, d'un café-concert, dont les musiques nous
attiraient. On ne voyait pas les globes de gaz eux-
mêmes, mais, par-dessus la palissade, l'étrange illu-
mination des marronniers. On s'approchait. Les
planches n'étaient pas si bien jointes qu'on ne pût,
par-ci, par-là, en appliquant l'œil, glisser entre
deux le regard : je distinguais, par-dessus la grouil-
lante et sombre masse des spectateurs, l'émerveillement de la scène, sur laquelle une divette venait
débiter des fadeurs.

Nous avions parfois encore le temps, pour rentrer, de retraverser le grand Luxembourg. Bientôt
un roulement de tambour en annonçait la ferme-
ture. Les derniers promeneurs, à contre-gré, se di-
rigeaient vers les sorties, talonnés par les gardes,

et les grandes allées qu'ils désertaient s'emplissaient
derrière eux de mystère. Ces soirs-là je m'endormais
ivre d'ombre, de sommeil et d'étrangeté.

Depuis ma cinquième année, mes parents me
faisaient suivre des cours enfantins chez Mlle Fleur
et chez Mme Lackerbauer.

Mlle Fleur habitait rue de Seine [1]. Tandis que
les petits, dont j'étais, pâlissaient sur les alphabets
ou sur des pages d'écriture, les grands — ou plus
exactement : les grandes (car, au cours de
Mlle Fleur fréquentaient bien de grandes filles,
mais seulement de petits garçons) — s'agitaient
beaucoup autour des répétitions d'une représentation à laquelle devaient assister les familles. On
préparait un acte des *Plaideurs* : les grandes es-
sayaient des fausses barbes; et je les enviais d'avoir
à se costumer; rien ne devait être plus plaisant.

De chez Mme Lackerbauer, je ne me rappelle
qu'une « machine de Ramsden », une vieille machine électrique, qui m'intriguait furieusement
avec son disque de verre où de petites plaques de
métal étaient collées, et une manivelle pour faire
tourner le disque; à quoi il était défendu de toucher « expressément sous peine de mort », comme
disent certaines pancartes sur des poteaux de trans-
mission. Un jour la maîtresse avait voulu faire
fonctionner la machine; tout autour, les enfants
formaient un grand cercle, très écarté parce qu'on
avait grand peur; on s'attendait à voir foudroyer
la maîtresse; et certainement elle tremblait un peu
en approchant d'une boule de cuivre, à l'extrémité
de l'appareil, son index replié. Mais pas la moin-

[1]. Voir appendice.

dre étincelle n'avait jailli... Ah! l'on était bien
soulagé.

J'avais sept ans quand ma mère crut devoir ajouter au cours de Mlle Fleur et de Mme Lackerbauer les leçons de piano de Mlle de Gœcklin.
On sentait chez cette innocente personne peut-être
moins de goût pour les arts qu'un grand besoin
de gagner sa vie. Elle était toute fluette, pâle et
comme sur le point de se trouver mal. Je crois
qu'elle ne devait pas manger à sa faim.

Quand j'avais été docile, Mlle de Gœcklin me
faisait cadeau d'une image qu'elle sortait d'un petit
manchon. L'image, en elle-même, eût pu me paraître ordinaire et j'en aurais presque fait fi; mais
elle était parfumée, extraordinairement parfumée
— sans doute en souvenir du manchon. Je la regardais à peine; je la humais; puis la collais dans
un album, à côté d'autres images que les grands
magasins donnaient aux enfants de leur clientèle,
mais qui, elles, ne sentaient rien. J'ai rouvert l'album dernièrement pour amuser un petit neveu :
les images de Mlle de Gœcklin embaument encore;
elles ont embaumé tout l'album.

Après que j'avais fait mes gammes, mes arpèges,
un peu de solfège, et ressassé quelque morceau des
Bonnes Traditions du Pianiste, je cédais la place à
ma mère qui s'installait à côté de Mlle de Gœcklin.
Je crois que c'est par modestie que maman ne
jouait jamais seule; mais, à quatre mains, comme
elle y allait! C'était d'ordinaire quelque partie
d'une symphonie de Haydn, et de préférence le
finale qui, pensait-elle, comportait moins d'expression à cause du mouvement rapide — qu'elle précipitait encore en approchant de la fin. Elle comp-

tait à haute voix d'un bout à l'autre du morceau.

Quand je fus un peu plus grand, Mlle de Gœcklin ne vint plus; j'allai prendre les leçons chez elle. C'était un tout petit appartement où elle vivait avec une sœur plus âgée, infirme ou un peu simple d'esprit, dont elle avait la charge. Dans la première pièce, qui devait servir de salle à manger, se trouvait une volière pleine de bengalis; dans la seconde pièce, le piano; il avait des notes étonnamment fausses dans le registre supérieur, ce qui modérait mon désir de prendre la haute de préférence, lorsque nous jouions à quatre mains. Mlle de Gœcklin, qui comprenait sans peine ma répugnance, disait alors d'une voix plaintive, abstraitement, comme un ordre discret qu'elle eût donné à un esprit : « Il faudra faire venir l'accordeur. » Mais l'esprit ne faisait pas la commission.

Mes parents avaient pris coutume de passer les vacances d'été dans le Calvados, à La Roque Baignard, cette propriété qui revint à ma mère au décès de ma grand-mère Rondeaux. Les vacances du Nouvel An, nous les passions à Rouen dans la famille de ma mère; celles de Pâques à Uzès, auprès de ma grand-mère paternelle.

Rien de plus différent que ces deux familles; rien de plus différent que ces deux provinces de France, qui conjuguent en moi leurs contradictoires influences. Souvent je me suis persuadé que j'avais été contraint à l'œuvre d'art, parce que je ne pouvais réaliser que par elle l'accord de ces éléments trop divers, qui sinon fussent restés à se combattre, ou tout au moins à dialoguer en moi. Sans doute ceux-là seuls sont-ils capables d'affir-

mations puissantes, que pousse en un seul sens
l'élan de leur hérédité. Au contraire, les produits
de croisement en qui coexistent et grandissent, en
se neutralisant, des exigences opposées, c'est parmi
eux, je crois, que se recrutent les arbitres et les
artistes. Je me trompe fort si les exemples ne me
donnent raison.

Mais cette loi, que j'entrevois et indique, a
jusqu'à présent si peu intrigué les historiens, semble-t-il, que, dans aucune des biographies que j'ai
sous la main à Cuverville où j'écris ceci, non plus
que dans aucun dictionnaire, ni même dans
l'énorme *Biographie Universelle* en cinquante-deux
volumes, à quelque nom que je regarde, je ne parviens à trouver la moindre indication sur l'origine
maternelle d'aucun grand homme, d'aucun héros.
J'y reviendrai.

Mon arrière-grand-père, Rondeaux de Montbray,
conseiller, comme son père, à la Cour des Comptes,
dont le bel hôtel existait encore sur la place Notre-
Dame, en face de la cathédrale — était maire de
Rouen en 1789. En 93, il fut incarcéré à Saint-
Yon avec M. d'Herbouville, et M. de Fontenay,
qu'on tenait pour plus *avancé*, le remplaça. Sorti
de prison, il se retira à Louviers. C'est là, je crois,
qu'il se remaria[1]. Il avait eu deux enfants d'un
premier lit; et jusqu'alors la famille Rondeaux
avait toute été catholique; mais, en secondes noces,
Rondeaux de Montbray épousa une protestante,
Mlle Dufour, qui lui donna encore trois enfants,
dont Edouard, mon grand-père. Ces enfants furent

---

[1]. Je tiens ces renseignements et ceux qui suivent de ma
tante Henri Rondeaux et les écrivis sous sa dictée, à Cuverville,
lors du dernier séjour qu'elle y fit. Je donne, en appendice à ce
volume, une lettre de mon cousin Maurice Démarest qui relève
dans mon récit quelques erreurs.

baptisés et élevés dans la religion catholique. Mais mon grand-père épousa lui aussi une protestante, Julie Pouchet; et cette fois les cinq enfants, dont le plus jeune était ma mère, furent élevés protestants.

Néanmoins, à l'époque de mon récit, c'est-à-dire au sommet de mes souvenirs, la maison de mes parents était redevenue catholique, plus catholique et bien pensante qu'elle n'avait jamais été. Mon oncle Henri Rondeaux, qui l'habitait depuis la mort de ma grand-mère, avec ma tante et leurs deux enfants, s'était converti tout jeune encore, longtemps même avant d'avoir songé à épouser la très catholique Mlle Lucile K.

La maison faisait angle entre la rue de Crosne et la rue Fontenelle. Elle ouvrait sa porte cochère sur celle-là; sur celle-ci le plus grand nombre de ses fenêtres. Elle me paraissait énorme; elle l'était. Il y avait en bas, en plus du logement des concierges, de la cuisine, de l'écurie, de la remise, un magasin pour les « rouenneries » que fabriquait mon oncle à son usine du Houlme, à quelques kilomètres de Rouen. Et à côté du magasin, ou plus proprement de la salle de dépôt, il y avait un petit bureau, dont l'accès était également défendu aux enfants, et qui du reste se défendait bien tout seul par son odeur de vieux cigare, son aspect sombre et rébarbatif. Mais combien la maison, par contre, était aimable!

Dès l'entrée, la clochette au son doux et grave semblait vous souhaiter bon accueil. Sous la voûte, à gauche, la concierge, de la porte vitrée de sa loge exhaussée de trois marches, vous souriait. En face s'ouvrait la cour, où de décoratives plantes vertes, dans des pots alignés contre le mur du fond, prenaient l'air, et, avant d'être ramenées dans la serre du Houlme, d'où elles venaient et où elles allaient refaire leur santé, se reposaient à tour de rôle de leur service d'intérieur. Ah! que cet intérieur était tiède, moite, discret et quelque peu sévère, mais confortable, honnête et plaisant. La cage d'escalier prenait jour par en bas sous la voûte, et tout en haut par un toit vitré. A chaque palier, de longues banquettes de velours vert, sur lesquelles il faisait bon s'étendre à plat ventre pour lire. Mais combien on était mieux encore, entre le deuxième étage et le dernier, sur les marches mêmes, que couvrait un tapis chiné noir et blanc bordé de larges bandes rouges. Du toit vitré tombait une lumière tamisée, tranquille; la marche au-dessus de celle sur laquelle j'étais assis me servait d'appuie-coude, de pupitre et lentement me pénétrait le côté...

J'écrirai mes souvenirs comme ils viennent, sans chercher à les ordonner. Tout au plus les puis-je grouper autour des lieux et des êtres; ma mémoire ne se trompe pas souvent de place; mais elle brouille les dates; je suis perdu si je m'astreins à de la chronologie. A reparcourir le passé, je suis comme quelqu'un dont le regard n'apprécierait pas bien les distances et parfois reculerait extrêmement ce que l'examen reconnaîtra beaucoup plus proche. C'est ainsi que je suis resté longtemps convaincu d'avoir gardé le souvenir de l'entrée des Prussiens à Rouen :

C'est la nuit. On entend la fanfare militaire, et du balcon de la rue de Crosne où elle passe, on voit les torches résineuses fouetter d'inégales lueurs les murs étonnés des maisons...

Ma mère à qui, plus tard, j'en reparlai, me persuada que d'abord, en ce temps, j'étais beaucoup

trop jeune pour en avoir gardé quelque souvenir
que ce soit; qu'au surplus jamais un Rouennais,
ou en tout cas aucun de ma famille, ne se serait
mis au balcon pour voir passer fût-ce Bismarck ou
le roi de Prusse lui-même, et que si les Allemands
avaient organisé des cortèges, ceux-ci eussent défilé
devant des volets clos. Certainement mon souvenir
devait être des « retraites aux flambeaux » qui,
tous les samedis soir, remontaient ou descendaient
la rue de Crosne après que les Allemands avaient
depuis longtemps déjà vidé la ville.

« C'était là ce que nous te faisions admirer du
balcon, en te chantant, te souviens-tu :

> Zim laï la! Zim laï la
> Les beaux militaires! »

Et soudain je reconnaissais aussi la chanson. Tout
se remettait à sa place et reprenait sa proportion.
Mais je me sentais un peu volé; il me semblait que
j'étais plus près de la vérité d'abord, et que méritait bien d'être un événement historique ce qui,
devant mes sens tout neufs, se douait d'une telle
importance. De là ce besoin inconscient de le re-
culer à l'excès afin que le magnifiât la distance.

Il en est de même de ce bal, rue de Crosne, que
ma mémoire s'est longtemps obstinée à placer du
temps de ma grand-mère — qui mourut en 73,
alors que je n'avais pas quatre ans. Il s'agit évidemment d'une soirée que mon oncle et ma tante
Henri donnèrent trois ans plus tard, à la majorité
de leur fille :

Je suis déjà couché, mais une singulière rumeur,
un frémissement du haut en bas de la maison,
joints à des vagues harmonieuses, écartent de moi

le sommeil. Sans doute ai-je remarqué, dans la journée, des préparatifs. Sans doute l'on m'a dit qu'il y aurait un bal ce soir-là. Mais, un bal, sais-je ce que c'est? Je n'y avais pas attaché d'importance et m'étais couché comme les autres soirs. Mais cette rumeur à présent... J'écoute; je tâche de surprendre quelque bruit plus distinct, de comprendre ce qui se passe. Je tends l'oreille. A la fin, n'y tenant plus, je me lève, je sors de la chambre à tâtons dans le couloir sombre et, pieds nus, gagne l'escalier plein de lumière. Ma chambre est au troisième étage. Les vagues de sons montent du premier; il faut aller voir; et, à mesure que de marche en marche je me rapproche, je distingue des bruits de voix, des frémissements d'étoffes, des chuchotements et des rires. Rien n'a l'air coutumier; il me semble que je vais être initié tout à coup à une autre vie, mystérieuse, différemment réelle, plus brillante et plus pathétique, et qui commence seulement lorsque les petits enfants sont couchés. Les couloirs du second tout emplis de nuit sont déserts; la fête est au-dessous. Avancerai-je encore? On va me voir. On va me punir de ne pas dormir, d'avoir vu. Je passe ma tête à travers les fers de la rampe. Précisément des invités arrivent, un militaire en uniforme, une dame toute en rubans, toute en soie; elle tient un éventail à la main; le domestique, mon ami Victor, que je ne reconnais pas d'abord à cause de ses culottes et de ses bas blancs, se tient devant la porte ouverte du premier salon et introduit. Tout à coup quelqu'un bondit vers moi; c'est Marie, ma bonne, qui comme moi tâchait de voir, dissimulée un peu plus bas au premier angle de l'escalier. Elle me saisit dans ses bras; je crois d'abord qu'elle va me re-

conduire dans ma chambre, m'y enfermer; mais
non, elle veut bien me descendre, au contraire,
jusqu'à l'endroit où elle était, d'où le regard
cueille un petit brin de la fête. A présent j'entends
parfaitement bien la musique. Au son des instruments que je ne puis voir, des messieurs tourbil-
lonnent avec des dames parées qui toutes sont
beaucoup plus belles que celles du milieu du jour.
La musique cesse; les danseurs s'arrêtent; et le
bruit des voix remplace celui des instruments. Ma
bonne va me remmener; mais à ce moment une
des belles dames qui se tenait debout, appuyée
près de la porte et s'éventait, m'aperçoit; elle vient
à moi, m'embrasse et rit parce que je ne la reconnais pas. C'est évidemment cette amie de ma
mère que j'ai vue précisément ce matin; mais tout
de même je ne suis pas bien sûr que ce soit tout à
fait elle, elle réellement. Et quand je me retrouve
dans mon lit, j'ai les idées toutes brouillées et je
pense, avant de sombrer dans le sommeil, confusément : il y a la réalité et il y a les rêves; et puis
il y a *une seconde réalité*.

La croyance indistincte, indéfinissable, à je ne
sais quoi d'autre, à côté du réel, du quotidien,
de l'avoué, m'habita durant nombre d'années; et
je ne suis pas sûr de n'en pas retrouver en moi,
encore aujourd'hui, quelques restes. Rien de commun avec les contes de fées, de goules ou de sor-
cières; ni même avec ceux d'Hoffmann ou d'An-
dersen que, du reste, je ne connaissais pas encore.
Non, je crois bien qu'il y avait plutôt là un maladroit besoin d'épaissir la vie — besoin que la
religion, plus tard, serait habile à contenter; et
une certaine propension, aussi, à supposer le clandestin. C'est ainsi qu'après la mort de mon père,

si grand garçon que je fusse déjà, n'allai-je pas
m'imaginer qu'il n'était pas mort pour de vrai! ou
du moins — comment exprimer cette sorte d'appréhension? — qu'il n'était mort qu'à notre vie ouverte et diurne, mais que, de nuit, secrètement,
alors que je dormais, il venait retrouver ma mère.
Durant le jour mes soupçons se maintenaient in-
certains, mais je les sentais se préciser et s'affirmer
le soir, immédiatement avant de m'endormir. Je
ne cherchais pas à percer le mystère; je sentais que
j'eusse empêché tout net ce que j'eusse essayé de
surprendre; assurément j'étais trop jeune encore,
et ma mère me répétait trop souvent, et à propos
de trop de choses : « Tu comprendras plus tard »
— mais certains soirs, en m'abandonnant au sommeil, il me semblait vraiment que je cédais la
place...

Je reviens à la rue de Crosne.

Au deuxième étage, à l'extrémité d'un couloir
sur lequel ouvrent les chambres, se trouve la salle
d'étude, plus confortable, plus intime que les
grands salons du premier, de sorte que ma mère
s'y tient et m'y retient de préférence. Une grande
armoire formant bibliothèque en occupe le fond.
Les deux fenêtres ouvrent sur la cour; l'une d'elles
est double et, entre les deux châssis, fleurissent
dans des pots, sur des soucoupes, des crocus, des
hyacinthes et des tulipes « du duc de Tholl ». Des
deux côtés de la cheminée, deux grands fauteuils
de tapisserie, ouvrage de ma mère et de mes
tantes; dans l'un d'eux ma mère est assise.
Mlle Shackleton, sur une chaise de reps grenat et
d'acajou, près de la table, s'occupe à un ouvrage
de broderie sur filet. Le petit carré de filet que se
propose d'agrémenter son travail est tendu sur un

cadre de métal; c'est un arachnéen réseau à travers lequel court l'aiguille. Mlle Shackleton consulte parfois un modèle où les dessins du fil sont marqués en blanc sur fond bleu. Ma mère regarde à la fenêtre et dit :

« Les crocus sont ouverts : il va faire beau. »

Mlle Shackleton la reprend doucement :

« Juliette, vous serez toujours la même : c'est parce qu'il fait déjà beau que les crocus se sont ouverts; vous savez bien qu'ils ne prennent pas les devants. »

Anna Shackleton! je revois votre calme visage, votre front pur, votre bouche un peu sévère, vos souriants regards qui versèrent tant de bonté sur mon enfance. Je voudrais, pour parler de vous, inventer des mots plus vibrants, plus respectueux et plus tendres. Raconterai-je un jour votre modeste vie? Je voudrais que, dans mon récit, cette humilité resplendisse, comme elle resplendira devant Dieu le jour où seront abaissés les puissants, où seront magnifiés les humbles. Je ne me suis jamais senti grand goût pour portraire les triomphants et les glorieux de ce monde, mais bien ceux dont la plus vraie gloire est cachée.

Je ne sais quels revers précipitèrent du fond de l'Ecosse sur le continent les enfants Shackleton. Le pasteur Roberty, qui lui-même avait épousé une Ecossaise, connaissait, je crois, cette famille et c'est lui, sans doute, qui recommanda l'aînée des filles à ma grand-mère. Tout ce que je vais redire ici, je ne l'appris, il va sans dire, que longtemps ensuite, par ma mère elle-même, ou par des cousins plus âgés [1].

1. Voir appendice.

C'est proprement comme gouvernante de ma
mère que Mlle Shackleton entra dans notre famille. Ma mère allait bientôt atteindre l'âge d'être
mariée; il parut à plus d'un qu'Anna Shackleton,
encore jeune elle-même et, de plus, extrêmement
jolie, pourrait faire tort à son élève. La jeune
Juliette Rondeaux était du reste, il faut le reconnaître, un sujet quelque peu décourageant. Non
seulement elle se retirait sans cesse et s'effaçait
chaque fois qu'il aurait fallu briller; mais encore
ne perdait-elle pas une occasion de pousser en
avant Mlle Anna, pour qui, presque aussitôt, elle
s'était prise d'une amitié très vive. Juliette ne supportait pas d'être la mieux mise; tout la choquait,
de ce qui marquait sa situation, sa fortune, et les
questions de préséance entretenaient une lutte
continuelle avec sa mère et avec Claire, sa sœur
aînée.

Ma grand-mère n'était point dure, assurément;
mais, sans être précisément entichée, elle gardait
un vif sentiment des hiérarchies. On retrouvait ce
sentiment chez sa fille Claire, mais qui n'avait pas
sa bonté; qui même n'avait pas beaucoup d'autres
sentiments que celui-là, et s'irritait à ne le retrouver point chez sa sœur; elle rencontrait, à la
place, un instinct, sinon précisément de révolte, du
moins d'insoumission, qui sans doute n'avait pas
existé de tout temps chez Juliette, mais qui s'éveillait, semblait-il, à la faveur de son amitié pour
Anna. Claire pardonnait mal à Anna cette amitié
que lui avait vouée sa sœur; elle estimait que
l'amitié comporte des degrés, des nuances, et qu'il
ne convenait pas que Mlle Shackleton cessât de se
sentir institutrice.

« Eh quoi! pensait ma mère, suis-je plus belle?

ou plus intelligente? ou meilleure? Est-ce ma
fortune ou mon nom pour quoi je serais pré-
férée? »

« Juliette, disait Anna, vous me donnerez pour le
jour de vos noces une robe de soie couleur thé,
et je serai tout à fait heureuse. »

Longtemps Juliette Rondeaux avait dédaigné les
plus brillants partis de la société rouennaise, lorsque enfin on fut tout surpris de la voir accepter
un jeune professeur de droit sans fortune, venu du
fond du Midi, et qui n'eût jamais osé demander sa
main si ne l'y eût poussé l'excellent pasteur Roberty qui le présentait, connaissant les idées de
ma mère. Quand, six ans plus tard, je vins au
monde, Anna Shackleton m'adopta, comme elle
avait adopté tour à tour mes grands cousins. Ni la
beauté, ni la grâce, ni la bonté, ni l'esprit, ni la
vertu ne faisant oublier qu'on est pauvre, Anna ne
devait connaître qu'un reflet lointain de l'amour,
ne devait avoir d'autre famille que celle que lui
prêtaient mes parents.

Le souvenir que j'ai gardé d'elle me la représente les traits un peu durcis déjà par l'âge, la
bouche un peu sévère, le regard seul encore plein
de sourire, un sourire qui pour un rien devenait
du rire vraiment, si frais, si pur qu'il semblait que
ni les chagrins ni les déboires n'eussent pu diminuer en elle l'amusement extrême que l'âme prend
naturellement à la vie. Mon père avait, lui aussi,
ce même rire, et parfois Mlle Shackleton et lui
entraient dans des accès d'enfantine gaîté, auxquels
je ne me souviens pas que s'associât jamais ma
mère.

Anna (à l'exception de mon père qui l'appelait

toujours : Mademoiselle Anna, nous l'appelions
tous par son prénom, et même je disais : « Nana »,
par une puérile habitude que je conservai jusqu'à
l'annonce du livre de Zola auquel ce nom servait
de titre) — Anna Shackleton portait une sorte de
coiffe d'intérieur en dentelle noire, dont deux bandeaux tombaient de chaque côté de son visage et
l'encadraient assez bizarrement. Je ne sais quand
elle commença de se coiffer ainsi, mais c'est avec
cette coiffure que je la revois, du plus loin qu'il me
souvienne, et que la représentent les quelques pho-
tographies que j'ai d'elle. Si harmonieusement
tranquilles que fussent l'expression de son visage,
son allure et toute sa vie, Anna n'était jamais oisive; réservant les interminables travaux de broderie pour le temps qu'elle passait en société, elle
occupait à quelque traduction les longues heures
de sa solitude; car elle lisait l'anglais et l'allemand
aussi bien que le français, et fort passablement
l'italien.

J'ai conservé quelques-unes de ces traductions
qui toutes sont demeurées manuscrites; ce sont de
gros cahiers d'écolier emplis jusqu'à la dernière
ligne d'une sage et fine écriture. Tous les ouvrages
qu'Anna Shackleton avait ainsi traduits ont paru
depuis dans d'autres traductions, peut-être meilleures; pourtant je ne puis me résoudre à jeter ces
cahiers où respire tant de patience, d'amour et de
probité. L'un entre tous m'est cher : c'est le
Reineke Fuchs de Gœthe, dont Anna me lisait des
passages. Après qu'elle eut achevé ce travail, mon
cousin Maurice Démarest lui fit cadeau de petites
têtes en plâtre de tous les animaux qui figurent
dans le vieux fabliau; Anna les avait accrochées
tout autour du cadre de la glace, au-dessus de la

cheminée de sa chambre, où ils faisaient ma
joie.

Anna dessinait aussi et peignait à l'aquarelle.
Des vues qu'elle prit de La Roque, consciencieuses,
harmonieuses et discrètes ornent encore la chambre
de ma femme à Cuverville; et de la Mivoie, cette
propriété de ma grand-mère sur la rive droite de
la Seine, en amont de Rouen — qu'on vendit quelque temps après sa mort, et dont je ne me souvien-
drais guère si je ne pouvais la revoir du train à
chaque voyage en Normandie —, près de la colline de Saint-Adrien, au-dessous de l'église de Bon-
Secours, peu d'instants avant de passer sur le pont.
L'aquarelle la représente encore avec la gracieuse
balustrade de sa façade Louis XVI, que ses nouveaux propriétaires se hâtèrent d'écraser sous un
massif fronton.

Mais la principale occupation d'Anna, sa plus
chère étude, était la botanique. A Paris elle suivait assidûment les cours de M. Bureau au Muséum, et elle accompagnait au printemps les her-
borisations organisées par M. Poisson, son assistant. Je n'ai garde d'oublier ces noms qu'Anna
citait avec vénération et qui s'auréolaient dans
mon esprit d'un grand prestige. Ma mère, qui
voyait là une occasion de me faire prendre de
l'exercice, me permettait de me joindre à ces ex-
cursions dominicales qui prenaient pour moi tout
l'attrait d'une exploration scientifique. La bande
des botanistes était composée presque uniquement
de vieilles demoiselles et d'aimables maniaques;
on se rassemblait au départ d'un train; chacun
portait en bandoulière une boîte verte de métal
peint où l'on couchait les plantes que l'on se
proposait d'étudier ou de faire sécher. Quelques-

uns avaient en plus un sécateur, d'autres un filet
à papillons. J'étais de ces derniers, car je ne m'intéressais point tant alors aux plantes qu'aux insectes, et plus spécialement aux coléoptères, dont
j'avais commencé de faire collection; et mes poches
étaient gonflées de boîtes et de tubes de verre où
j'asphyxiais mes victimes dans les vapeurs de ben-
zine ou le cyanure de potassium. Cependant je
chassais la plante également; plus agile que les
vieux amateurs, je courais de l'avant, et, quittant
les sentiers, fouillais, de-ci, de-là, le taillis, la campagne, claironnant mes découvertes, tout glorieux
d'avoir aperçu le premier l'espèce rare que venaient admirer ensuite tous les membres de notre
petite troupe, certains un peu dépités lorsque le
spécimen était unique, que triomphalement j'apportais à Anna.

A l'instar d'Anna et avec son aide, je faisais un
herbier; mais surtout l'aidais à compléter le sien
qui était considérable et remarquablement bien
arrangé. Non seulement elle avait fini par se
procurer, patiemment, pour chaque variété les
plus beaux exemplaires, mais la présentation de
chacun de ceux-ci était merveilleuse : de minces
bandelettes gommées fixaient les plus délicates
tigelles; le port de la plante était soigneusement
respecté; on admirait, auprès du bouton, la fleur
épanouie, puis la graine. L'étiquette était calli-
graphiée. Parfois la désignation d'une variété douteuse nécessitait des recherches, un examen mi-
nutieux; Anna se penchait sur sa « loupe montée », s'armait de pinces, de minuscules scalpels,
ouvrait délicatement la fleur, en étalait sous l'ob-
jectif tous les organes et m'appelait pour me faire
remarquer telle particularité des étamines ou

je ne sais quoi dont ne parlait pas sa « flore » et qu'avait signalé M. Bureau.

C'est à La Roque surtout, où Anna nous accompagnait tous les étés, que se manifestait dans son plein son activité botanique et que s'alimentait l'herbier. Nous ne sortions jamais, elle ni moi, sans notre boîte verte (car moi aussi j'avais la mienne) et une sorte de truelle cintrée, un déplantoir, qui permettait de s'emparer de la plante avec sa racine. Parfois on en surveillait une de jour en jour; on attendait sa floraison parfaite, et c'était un vrai désespoir quand, le dernier jour, parfois, on la trouvait à demi broutée par des chenilles, ou qu'un orage tout à coup nous retenait à la maison.

A La Roque l'herbier régnait en seigneur; tout ce qui se rapportait à lui, on l'accomplissait avec zèle, avec gravité, comme un rite. Par les beaux jours, on étalait aux rebords des fenêtres, sur les tables et les planchers ensoleillés, les feuilles de papier gris entre lesquelles iraient sécher les plantes; pour certaines, grêles ou fibreuses, quelques feuilles suffisaient; mais il en était d'autres, charnues, gonflées de sève, qu'il fallait presser entre d'épais matelas de papier spongieux, bien secs et renouvelés chaque jour. Tout cela prenait un temps considérable, et nécessitait beaucoup plus de place qu'Anna n'en pouvait trouver à Paris.

Elle habitait, rue de Vaugirard, entre la rue Madame et la rue d'Assas, un petit appartement de quatre pièces exiguës et si basses que presque on en pouvait toucher de la main le plafond. Au demeurant l'appartement n'était pas mal situé, en face du jardin ou de la cour de je ne sais quel établissement scientifique, où nous pûmes contempler les essais des premières chaudières solaires. Ces étranges appareils ressemblaient à d'énormes fleurs, dont la corolle eût été formée de miroirs; le pistil, au point de convergence des rayons, présentait l'eau qu'il s'agissait d'amener à ébullition. Et sans doute y parvenait-on, car un beau jour un de ces appareils éclata, terrifiant tout le voisinage et brisant les carreaux du salon d'Anna et ceux de sa chambre, qui donnaient tous deux sur la rue. Sur une cour donnaient la salle à manger et une salle de travail où Anna se tenait le plus souvent; même elle y recevait plus volontiers que dans son salon les quelques intimes qui venaient la voir; aussi ne me souviendrais-je sans doute pas du salon si ce n'eût été là qu'on avait dressé pour moi un petit lit pliant, lorsque, à ma grande joie, ma mère me confia pour quelques jours à son amie, je ne sais plus à quelle occasion.

L'année que j'entrai à l'Ecole Alsacienne, mes parents ayant jugé sans doute que l'instruction que je recevais chez Mlle Fleur et Mme Lackerbauer ne me suffisait plus, il fut convenu que je déjeunerais chez Anna une fois par semaine. C'était, il m'en souvient, le jeudi, après la gymnastique. L'Ecole Alsacienne, qui n'avait pas encore, en ce temps-là, l'importance qu'elle a prise par la suite et ne disposait pas d'une salle spéciale pour les exercices physiques, menait ses élèves au « gymnase Pascaud », rue de Vaugirard, à quelques pas de chez Anna. J'arrivais chez elle encore en nage et en désordre, les vêtements pleins de sciure de bois et les mains gluantes de colophane. Qu'avaient ces déjeuners de si charmant? Je crois surtout l'attention inlassable d'Anna pour mes plus niais bavardages, mon importance auprès d'elle, et de me sentir attendu, considéré, choyé. L'appartement s'emplissait pour moi de prévenances et de sourires; le déjeuner se faisait meilleur. En retour, ah! je voudrais avoir gardé souvenir de quelque gentillesse enfantine, de quelque geste ou mot d'amour... Mais non; et le seul dont il me souvienne, c'est une phrase absurde, bien digne de l'enfant obtus que j'étais; je rougis à vous la redire — mais ce n'est pas un roman que j'écris et j'ai résolu de ne me flatter dans ces Mémoires, non plus en surajoutant du plaisant qu'en dissimulant le pénible.

Comme je mangeais ce matin-là de fort bon appétit et qu'Anna, avec ses modiques ressources, avait visiblement fait de son mieux :

« Mais Nana, je vais te ruiner! » m'écriai-je (la phrase sonne encore à mon oreille)... Du moins sentis-je, aussitôt ces mots prononcés, qu'ils n'étaient pas de ceux qu'un cœur un peu délicat pouvait inventer, qu'Anna s'en affectait, que je l'avais un peu blessée. Ce fut, je le crois bien, un des premiers éclairs de ma conscience; lueur fugitive, encore bien incertaine, bien insuffisante à percer l'épaisse nuit où ma puérilité s'attardait.

II

J'IMAGINE le dépaysement de ma mère, lorsque sortant pour la première fois du confortable milieu de la rue de Crosne, elle accompagna mon père à Uzès. Il semblait que le progrès du siècle eût oublié la petite ville; elle était sise à l'écart et ne s'en apercevait pas. Le chemin de fer ne menait que jusqu'à Nîmes, ou tout au plus à Remoulins, d'où quelque guimbarde achevait le trimbalement. Par Nîmes le trajet était sensiblement plus long, mais la route était beaucoup plus belle. Au pont Saint-Nicolas elle traversait le Gardon; c'était la Palestine, la Judée. Les bouquets des cistes pourpres ou blancs chamarraient la rauque garrigue, que les lavandes embaumaient. Il soufflait par là-dessus un air sec, hilarant, qui nettoyait la route en empoussiérant l'alentour. Notre voiture faisait lever d'énormes sauterelles qui tout à coup déployaient leurs membranes bleues, rouges ou grises, un instant papillons légers, puis retombaient un peu plus loin, ternes et confondues, parmi la broussaille et la pierre. Aux abords du Gardon croissaient des asphodèles, et, dans le lit même du fleuve, presque partout à sec, une flore quasi tropicale... Ici je

quitte un instant la guimbarde; il est des souvenirs
qu'il faut que j'accroche au passage, que je ne
saurais sinon où placer. Comme je le disais déjà,
je les situe moins aisément dans le temps que
dans l'espace, et par exemple ne saurais dire en
quelle année Anna vint nous rejoindre à Uzès,
que sans doute ma mère était heureuse de lui
montrer; mais ce dont je me souviens avec précision c'est de l'excursion que nous fîmes du pont
Saint-Nicolas à tel village non loin du Gardon,
où nous devions retrouver la voiture.

Aux endroits encaissés, au pied des falaises ar-
dentes qui réverbéraient le soleil, la végétation
était si luxuriante que l'on avait peine à passer.
Anna s'émerveillait aux plantes nouvelles, en
reconnaissait qu'elle n'avait encore jamais vues
à l'état sauvage — et j'allais dire : en liberté —,
comme ces triomphants daturas qu'on nomme des
« trompettes de Jéricho », dont sont restées si fort
gravées dans ma mémoire, auprès des lauriers-roses,
la splendeur et l'étrangeté. On avançait prudem-
ment à cause des serpents, inoffensifs du reste pour
la plupart, dont nous vîmes plusieurs s'esquiver.
Mon père musait et s'amusait de tout. Ma mère,
consciente de l'heure, nous talonnait en vain. Le
soir tombait déjà quand enfin nous sortîmes
d'entre les berges du fleuve. Le village était encore loin, dont faiblement parvenait jusqu'à nous
le son angélique des cloches; pour s'y rendre, un
indistinct sentier hésitait à travers la brousse... Qui
me lit va douter si je n'ajoute pas aujourd'hui tout
ceci; mais non : cet angélus, je l'entends encore;
je revois ce sentier charmant, les roseurs du couchant et, montant du lit du Gardon, derrière nous, l'obscurité envahissante. Je m'amusais

d'abord des grandes ombres que nous faisions;
puis tout se fondit dans le gris crépusculaire, et
je me laissai gagner par l'inquiétude de ma mère.
Mon père et Anna, tout à la beauté de l'heure,
flânaient, peu soucieux du retard. Je me souviens qu'ils récitaient des vers; ma mère trouvait
que « ce n'était pas le moment » et s'écriait :

« Paul, vous réciterez cela quand nous serons
rentrés. »

Dans l'appartement de ma grand-mère, toutes
les pièces se commandaient; de sorte que, pour
gagner leur chambre, les parents devaient traverser la salle à manger, le salon et un autre salon
plus petit où l'on avait dressé mon lit. Achevait-on
le tour, on trouvait un petit cabinet de toilette,
puis la chambre de grand-mère, qu'on gagnait
également de l'autre côté, en passant par la
chambre de mon oncle. Celle-ci rejoignait le palier,
sur lequel ouvraient également la cuisine et la
salle à manger. Les fenêtres des deux salons et de
la chambre de mes parents regardaient l'esplanade;
les autres ouvraient sur une étroite cour que l'appartement ceinturait; seule la chambre de mon
oncle donnait, de l'autre côté de la maison, sur
une obscure ruelle, tout au bout de laquelle on
voyait un coin de la place du marché. Sur le
rebord de sa fenêtre, mon oncle s'occupait à
d'étranges cultures : dans de mystérieux bocaux
cristallisaient, autour de tiges rigides, ce qu'il
m'expliquait être des sels de zinc, de cuivre ou
d'autres métaux; il m'enseignait que, d'après le
nom du métal, ces implacables végétations étaient
dénommées arbres de Saturne, de Jupiter, etc. Mon
oncle, en ce temps-là, ne s'occupait pas encore

d'économie politique; j'ai su depuis que l'astro-
nomie surtout l'attirait alors, vers quoi le pous-
saient également son goût pour les chiffres, sa
taciturnité contemplative et ce déni de l'individuel
et de toute psychologie qui fit bientôt de lui
l'être le plus ignorant de soi-même et d'autrui
que je connaisse. C'était alors (je veux dire : au
temps de ma première enfance) un grand jeune
homme aux cheveux noirs, longs et plaqués en
mèches derrière les oreilles, un peu myope, un
peu bizarre, silencieux et on ne peut plus inti-
midant. Ma mère l'irritait beaucoup par les cons-
tants efforts qu'elle faisait pour le dégeler; il y
avait chez elle plus de bonne volonté que d'adresse,
et mon oncle, peu capable ou peu désireux de lire
l'intention sous le geste, se préparait déjà à n'être
séduit que par des faiseurs. On eût dit que mon
père avait accaparé toute l'aménité dont pouvait
disposer la famille, de sorte que rien plus ne tempérait, des autres membres, l'air coriace et re-
frogné.

Mon grand-père était mort depuis assez longtemps lorsque je vins au monde; mais ma mère
l'avait pourtant connu, car je ne vins au monde
que six ans après son mariage. Elle m'en parlait
comme d'un huguenot austère, entier, très grand,
très fort, anguleux, scrupuleux à l'excès, inflexible,
et poussant la confiance en Dieu jusqu'au sublime.
Ancien président du tribunal d'Uzès, il s'occupait
alors presque uniquement de bonnes œuvres et
de l'instruction morale et religieuse des élèves de
l'école du Dimanche.

En plus de Paul, mon père, et de mon oncle
Charles, Tancrède Gide avait eu plusieurs enfants
qu'il avait tous perdus en bas âge, l'un d'une chute

sur la tête, l'autre d'une insolation, un autre
encore d'un rhume mal soigné; mal soigné pour
les mêmes raisons apparemment qui faisaient qu'il
ne se soignait pas lui-même. Lorsqu'il tombait malade, ce qui du reste était peu fréquent, il prétendait ne recourir qu'à la prière; il considérait
l'intervention du médecin comme indiscrète, voire
impie, et mourut sans avoir admis qu'on l'ap-
pelât [1].

Certains s'étonneront peut-être qu'aient pu se
conserver si tard ces formes incommodes et quasi
paléontologiques de l'humanité; mais la petite ville
d'Uzès était conservée tout entière; des outrances
comme celles de mon grand-père n'y faisaient
assurément point tache; tout y était à l'avenant;
tout les expliquait, les motivait, les encourageait
au contraire, les faisait sembler naturelles; et je
pense, du reste, qu'on les eût retrouvées à peu
près les mêmes dans toute la région cévenole, encore mal ressuyée des cruelles dissensions religieuses qui l'avaient si fort et si longuement tour-
mentée. Cette étrange aventure m'en persuade,
qu'il faut que je raconte aussitôt, bien qu'elle soit
de ma dix-huitième (?) année :

J'étais parti d'Uzès au matin, répondant à l'invitation de Guillaume Granier, mon cousin, pasteur aux environs d'Anduze. Je passai près de
lui la journée. Avant de me laisser partir, il me
sermonna, pria avec moi, pour moi, me bénit, ou
du moins pria Dieu de me bénir... mais ce n'est
point pourquoi j'ai commencé ce récit. — Le train

---

1. Il se trouve que, sur ce point, mes souvenirs des récits de
ma mère, ou ces récits mêmes, sont inexacts. Mon oncle Charles
Gide me dit, par la suite, que Tancrède Gide, mon grand-père,
dans les derniers temps de sa vie, consultait toutes sortes de
médicastres et de charlatans.

devait me ramener à Uzès pour dîner; mais je
lisais *Le Cousin Pons*. C'est peut-être, de tant de
chefs-d'œuvre de Balzac, celui que je préfère; c'est
en tout cas celui que j'ai le plus souvent relu. Or,
ce jour-là, je le découvrais. J'étais dans le ravissement, dans l'extase, ivre, perdu...

La tombée de la nuit interrompit enfin ma lecture. Je pestai contre le wagon qui n'était pas
éclairé; puis m'avisai qu'il était en panne; les
employés, qui le croyaient vide, l'avaient remisé
sur une voie de garage.

« Vous ne saviez donc pas qu'il fallait changer?
dirent-ils. On a pourtant assez appelé! Mais vous
dormiez sans doute. Vous n'avez qu'à recommencer, car il ne part plus de train d'ici demain. »

Passer la nuit dans cet obscur wagon n'avait rien
d'enchanteur; et puis je n'avais pas dîné. La gare
était loin du village et l'auberge m'attirait moins
que l'aventure; au surplus je n'avais sur moi que
quelques sous. Je partis sur la route, au hasard,
et me décidai à frapper à la porte d'un *mas* assez
grand, d'aspect propre et accueillant. Une femme
m'ouvrit, à qui je racontai que je m'étais perdu,
que d'être sans argent ne m'empêchait pas d'avoir
faim et que peut-être on serait assez bon pour
me donner à manger et à boire; après quoi je
regagnerais mon wagon remisé, où je patienterais
jusqu'au lendemain.

Cette femme qui m'avait ouvert ajouta vite un
couvert à la table déjà servie. Son mari n'était
pas là; son vieux père, assis au coin du feu, car
la pièce servait également de cuisine, était resté
penché vers l'âtre sans rien dire, et son silence,
qui me paraissait réprobateur, me gênait. Soudain, je remarquai sur une sorte d'étagère une

grosse Bible, et, comprenant que je me trouvais
chez des protestants, je leur nommai celui que je
venais d'aller voir. Le vieux se redressa tout
aussitôt; il connaissait mon cousin le pasteur;
même il se souvenait fort bien de mon grand-
père. La manière dont il m'en parla me fit comprendre quelle abnégation, quelle bonté pouvait
habiter la plus rude enveloppe, aussi bien chez
mon grand-père que chez ce paysan lui-même, à
qui j'imaginais que mon grand-père avait dû res-
sembler, d'aspect extrêmement robuste, à la voix
sans douceur, mais vibrante, au regard sans caresse,
mais droit.

Cependant les enfants rentraient du travail, une
grande fille et trois fils; plus fins, plus délicats
que l'aïeul; beaux, mais déjà graves et même un
peu froncés. La mère posa la soupe fumante sur
la table, et comme à ce moment je parlais, d'un
geste discret elle arrêta ma phrase, et le vieux dit
le bénédicité[1].

Ce fut pendant le repas qu'il me parla de mon
grand-père; son langage était à la fois imagé et
précis; je regrette de n'avoir pas noté de ses
phrases. Quoi! ce n'est là, me redisais-je, qu'une
famille de paysans! quelle élégance, quelle vivacité, quelle noblesse, auprès de nos épais cultiva-
teurs de Normandie! Le souper fini, je fis mine
de repartir; mais mes hôtes ne l'entendaient pas
ainsi. Déjà la mère s'était levée; l'aîné des fils
coucherait avec un de ses frères; j'occuperais sa
chambre et son lit, auquel elle mit des draps propres, rudes et qui sentaient délicieusement la

1. L'on me fait remarquer que ce mot n'est jamais employé
que par les catholiques. J'attends que les protestants m'en in-
diquent un autre pour désigner cette prière qui précède le repas.

lavande. La famille n'avait pas l'habitude de
veiller tard, ayant celle de se lever tôt; au demeurant je pourrais rester à lire encore s'il me plaisait.

« Mais, dit le vieux, vous permettrez que nous
ne dérangions pas nos habitudes — qui ne seront
pas pour vous étonner, puisque vous êtes le petit
de M. Tancrède. »

Alors il alla chercher la grosse Bible que j'avais
entrevue, et la posa sur la table desservie. Sa fille
et ses petits-enfants se rassirent à ses côtés devant
la table, dans une attitude recueillie qui leur
était naturelle. L'aïeul ouvrit le livre saint et lut
avec solennité un chapitre des évangiles, puis un
psaume; après quoi chacun se mit à genoux
devant sa chaise, lui seul excepté, que je vis demeurer debout, les yeux clos, les mains posées à
plat sur le livre refermé. Il prononça une courte
prière d'action de grâces, très digne, très simple
et sans requêtes, où je me souviens qu'il remercia
Dieu de m'avoir indiqué sa porte, et cela d'un
tel ton que tout mon cœur s'associait à ses paroles.
Pour achever, il récita « Notre Père »; puis il y
eut un instant de silence, après quoi seulement
chacun des enfants se releva. Cela était si beau,
si tranquille, et ce baiser de paix si glorieux,
qu'il posa sur le front de chacun d'eux ensuite,
que, m'approchant de lui moi aussi, je tendis à
mon tour mon front.

Ceux de la génération de mon grand-père gardaient vivant encore le souvenir des persécutions
qui avaient martelé leurs aïeux, ou du moins certaine tradition de résistance; un grand raidissement intérieur leur restait de ce qu'on avait
voulu les plier. Chacun d'eux entendait distinc-

tement le Christ lui dire, et au petit troupeau
tourmenté : « Vous êtes le sel de la terre; or si
le sel perd sa saveur, avec quoi la lui rendra-
t-on? »

Et il faut reconnaître que le culte protestant
de la petite chapelle d'Uzès présentait, du temps
de mon enfance encore, un spectacle particulièrement savoureux. Oui, j'ai pu voir encore les derniers représentants de cette génération de tu-
toyeurs de Dieu assister au culte avec leur grand
chapeau de feutre sur la tête, qu'ils gardaient
durant toute la pieuse cérémonie, qu'ils soule-
vaient au nom de Dieu, lorsque l'invoquait le
pasteur, et n'enlevaient qu'à la récitation de
« Notre Père... ». Un étranger s'en fût scandalisé
comme d'un irrespect, qui n'eût pas su que ces
vieux huguenots gardaient ainsi la tête couverte
en souvenir des cultes en plein air et sous un
ciel torride, dans les replis secrets des garrigues,
du temps que le service de Dieu selon leur foi présentait, s'il était surpris, un inconvénient capital.

Puis, l'un après l'autre, ces mégathériums dis-
parurent. Quelque temps après eux, survécurent
encore les veuves. Elles ne sortaient plus que le
dimanche, pour l'église, c'est-à-dire aussi pour
s'y retrouver. Il y avait là ma grand-mère,
Mme Abauzit son amie, Mme Vincent et deux
autres vieillardes dont je ne sais plus le nom.
Un peu avant l'heure du culte, des servantes,
presque aussi vieilles que leur maîtresse, apportaient les chaufferettes de ces dames, qu'elles posaient devant leur banc. Puis, à l'heure précise,
les veuves faisaient leur entrée, tandis que le
culte commençait. A moitié aveugles, elles ne se
reconnaissaient point avant la porte, mais seule-

ment une fois dans le banc; tout au plaisir de la
rencontre, elles commençaient en chœur d'extraordinaires effusions, mélange de congratulations, de
réponses et de questions, chacune, sourde comme
un pot, n'entendant rien de ce que lui disait sa
commère; et leurs voix mêlées, durant quelques
instants, couvraient complètement celle du malheureux pasteur. Certains s'en seraient indignés qui,
en souvenir des époux, excusaient les veuves;
d'autres, moins rigoristes, s'en amusaient; des
enfants s'esclaffaient; pour moi, un peu gêné, je
demandais à n'être point assis à côté de ma grand-
mère. Cette petite comédie recommençait chaque
dimanche; on ne pouvait rêver rien de plus gro-
tesque ni de plus touchant.

Jamais je ne saurai dire combien ma grand-mère
était vieille. De plus loin que je la revois, il ne
restait rien plus en elle qui permît de reconnaître
ou d'imaginer ce qu'elle avait pu être autrefois.
Il semblait qu'elle n'eût jamais été jeune, qu'elle ne
pouvait pas l'avoir été. D'une santé de fer, elle sur-
vécut non seulement à son mari, mais puis à son
fils aîné, mon père; et longtemps encore, ensuite,
nous retournions à Uzès, ma mère et moi, aux
vacances de Pâques, pour la retrouver d'année
en année la même, à peine un peu plus sourde, car
pour plus ridée, depuis longtemps cela n'était plus
possible.

Certainement la chère vieille se mettait en
quatre pour nous recevoir; mais c'est précisément
pourquoi je ne suis pas assuré que notre présence
lui fût bien agréable. Au demeurant la question
ne se posait pas ainsi; il s'agissait moins, pour
ma mère, de faire plaisir à quelqu'un, que d'ac-

complir un devoir, un rite — comme cette lettre
solennelle à ma grand-mère, qu'elle me contrai-
gnait d'écrire au Nouvel an et qui m'empoisonnait
cette fête. D'abord je tâchais d'esquiver, je dis-
cutais :

« Mais qu'est-ce que tu veux que ça lui fasse,
à bonne maman, de recevoir ou non une lettre
de moi?

— Là n'est pas la question, disait ma mère;
tu n'as pas tant d'obligations dans la vie; tu
dois t'y soumettre. »

Alors je commençais de pleurer.

« Voyons, mon poulot, reprenait-elle, sois raisonnable : songe à cette pauvre grand-mère qui
n'a pas d'autre petit-fils.

— Mais qu'est-ce que tu veux que je lui dise?
hurlais-je à travers mes sanglots.

— N'importe quoi. Parle-lui de tes cousines; de
tes petits amis Jardinier.

— Mais puisqu'elle ne les connaît pas.

— Raconte-lui ce que tu fais.

— Mais tu sais bien que ça ne l'amusera pas.

— Enfin, mon petit, c'est bien simple : tu ne
sortiras pas d'ici (c'était la salle d'étude de la rue
de Crosne) avant d'avoir écrit cette lettre.

— Mais...

— Non, mon enfant; je ne veux plus discuter. »

A la suite de quoi ma mère s'enfermait dans le
mutisme. Je lanternais quelque temps encore, puis
commençais à me pressurer le cerveau au-dessus
de mon papier blanc.

Le fait est que plus rien ne semblait devoir intéresser ma grand-mère. A chaque séjour que nous
faisions à Uzès pourtant, par gentillesse je crois
pour ma mère qui venait s'asseoir auprès d'elle,

sa tapisserie à la main ou un livre, elle faisait
un grand effort de mémoire et, de quart d'heure
en quart d'heure, rappelant enfin le nom d'un
de nos cousins normands :

la couvenh

« Et les Widmer, comment vont-ils? »

Ma mère la renseignait avec une patience infinie, puis repartait dans sa lecture. Dix minutes
après :

« Et Maurice Démarest, il n'est toujours pas
marié?

— Si, ma mère; celui qui n'est pas marié, c'est
Albert; Maurice est père de trois enfants; trois
filles.

— Eh! dites-moi, Juliette!... »

Cette interjection n'avait rien d'interrogatif;
simple exclamation à tout usage, par laquelle ma
grand-mère exprimait l'étonnement, l'approbation,
l'admiration, de sorte qu'on l'obtenait en réflexe
de quoi que ce fût qu'on lui dît; et quelque temps
après l'avoir jetée, grand-mère restait encore le
chef branlant, agité d'un mouvement méditatif de
haut en bas; on la voyait ruminer la nouvelle
dans une sorte de mastication à vide qui ravalait
et gonflait tour à tour ses molles gifles ridées.
Enfin, quand tout était bien absorbé, et qu'elle
renonçait pour un temps à inventer des questions nouvelles, elle reprenait sur ses genoux le
tricot interrompu.

le tricot

Grand-mère tricotait des bas; c'est la seule
occupation que je lui connusse. Elle tricotait tout
le long du jour, à la manière d'un insecte; mais
comme elle se levait fréquemment pour aller voir
ce que Rose faisait à la cuisine, elle égarait le bas
sur quelque meuble, et je crois que personne ne
lui en vit jamais achever un. Il y avait des com-

mencements de bas dans tous les tiroirs, où Rose
les remisait au matin, en faisant les pièces. Quant
aux aiguilles, grand-mère en promenait toujours
un faisceau, derrière l'oreille, entre son petit
bonnet de tulle enrubanné et le mince bandeau
de ses cheveux gris jaunâtre.

Ma tante Anna, sa nouvelle bru, n'avait point
pour grand-mère l'affectueuse et respectueuse indulgence de maman; tout ce qu'elle désapprouvait,
tout ce qui l'irritait chez mon oncle, elle en faisait
sa mère responsable. Elle ne vint, je crois bien,
qu'une seule fois à Uzès pendant que ma mère
et moi y étions; nous la surprîmes aussitôt qui
faisait la rafle des bas.

« Huit! j'en ai trouvé huit! » disait-elle à ma
mère, à la fois amusée et exaspérée par tant d'in-
curie. Et le soir elle ne se retenait pas de demander à grand-mère pourquoi jamais elle n'en
achevait un, une bonne fois?

La pauvre vieille d'abord tâchait tout de même
de sourire, puis tournait son inquiétude vers ma
mère :

« Juliette! Qu'est-ce qu'elle veut, Anna? »

Mais ma mère n'entrait pas dans le jeu, et c'est
ma tante qui reprenait plus fort :

« Je demande, ma mère, pourquoi vous n'en
achevez pas un, une fois, au lieu d'en commencer plusieurs? »

Alors la vieille, un peu piquée, serrait les lèvres,
puis ripostait soudain :

« Achever, achever... Eh! elle est bonne, Anna!...
Il faut le temps! »

La continuelle crainte de ma grand-mère était
que nous n'eussions pas assez à manger. Elle qui

ne mangeait presque rien elle-même, ma mère avait peine à la convaincre que quatre plats par repas nous suffisaient. Le plus souvent elle ne voulait rien entendre, s'échappait d'auprès de ma mère pour avoir avec Rose des entretiens mystérieux. Dès qu'elle avait quitté la cuisine, ma mère s'y précipitait à son tour et, vite, avant que Rose fût partie au marché, revisait le menu et décommandait les trois quarts.

« Eh bien, Rose! ces gelinottes? criait grand-mère, au déjeuner.

— Mais, ma mère, nous avions ce matin les côtelettes. J'ai dit à Rose de garder les gelinottes pour demain. »

La pauvre vieille était au désespoir.

« Les côtelettes! Les côtelettes! répétait-elle, affectant de rire. — Des côtelettes d'agneau; il en faut six pour une bouchée... »

Puis, par manière de protestation, elle se levait enfin, allait quérir dans une petite réserve, au fond de la salle à manger, pour parer à la désolante insuffisance du menu, quelque mystérieux pot de conserves, préparé pour notre venue. C'étaient le plus souvent des boulettes de porc, truffées, confites dans de la graisse, succulentes, qu'on appelait des « fricandeaux ». Ma mère naturellement refusait.

« Té! le petit en mangera bien, lui!

— Mère, je vous assure qu'il a assez mangé comme cela.

— Pourtant! vous n'allez pas le laisser mourir de faim?... »

(Pour elle, tout enfant qui n'éclatait pas, se mourait. Quand on lui demandait, plus tard, comment elle avait trouvé ses petits-fils, mes cousins,

elle répondait invariablement, avec une moue :
« Bien maigres! »)

Une bonne façon d'échapper à la censure de ma
mère, c'était de commander à l'hôtel Béchard quelque tendre aloyau aux olives, ou, chez Fabregas le
pâtissier, un vol-au-vent de quenelles, une floconneuse
neuse brandade, ou le traditionnel croûtillon au
lard. Ma mère guerroyait aussi, au nom des principes d'hygiène, contre les goûts de ma grand-
mère, en particulier lorsque celle-ci, coupant le
vol-au-vent, se réservait un morceau du fond.

« Mais, ma mère, vous prenez justement le plus
gras!

— Eh! faisait ma grand-mère, qui se moquait
bien de l'hygiène — la croûte du fond...

— Permettez que je vous serve moi-même. »

Et d'un œil résigné la pauvre vieille voyait
écarter de son assiette le morceau qu'elle préférait.

De chez Fabregas arrivaient également des en-
tremets, méritoires mais peu variés. A vrai dire
on en revenait toujours à la *sultane*, dont aucun
de nous n'était fou. La *sultane* avait forme de pyramide, que parfois surmontait, pour le faste, un
petit ange en je ne sais quoi de blanc qui n'était
pas comestible. La pyramide était composée de
minuscules choux à la crème, enduits d'un caramel résistant qui les soudait l'un à l'autre et faisait
que la cuillère les crevait plutôt que de les séparer.
Un nuage de fils de caramel revêtait l'ensemble,
l'écartait poétiquement de la gourmandise et pois-
sait tout.

Grand-mère tenait à nous faire sentir que, faute
de mieux seulement, elle nous offrait une *sultane*.
Elle faisait la grimace. Elle disait :

« Eh! Fabregas!... Fabregas! Il n'est pas varié! »

Ou encore :

« Il se néglige. »

Que ces repas duraient longtemps, pour moi toujours si impatient de sortir! J'aimais passionnément la campagne aux environs d'Uzès, la vallée de la Fontaine d'Eure et, par-dessus tout, la garrigue. Les premières années, Marie, ma bonne, accompagnait mes promenades. Je l'entraînais sur le « mont Sarbonnet », un petit mamelon calcaire, au sortir de la ville, où il était si amusant de trouver, sur les grandes euphorbes au suc blanc, de ces chenilles de sphinx qui ont l'air d'un turban défait et qui portent une espèce de corne sur le derrière; ou, sur les fenouils à l'ombre des pins, ces autres chenilles, celles du *machaon* ou du *flambé* qui, dès qu'on les asticotait, faisaient surgir, au-dessus de leur nuque, une sorte de trompe fourchue très odorante et de couleur inattendue. En continuant la route qui contourne le Sarbonnet, on gagnait les prés verdoyants que baigne la Fontaine d'Eure. Les plus mouillés d'entre eux s'émaillaient au printemps de ces gracieux narcisses blancs dits « du poète », qu'on appelle là-bas des *courbadonnes*. Aucun Uzétien ne songeait à les cueillir, ni ne se serait dérangé pour les voir; de sorte que, dans ces prés toujours solitaires, il y en avait une extraordinaire profusion; l'air en était embaumé loin à la ronde; certains penchaient leur face au-dessus de l'eau, comme dans la fable que l'on m'avait apprise, et je ne voulais pas les cueillir; d'autres disparaissaient à demi dans l'herbe épaisse; mais le plus souvent, haut dressé sur sa tige, parmi le sombre gazon, chacun brillait comme une étoile. Marie, en bonne Suissesse, aimait les fleurs; nous en rapportions des brassées.

La Fontaine d'Eure est cette constante rivière
que les Romains avaient captée et amenée jusqu'à
Nîmes par l'aqueduc fameux du Pont du Gard.
La vallée où elle coule, à demi cachée par des
aulnes, en approchant d'Uzès, s'étrécit. O petite ville
d'Uzès! Tu serais en Ombrie, des touristes accour-
raient de Paris pour te voir! Sise au bord d'une
roche dont le dévalement brusque est occupé en
partie par les ombreux jardins du duché, leurs
grands arbres, tout en bas, abritent dans le lacis de
leurs racines les écrevisses de la rivière. Des terrasses de la Promenade ou du Jardin public, le regard, à travers les hauts micocouliers du duché,
rejoint, de l'autre côté de l'étroite vallée, une
roche plus abrupte encore, déchiquetée, creusée de
grottes, avec des arcs, des aiguilles et des escarpe-
ments pareils à ceux des falaises marines; puis au-
dessus, la garrigue rauque, toute dévastée de soleil.

Marie, qui se plaignait sans cesse de ses cors,
montrait peu d'enthousiasme pour les sentiers ra-
boteux de la garrigue; mais bientôt enfin ma mère
me laissa sortir seul et je pus escalader tout mon
soûl.

On traversait la rivière à la *Fon di biau* (je ne
sais si j'écris correctement, ce qui veut dire, dans
la langue de Mistral : fontaine aux bœufs) après
avoir suivi quelque temps le bord de la roche, lisse
et tout usée par les pas, puis descendu les degrés
taillés dans la roche. Qu'il était beau de voir les
lavandières y poser lentement leurs pieds nus, le
soir, lorsqu'elles remontaient du travail, toutes
droites, et la démarche comme ennoblie par cette
charge de linge blanc qu'elles portaient, à la manière antique, sur la tête. Et comme la « Fontaine
d'Eure » était le nom de la rivière, je ne suis pas

certain que, de même, ces mots « fon di biau »
désignassent précisément une fontaine : je revois
un moulin, une métairie qu'ombrageaient d'immenses platanes; entre l'eau libre et l'eau qui
travaillait au moulin, une sorte d'îlot où s'ébattait
la basse-cour. A l'extrême pointe de cet îlot, je
venais rêver ou lire, juché sur le tronc d'un vieux
saule et caché par ses branches, surveillant les jeux
aventureux des canards, délicieusement assourdi
par le ronflement de la meule, le fracas de l'eau
dans la roue, les mille chuchotis de la rivière, et
plus loin, où lavaient les laveuses, le claquement
rythmé de leurs battoirs.

Mais le plus souvent, brûlant la Fon di biau, je
gagnais en courant la garrigue, vers où m'entraînait déjà cet étrange amour de l'inhumain, de
l'aride, qui, si longtemps, me fit préférer à l'oasis
le désert. Les grands souffles secs, embaumés,
l'aveuglante réverbération du soleil sur la roche
nue, sont enivrants comme le vin. Et combien
m'amusait l'escalade des roches; la chasse aux
mantes religieuses qu'on appelle là-bas des « prega
Diou », et dont les paquets d'œufs, conglutinés et
pendus à quelque brindille, m'intriguaient si fort;
la découverte, sous les cailloux que je soulevais,
des hideux scorpions, mille-pattes et scolopendres!

Les jours de pluie, confiné dans l'appartement,
je faisais la chasse aux moustiques, ou démontais
complètement les pendules de grand-mère, qui
toutes s'étaient détraquées depuis notre dernier
séjour; rien ne m'absorbait plus que ce minu-
tieux travail, et combien j'étais fier, après que je
les avais remises en mouvement, d'entendre grand-
mère s'écrier, en revoyant l'heure :

« Eh! dites-moi, Juliette! ce petit... »

Mais le meilleur du temps de pluie, je le passais dans le grenier dont Rose me prêtait la clef. (C'est là que plus tard je lus *Stello*.) De la fenêtre du grenier on dominait les toits voisins; près de la fenêtre, dans une grande cage en bois recouverte d'un sac, grand-mère engraissait des poulets pour la table. Les poulets ne m'intéressaient pas beaucoup, mais dès qu'on restait un peu tranquille, on voyait paraître, entre l'encombrement de malles, d'objets sans noms et hors d'usage, d'un tas de poussiéreux débris, ou derrière la provision de bois et de sarments, les frimousses des petits chats de Rose, encore trop jeunes pour préférer, comme leur mère, au capharnaüm du grenier natal, la tiède quiétude de la cuisine, les caresses de Rose, l'âtre et le fumet du rôt tournant devant le feu de sarments.

Tant qu'on n'avait pas vu ma grand-mère, on pouvait douter s'il y avait rien au monde de plus vieux que Rose; c'était merveille qu'elle pût faire encore quelque service; mais grand-mère en demandait si peu! et, quand nous étions là, Marie aidait au ménage. Puis Rose enfin prit sa retraite, et avant que ma grand-mère se résignât à aller vivre à Montpellier chez mon oncle Charles, on vit se succéder chez elle les plus déconcertants spécimens ancillaires. L'une grugeait; l'autre buvait; la troisième était débauchée. Je me souviens de la dernière : une salutiste, dont, ma foi, l'on commençait d'être satisfait, lorsque ma grand-mère, certaine nuit d'insomnie, s'avisa d'aller chercher, dans le salon, le bas qu'elle achevait éternellement de tricoter. Elle était en jupon de dessous et en chemise; sans doute flairait-elle quelque chose d'anormal; elle entrouvrait avec précaution la

porte du salon, le découvrait plein de lumières...
Deux fois par semaine, la salutiste « recevait »;
c'était dans l'appartement de grand-mère d'édi-
fiantes réunions, assez courues, car, après le
chant des cantiques, la salutiste offrait le thé. On
imagine, au milieu de l'assemblée, l'entrée de ma
grand-mère dans son accoutrement nocturne!...
C'est peu de temps après qu'elle quitta définitivement Uzès.

Avant de quitter Uzès avec elle, je veux parler
de la porte de la resserre, au fond de la salle à
manger. Il y avait, dans cette porte très épaisse, ce
qu'on appelle un nœud de bois, ou plus exactement, je crois, l'amorce d'une petite branche qui
s'était trouvée prise dans l'aubier. Le bout de
branche était parti et cela faisait, dans l'épaisseur
de la porte, un trou rond de la largeur du petit
doigt, qui s'enfonçait obliquement de haut en
bas. Au fond du trou, on distinguait quelque chose
de rond, de gris, de lisse, qui m'intriguait fort :
« Vous voulez savoir ce que c'est? me dit Rose,
tandis qu'elle mettait le couvert, car j'étais tout
occupé à entrer mon petit doigt dans le trou, pour
prendre contact avec l'objet. — C'est une bille que
votre papa a glissée là quand il avait votre âge, et
que, depuis, on n'a jamais pu retirer. »
Cette explication satisfit ma curiosité, mais tout
en m'excitant davantage. Sans cesse je revenais à
la bille; en enfonçant mon petit doigt, je l'attei-
gnais tout juste, mais tout effort pour l'attirer au-
dehors la faisait rouler sur elle-même, et mon
ongle glissait sur sa surface lisse avec un petit grin-
cement exaspérant...
L'année suivante, aussitôt de retour à Uzès, j'y

revins. Malgré les moqueries de maman et de
Marie, j'avais tout exprès laissé croître démesurément l'ongle de mon petit doigt, que d'emblée
je pus insinuer sous la bille; une brusque secousse,
et la bille jaillit dans ma main.

Mon premier mouvement fut de courir à la cuisine et de chanter victoire; mais, escomptant aussitôt le plaisir que je tirerais des félicitations de
Rose, je l'imaginai si mince que cela m'arrêta. Je
restai quelques instants devant la porte, contemplant dans le creux de ma main cette bille grise,
désormais pareille à toutes les billes, et qui n'avait
plus aucun intérêt dès l'instant qu'elle n'était plus
dans son gîte. Je me sentis tout bête, tout penaud,
pour avoir voulu faire le malin... En rougissant,
je fis retomber la bille dans le trou (elle y est
probablement encore) et allai me couper les ongles, sans parler de mon exploit à personne.

Il y a quelque dix ans, passant en Suisse, j'allai
revoir ma pauvre vieille Marie dans son petit
village de Lotzwyl où elle ne se décide pas à mourir. Elle m'a reparlé d'Uzès et de grand-mère, ravi-
vant mes souvenirs ternis :

« A chaque œuf que vous mangiez, racontait-
elle, votre bonne maman ne manquait pas de
s'écrier, qu'il fût au plat ou à la coque : « Eh!
« laisse le blanc, petiton : il n'y a que le jaune
« qui compte! »

Et Marie, en bonne Suissesse, ajoutait :

« Comme si le Bon Dieu n'avait pas fait le
blanc aussi pour être mangé! »

Je ne compose pas; je transcris mes souvenirs
tout comme ils viennent et passe de ma grand-mère
à Marie.

Je me souviens avec précision du jour où brusquement je m'avisai que Marie pouvait être jolie : c'était un jour d'été, à La Roque (comme il y a longtemps de cela!); nous étions sortis, elle et moi, pour cueillir des fleurs, dans la prairie qui s'étend par-devant le jardin; je marchais devant elle et venais de traverser le ruisseau; alors je me retournai : Marie était encore sur le petit pont fait d'un tronc d'arbre, dans l'ombre du frêne qui abrite à cet endroit le ruisseau; encore quelques pas, et soudain elle fut tout enveloppée de soleil; elle tenait à la main un bouquet de reines-des-prés; son visage, abrité par un chapeau de paille à larges bords, ne semblait tout entier qu'un sourire; je m'écriai :

« Pourquoi ris-tu? »

Elle répondit :

« Pour rien. Il fait beau. » Et la vallée aussitôt s'emplit visiblement d'amour et de bonheur.

Dans ma famille on a toujours tenu très serré les domestiques. Ma mère, qui se croyait volontiers une responsabilité morale sur ceux à qui elle s'intéressait, n'aurait souffert aucune intrigue qu'un hymen ne vînt consacrer. C'est sans doute pourquoi je n'ai jamais connu à Marie d'autre passion que celle que je surpris pour Delphine, notre cuisinière, et que ma mère, certes, n'eût jamais osé soupçonner. Il va sans dire que moi-même je ne m'en rendis point nettement compte au moment même, et que je ne m'expliquai que longtemps ensuite les transports de certaine nuit; mais pourtant je ne sais quel obscur instinct me retint d'en parler à ma mère :

Rue de Tournon, ma chambre, je l'ai dit, don-

nait sur la cour, à l'écart; elle était assez vaste,
et, comme toutes les pièces de l'appartement, fort
haute; de sorte que, dans cette hauteur trouvaient
place, à côté de ma chambre, au bout d'un couloir qui reliait ma chambre à l'appartement, une
sorte d'office qui servait de salle de bains, où je
fis plus tard mes expériences de chimie; et par-
dessus l'office, la chambre de Marie. On accédait
à cette chambre par un petit escalier intérieur qui
partait de ma chambre même et s'élevait, derrière
une cloison, contre mon lit. L'office et la chambre
de Marie avaient d'autre part une sortie sur un
escalier de service. Rien de plus difficile ni de
plus ennuyeux qu'une description de lieux; mais
celle-ci sans doute était nécessaire pour expliquer
ce qui suit... Il faut encore que je dise que notre
cuisinière, qui avait nom Delphine, venait de se
fiancer au cocher de nos voisins de campagne. Elle
allait quitter notre maison pour toujours. Or, la
veille de son départ, je fus réveillé, au cœur de la
nuit, par les bruits les plus étranges. J'allais appeler Marie, lorsque je m'avisai que les bruits
partaient précisément de sa chambre; du reste ils
étaient bien plus bizarres et mystérieux qu'ef-
frayants. On eût dit une sorte de lamentation à
deux voix, que je peux comparer aujourd'hui à
celle des pleureuses arabes, mais qui, dans ce
temps, ne me parut pareille à rien; une mélopée
pathétique, coupée spasmodiquement de sanglots,
de gloussements, d'élans, que longtemps j'écoutai,
à demi dressé dans le noir. Je sentais inexplicable-
ment que quelque chose s'exprimait là, de plus
puissant que la décence, que le sommeil et que la
nuit; mais il y a tant de choses qu'à cet âge on
ne s'explique pas, que, ma foi! je me rendormis,

glissant outre; et le lendemain, je rattachai tant
bien que mal cet excès au manque de tenue des
domestiques en général, dont je venais d'avoir un
exemple à la mort de mon oncle Démarest :

Ernestine, la bonne des Démarest — tandis que
la famille en deuil, dans le salon, retenait ses
pleurs auprès de ma tante, qui, muette, immobile,
paraissait toute diminuée —, Ernestine, dans la
pièce voisine, poussait de grands sanglots dans un
fauteuil, criait par intervalles respiratoires :

« Ah! mon bon maître! Ah! maître aimé! Ah!
maître vénéré! » se secouait, se trémoussait, faisait
tant, qu'il me parut d'abord que tout le chagrin
de ma tante pesait sur elle et que ma tante s'en
était déchargée sur Ernestine, comme on donne
une valise à porter.

Je ne pouvais comprendre à cet âge (j'avais dix
ans) que les lamentations d'Ernestine s'adressaient
à la galerie, tandis que Marie n'élevait les siennes
que parce qu'elle ne les croyait pas entendues.
Mais j'étais alors on ne peut moins sceptique, et,
de plus, parfaitement ignorant, incurieux même,
des œuvres de la chair.

Au musée du Luxembourg, il est vrai, où Marie
me menait parfois — et où j'imagine que mes parents m'avaient conduit d'abord, désireux d'éveiller
en moi le goût des couleurs et des lignes — j'étais
attiré beaucoup moins par les tableaux anecdo-
tiques, malgré le zèle que dépensait Marie à me les
expliquer (ou peut-être à cause de cela même) que
par l'image des nudités, au grand scandale de
Marie, et qui s'en ouvrit à ma mère; et plus encore par les statues. Devant le *Mercure* d'Idrac (si
je ne fais erreur) je tombais dans des stupeurs ad-
miratives dont Marie ne m'arrachait qu'à grand-

peine. Mais ni ces images n'invitaient au plaisir, ni
le plaisir n'évoquait ces images. Entre ceci et cela,
nul lien. Les thèmes d'excitation sexuelle étaient
tout autres : le plus souvent une profusion de couleurs ou de sons extraordinairement aigus et
suaves; parfois aussi l'idée de l'urgence de quelque
acte important, que je devrais faire, sur lequel on
compte, qu'on attend de moi, que je ne fais pas,
qu'au lieu d'accomplir, j'imagine; et, c'était aussi,
toute voisine, l'idée de saccage, sous forme d'un
jouet aimé que je détériorais : au demeurant nul
désir réel, nulle recherche de contact. N'y entend
rien qui s'en étonne : sans exemple et sans but,
que deviendra la volupté? Au petit bonheur, elle
commande au rêve des dépenses de vie excessives,
des luxes niais, des prodigalités saugrenues... Mais
pour dire à quel point l'instinct d'un enfant peut
errer, je veux indiquer plus précisément deux de
mes thèmes de jouissance : l'un m'avait été fourni
bien innocemment par George Sand, dans ce conte
charmant de *Gribouille*, qui se jette à l'eau, un
jour qu'il pleut beaucoup, non point pour se garer
de la pluie, ainsi que ses vilains frères ont tenté
de le faire croire, mais pour se garer de ses frères
qui se moquaient. Dans la rivière, il s'efforce et
nage quelque temps, puis s'abandonne; et dès qu'il
s'abandonne, il flotte; il se sent alors devenir tout
petit, léger, bizarre, végétal; il lui pousse des
feuilles par tout le corps; et bientôt l'eau de la
rivière peut coucher sur la rive le délicat rameau
de chêne que notre ami Gribouille est devenu. —
Absurde! — Mais c'est bien là précisément pourquoi je le raconte; c'est la vérité que je dis, non
point ce qui me fasse honneur. Et sans doute la
grand-mère de Nohant ne pensait guère écrire là

quelque chose de débauchant; mais je témoigne
que nulle page d'*Aphrodite* ne put troubler nul
écolier autant que cette métamorphose de Gribouille en végétal le petit ignorant que j'étais.

Il y avait aussi, dans une stupide piécette de
Mme de Ségur : *Les dîners de Mademoiselle Justine,* un passage où les domestiques profitent de
l'absence des maîtres pour faire bombance; ils fouil-
lent dans tous les placards; ils se gobergent; puis
voici, tandis que Justine se penche et qu'elle enlève une pile d'assiettes du placard, en catimini le
cocher vient lui pincer la taille; Justine, chatouil-
leuse, lâche la pile; patatras! toute la vaisselle se
brise. Le dégât me faisait pâmer.

En ce temps venait travailler chez ma mère une
petite couturière, que je retrouvais également chez
ma tante Démarest. Elle avait nom Constance.
C'était un petit avorton au teint allumé, à l'œil fri-
pon, à la démarche claudicante, très adroite de ses
mains, de langage réservé devant ma mère, mais
fort libre dès que ma mère avait le dos tourné.
Par commodité, c'est dans ma chambre qu'on l'installait, où Constance trouvait la plus abondante
lumière; elle restait là des demi-journées, et je
restais des heures près d'elle. Comment ma mère, si
scrupuleuse, si attentive, et dont l'inquiète sollicitude me devait même bientôt excéder, comment
sa vigilance ici s'endormait-elle?

Les propos de Constance, s'ils étaient peu dé-
cents, j'étais du reste trop niais pour les entendre, et je ne m'étonnais même pas de ce qui faisait
parfois Marie pouffer dans son mouchoir. Mais
Constance parlait beaucoup moins qu'elle ne chantait; elle avait une voix agréable et singulièrement
ample pour son petit corps; elle en était d'autant

plus vaine qu'elle n'avait raison de l'être que de
cela. Elle chantait tout le long du jour; elle disait
qu'elle ne pouvait bien coudre qu'en chantant;
elle n'arrêtait pas de chanter. Quelles chansons,
Seigneur! Constance aurait pu protester qu'elles
n'avaient rien d'immoral. Non, ce qui me souil-
lait le cerveau, c'est leur bêtise. Que n'ai-je pu les
oublier! Hélas! tandis qu'échappent à ma mémoire
les trésors les plus gracieux, ces rengaines misérables, je les entends aussi net que le premier
jour. Quoi! tandis que Rousseau sur le tard s'at-
tendrit encore au souvenir des aimables refrains
par quoi sa tante Gancera avait bercé son enfance,
devrai-je jusqu'à ma fin entendre la voix gras-
seyante de Constance me chanter sur un air de
valse :

> Maman — dis-moi,
> Connaissons-nous c'jeune homme,
> Qu'a l'air — si doux,
> Qu'a l'air d'une boul'de gomme?

« Voici bien du bruit pour un inoffensif fredon!
— Parbleu! ce n'est pas à la chanson que j'en
ai; c'est à l'amusement que j'y pris; où je vois déjà
s'éveiller un goût honteux pour l'indécence, la bêtise et la pire vulgarité. »

Je ne me charge point. Je suis prêt à dire bientôt
quels éléments en moi, inaperçus encore, devaient
rallier la vertu. Cependant mon esprit désespérément restait clos. En vain cherché-je dans ce passé
quelque lueur qui pût permettre d'espérer quoi
que ce fût de l'enfant obtus que j'étais. Autour
de moi, en moi, rien que ténèbres. J'ai déjà raconté ma maladresse à reconnaître la sollicitude
d'Anna. Un autre souvenir de la même époque

peindra mieux encore l'état larvaire où je traînais.

Mes parents m'avaient donc fait entrer à l'Ecole
Alsacienne. J'avais huit ans. Je n'étais pas entré
dans la dixième classe, celle des plus petits bam-
bins, à qui M. Grisier inculquait les rudiments;
mais aussitôt dans la suivante, celle de M. Vedel,
un brave Méridional tout rond, avec une mèche de
cheveux noirs qui se cabrait en avant du front et
dont le subit romantisme jurait étrangement avec
l'anodine placidité du reste de sa personne. Quelques semaines ou quelques jours avant ce que je
vais raconter, mon père m'avait accompagné pour
me présenter au directeur. Comme les classes
avaient déjà repris et que j'étais retardataire, les
élèves, dans la cour, rangés pour nous laisser passer,
chuchotaient : « Oh! un nouveau! un nouveau! »
et, très ému, je me pressais contre mon père. Puis
j'avais pris place auprès des autres, de ces autres
que je devais bientôt perdre de vue pour les
raisons que j'aurai à dire ensuite. — Or, ce jour-
là, M. Vedel enseignait aux élèves qu'il y a parfois dans les langues plusieurs mots qui, indifféremment, peuvent désigner un même objet, et
qu'on les nomme alors des synonymes. C'est ainsi,
donnait-il en exemple, que le mot « coudrier »
et le mot « noisetier » désignent à la fois le même
arbuste. Et faisant alterner suivant l'usage, et pour
animer la leçon, l'interrogation et l'enseignement,
M. Vedel pria l'élève Gide de répéter ce qu'il venait de dire...

Je ne répondis pas. Je ne savais pas répondre.
Mais M. Vedel était bon : il répéta sa définition
avec la patience des vrais maîtres, proposa de nouveau le même exemple; mais quand il me demanda

de nouveau de redire après lui le mot synonyme
de « coudrier », de nouveau je demeurai coi. Alors
il se fâcha quelque peu, pour la forme, et me pria
d'aller dans la cour répéter vingt fois de suite que
« coudrier » est synonyme de « noisetier », puis de
revenir le lui dire.

Ma stupidité avait mis en joie toute la classe.
Si j'avais voulu me tailler un succès, il m'eût été
facile, au retour de ma pénitence, lorsque
M. Vedel, m'ayant rappelé, me demanda pour la
troisième fois le synonyme de « coudrier », de
répondre « chou-fleur » ou « citrouille ». Mais
non, je ne cherchais pas le succès et il me déplaisait de prêter à rire; simplement j'étais stupide.
Peut-être bien aussi que je m'étais mis dans la
tête de ne pas céder? — Non, pas même cela : en
vérité, je crois que je ne comprenais pas ce que
l'on me voulait, ce que l'on attendait de moi.

Les pensums n'étant pas de règle à l'Ecole,
M. Vedel dut se contenter de m'infliger un « zéro
de conduite ». La sanction, pour rester morale,
n'en était pas moins rigoureuse. Mais cela ne m'affectait guère. Toutes les semaines j'obtenais mon
zéro de « tenue, conduite », ou d' « ordre, pro-
preté »; parfois les deux. C'était couru. Inutile
d'ajouter que j'étais un des derniers de la classe. Je
le répète : je dormais encore; j'étais pareil à ce
qui n'est pas encore né.

C'est peu de temps ensuite que je fus renvoyé
de l'Ecole, pour des motifs tout différents que
je vais tâcher d'oser dire.

III

Il était bien spécifié que mon renvoi de l'Ecole n'était que provisoire. M. Brunig, le directeur des basses classes, me donnait trois mois pour me guérir de ces « mauvaises habitudes », que M. Vedel avait surprises d'autant plus facilement que je ne prenais pas grand soin de m'en cacher, n'ayant pas bien compris qu'elles fussent à ce point répréhensibles; car je vivais toujours (si l'on peut appeler cela : vivre) dans l'état de demi-sommeil et d'imbécillité que j'ai peint.

Mes parents avaient donné la veille un dîner; j'avais bourré mes poches des friandises du dessert; et, ce matin-là, sur mon banc, tandis que s'évertuait M. Vedel, je faisais alterner le plaisir avec les pralines.

Tout à coup je m'entendis interpeller :

« Gide! Il me semble que vous êtes bien rouge? Venez donc me dire deux mots. »

Le sang me monta au visage plus encore, tandis que je gravissais les quatre marches de la chaire, et que mes camarades ricanaient.

Je ne cherchai pas à nier. A la première question que M. Vedel me posa, à voix basse, penché

vers moi, je fis de la tête un signe d'acquiescement : puis regagnai mon banc plus mort que
vif. Pourtant il ne me venait pas à l'idée que cet
interrogatoire pourrait avoir des suites; M. Vedel,
avant de poser sa question, ne m'avait-il pas promis de n'en rien dire?

N'empêche que, le soir même, mon père recevait
une lettre du sous-directeur, l'invitant à ne m'envoyer plus à l'Ecole avant trois mois.

La tenue morale, les bonnes mœurs, étaient
la spécialité de l'Ecole Alsacienne, la renommée
de la maison. La décision prise ici par M. Brunig
n'avait donc rien de surprenant. Ma mère m'a dit
plus tard que mon père avait pourtant été outré
par cette lettre et par la brusquerie de cette exé-
cution. Il me cacha naturellement sa colère, mais
me découvrit son chagrin. Il eut avec ma mère
de graves délibérations, à la suite desquelles on
décida de me mener au médecin.

Le médecin de mes parents, dans ce temps,
n'était autre que le docteur Brouardel, qui bientôt
devait acquérir une grande autorité comme médecin légiste. Je pense que ma mère n'attendait
de cette consultation, en plus de quelques conseils
peut-être, qu'un effet tout moral. Après qu'elle
eut causé quelques instants seule avec Brouardel,
celui-ci me fit entrer dans son cabinet, tandis qu'en
sortait ma mère :

« Je sais ce dont il s'agit, dit-il en grossissant la
voix, et n'ai besoin, mon petit, ni de t'examiner ni
de t'interroger aujourd'hui. Mais si ta mère, d'ici
quelque temps, voyait qu'il est nécessaire de te
ramener, c'est-à-dire si tu ne t'étais pas corrigé, eh
bien, (et ici sa voix se faisait terrible) voici les
instruments auxquels il nous faudrait recourir, ceux

avec lesquels on opère les petits garçons dans ton
cas! » — et sans me quitter des yeux, qu'il roulait
sous ses sourcils froncés, il indiquait, à bout de
bras, derrière son fauteuil, une panoplie de fers
de lances touareg.

L'invention était trop apparente pour que je
prisse cette menace au sérieux. Mais le souci que
je voyais qu'avait ma mère, mais ses objurgations,
mais le chagrin silencieux de mon père, pénétrè-
rent enfin ma torpeur, qu'avait assez fort secouée
déjà l'annonce de mon renvoi de l'Ecole. Ma mère
exigea de moi des promesses; Anna et elle s'ingé-
nièrent à me distraire. La grande Exposition universelle était sur le point de s'ouvrir; nous allions,
auprès des palissades, admirer les préparatifs...

Trois mois plus tard, je reparus sur les bancs
de l'Ecole : j'étais guéri; du moins à peu près autant qu'on peut l'être. Mais, peu de temps après,
j'attrapai la rougeole, qui me laissa passablement
affaibli; mes parents, prenant alors le parti de me
faire redoubler, l'an suivant, une classe où j'avais
si peu profité, m'emmenèrent à La Roque sans
attendre le commencement des vacances.

Lorsqu'en 1900 je fus amené à vendre La Roque,
je renfonçai tous mes regrets, par crânerie, confiance en l'avenir, que j'étayais d'une inutile haine
du passé où se mêlait passablement de théorie; on
dirait aujourd'hui : par futurisme. A dire vrai,
mes regrets furent sur le moment beaucoup moins
vifs qu'ils ne devinrent par la suite. Ce n'est point
tant que le souvenir de ces lieux s'embellisse : j'eus
l'occasion de les revoir et de pouvoir apprécier
mieux, ayant voyagé davantage, le charme enve-
loppant de cette petite vallée dont, à l'âge où me

gonflaient trop de désirs, je sentais surtout l'étroitesse.

Et le ciel trop petit sur les arbres trop grands

— ainsi que dira Jammes dans une des élégies qu'il y composa.

C'est cette vallée que j'ai peinte et c'est notre maison, dans *L'Immoraliste*. Le pays ne m'a pas seulement prêté son décor; à travers tout le livre j'ai poursuivi profondément sa ressemblance; mais il ne s'agit pas de cela pour l'instant.

La propriété fut achetée par mes grands-parents. Une plaque de marbre noir, sur la poterne, porte cette inscription :

CONDIDIT A 1577 NOB. DOM. FRANCISCUS
LABBEY DO ROQUÆ.
MAGNAM PARTEM DESTRUXIT A 1792
SCELESTE TUMULTUANTIUM TURBA
REFECIT A 1803 CONDITORIS AT NEPOS
NOBILIS DOMINUS PETRUS ELIAS MARIA
LABBEY DO ROQUÆ, MILES

J'ai transcrit tel quel, et donne ce latin pour ce qu'il vaut.

Quoi qu'il en fût, il sautait aux yeux que le corps de logis principal était de construction bien plus récente, sans autre attrait que le manteau de glycine qui le vêtait. Le bâtiment de la cuisine, par contre, et la poterne, de proportions menues mais exquises, présentaient une agréable alternance de briques et de chaînes de pierre, selon le style de ce temps. Des douves entouraient l'ensemble, suffisamment larges et profondes, qu'alimentait et

avivait l'eau détournée de la rivière; un ruisselet
fleuri de myosotis amenait celle-ci et la déversait
en cascade. Comme sa chambre en était voisine,
Anna l'appelait « *ma* cascade »; toute chose appar-
tient à qui sait en jouir.

Au chant de la cascade se mêlaient les chuchotis
de la rivière et le murmure continu d'une petite
source captée qui jaillissait hors de l'île, en face
de la poterne; on y allait cueillir pour les repas
une eau qui paraissait glacée et, l'été, couvrait de
sueur les carafes.

Un peuple d'hirondelles sans cesse tournoyait autour de la maison; leurs nids d'argile s'abritaient
sous le rebord des toits, dans l'embrasure des fenêtres, d'où l'on pouvait surveiller les couvées. Quand
je pense à La Roque, c'est d'abord leurs cris que
j'entends; on eût dit que l'azur se déchirait à leur
passage. J'ai souvent revu ailleurs des hirondelles;
mais jamais nulle part ailleurs je ne les ai entendues crier comme ici; je crois qu'elles criaient
ainsi en repassant à chaque tour devant leurs
nids. Parfois elles volaient si haut que l'œil
s'éblouissait à les suivre, car c'était dans les plus
beaux jours; et quand le temps changeait, leur vol
s'abaissait barométriquement. Anna m'expliquait
que, suivant la pesanteur de l'air, volent plus ou
moins haut les menus insectes que leur course
poursuit. Il arrivait qu'elles passassent si près de
l'eau qu'un coup d'aile hardi parfois en tranchait
la surface :

« Il va faire de l'orage », disaient alors ma
mère et Anna.

Et soudain le bruit de la pluie s'ajoutait à ces
bruits mouillés du ruisseau, de la source, de la
cascade; elle faisait sur l'eau de la douve un cla-

potis argentin. Accoudé à l'une des fenêtres qui s'ouvraient au-dessus de l'eau, je contemplais interminablement les petits cercles par milliers se former, s'élargir, s'intersectionner, se détruire, avec parfois une grosse bulle éclatant au milieu.

Lorsque mes grands-parents entrèrent dans la propriété, on y accédait à travers prés, bois et cours de fermes. Mon grand-père et M. Guizot son voisin firent tracer la route qui, s'amorçant à La Boissière sur celle de Caen à Lisieux, vint desservir le Val-Richer d'abord où le ministre d'Etat s'était retiré, puis La Roque. Et quand la route eut relié La Roque au reste du monde et que ma famille eut commencé d'y habiter, mon grand-père fit remplacer par un pont de briques le petit pont-levis du château, coûteux à entretenir, et que du reste on ne relevait plus.

Qui dira l'amusement, pour un enfant, d'habiter une île, une île toute petite, et dont il peut, du reste, s'échapper quand il veut? Un mur de briques, en manière de parapet, l'encerclait, reliant exactement l'un à l'autre chacun des corps de bâtiments; à l'intérieur épaissement tapissé de lierre, il était assez large pour qu'on le pût arpenter sans imprudence; mais, pour pêcher à la ligne, on était alors trop en vue des poissons, et mieux valait se pencher simplement par-dessus; la surface extérieure et plongeante s'ornait de-ci de-là de plantes pariétales, valérianes, fraisiers, saxifrages, parfois même un petit buisson, que maman regardait d'un mauvais œil parce qu'il dégradait la muraille, mais qu'Anna obtenait qu'elle ne fît pas enlever, parce qu'une mésange y nichait.

Une cour devant la maison, entre la poterne et le bâtiment de la cuisine, laissait le regard, par-

dessus le parapet de la douve et par-delà le jardin, s'enfoncer infiniment dans la vallée; on l'eût
dite étroite si les collines qui l'enclosaient eussent
été plus hautes. Sur la droite, à flanc de coteau,
une route menait à Cambremer et à Léaupartie,
puis à la mer; une de ces haies continues, qui dans
ce pays bordent les prés, dérobait presque constamment cette route à la vue et faisait, réciproque-
ment, que, de la route, La Roque n'était vi-
sible que par soudaines échappées, aux barrières
par exemple, qui, rompant la continuité de la
haie, donnaient accès dans les prés dont le mol
dévalement rejoignait la rivière. Epars, quelques
beaux bouquets d'arbres offrant leur ombre au
tranquille bétail, ou quelques arbres isolés, au
bord de la route ou de la rivière, donnaient à la
vallée entière l'aspect aimable et tempéré d'un
parc.

L'espace, à l'intérieur de l'île, que j'appelle cour,
faute d'un autre nom, était semé de gravier, que
maintenaient à distance quelques corbeilles de géra-
niums, de fuchsias et de rosiers nains, devant
les fenêtres du salon et de la salle à manger. Par-
derrière, une petite pelouse triangulaire d'où
s'élevait un immense acacia sophora qui dominait
de beaucoup la maison. C'est au pied de cet unique arbre de l'île que nous nous réunissions d'ordinaire durant les beaux jours de l'été.

La vue ne s'étendait qu'en aval, c'est-à-dire :
que par-devant la maison; là seulement s'ouvrait
la vallée, au confluent de deux ruisseaux qui venaient l'un, à travers bois, du Val-Richer, l'autre,
à travers prés, du hameau de La Roque à deux
kilomètres de là. De l'autre côté de la douve,
dans la direction du Val-Richer, s'élevait en pente

assez rapide le pré qu'on appelait « le Rouleux »,
que ma mère, quelques années après la mort de
mon père, réunit au jardin; qu'elle sema de quelques massifs d'arbres, et à travers lequel, après
une longue étude, elle traça deux allées qui mon-
taient, en serpentant selon des courbes savantes,
jusqu'à la petite barrière par où l'on entrait dans
le bois. On plongeait aussitôt dans un tel mystère
que, d'abord en la franchissant, le cœur me battait
un peu. Ces bois dominaient la colline, se prolongeaient sur une assez grande étendue, et ceux
du Val-Richer y faisaient suite. Il n'y avait, du
temps de mon père, que peu de sentiers tracés,
et d'être si difficilement pénétrables, ces bois
me paraissaient plus vastes. Je fus bien désolé le
jour où maman, tout en me permettant de m'y
aventurer, me montra sur une carte du cadastre
leur limite, et qu'au-delà, les prés et les champs
recommençaient. Je ne sais plus trop ce que
j'imaginais au-delà des bois; et peut-être que
je n'imaginais rien; mais si j'avais imaginé quelque
chose, j'aurais voulu pouvoir l'imaginer différent.
De connaître leur dimension, leur limite, diminua
pour moi leur attrait; car je me sentais à cet âge
moins de goût pour la contemplation que pour
l'aventure, et prétendais trouver partout de l'inconnu.

Pourtant ma principale occupation, à La Roque,
ce n'était pas l'exploration, c'était la pêche. O
sport injustement décrié; ceux-là seuls te dédai-
gnent qui t'ignorent, ou les maladroits. C'est pour
avoir pris tant de goût à la pêche, que la chasse
eut pour moi plus tard si peu d'attraits, qui ne
demande, dans nos pays du moins, guère d'autre
adresse sans doute que celle qui consiste à bien

viser. Tandis que pour pêcher la truite, que d'habileté, que de ruse! Théodomir, le neveu de notre
vieux garde Bocage, m'avait appris dès mon plus
jeune âge à monter une ligne et à appâter l'hameçon comme il faut; car si la truite est le plus
vorace, c'est aussi le plus méfiant des poissons.
Naturellement je pêchais sans flotteur et sans
plomb, plein de mépris pour ces aide-niais, qui
ne servent que d'épouvantails. Par contre, j'usais
de « crins de Florence », qui sont glandes de vers
à soie tréfilées; légèrement bleutés, ils ont cet
avantage d'être à peu près invisibles dans l'eau;
avec cela d'une résistance remarquable, à l'épreuve
des truites de la douve, aussi lourdes que des
saumons. Je pêchais plus volontiers dans la rivière où les truites étaient de chair plus délicate,
et surtout plus farouches, c'est-à-dire : plus amusantes à attraper. Ma mère se désolait de me voir
tant de goût pour un amusement qui me faisait
prendre, à son avis, trop peu d'exercice. Alors je
protestais contre la réputation qu'on faisait à la
pêche d'être un sport d'empoté, pour lequel l'immobilité complète était de règle : cela pouvait être
vrai dans les grandes rivières, ou dans les eaux
dormantes et pour des poissons somnolents; mais
la truite, dans les très petits ruisseaux où je pêchais, il importait de la surprendre précisément
à l'endroit qu'elle hantait et dont elle ne s'écartait guère; dès qu'elle apercevait l'appât, elle se
lançait dessus goulûment; et, si elle ne le faisait
point aussitôt, c'est qu'elle avait distingué quelque chose de plus que la sauterelle : un bout de
ligne, un bout d'hameçon, un bout de crin,
l'ombre du pêcheur, ou avait entendu celui-ci
approcher : dès lors, inutile d'attendre, et plus

on insistait, plus on compromettait la partie;
mieux valait revenir plus tard, en prenant plus
de précautions que d'abord, en se glissant, en
rampant, en se subtilisant parmi les herbes, et
jetant la sauterelle du plus loin, pour autant que
le permettaient les branches des arbustes, coudres
et osiers qui bordaient presque continûment la
rivière, ne cédant la rive qu'aux grands épilobes
ou lauriers de Saint-Antoine, et dans lesquels, si
par malchance le fil de la ligne ou l'hameçon se
prenait, on en avait pour une heure, sans parler
de l'effarouchement définitif du poisson.

Il y avait à La Roque un grand nombre de
« chambres d'amis »; mais elles restaient toujours vides, et pour cause : mon père frayait peu
avec la société de Rouen; ses collègues de Paris
avaient leur famille, leurs habitudes... En fait
d'hôtes, je ne me souviens que de M. Gueroult,
qui vint à La Roque, pour la première fois je
crois, cet été qui suivit mon renvoi de l'Ecole.
Il y revint encore une ou deux fois après la
mort de mon père; et je doute si ma mère n'estimait
pas faire quelque chose d'assez osé en continuant
à le recevoir, une fois veuve, bien qu'à chaque
fois pour un temps assez court. Rien n'était plus
bourgeois que le milieu de ma famille, et M. Gueroult pour n'être rien moins qu'un bohème, était
tout de même un artiste; c'est-à-dire qu'il n'était
pas « de notre monde » du tout — un musicien,
un compositeur, un ami d'autres musiciens plus
célèbres, de Gounod par exemple, ou de Stephen
Heller, qu'il allait voir à Paris. Car M. Gueroult
habitait Rouen, où il tenait à Saint-Ouen les
grandes orgues que venait de livrer Cavaillé-Coll.

Très clérical, et protégé par le clergé, il comptait des élèves dans les familles les meilleures
et les mieux pensantes, la mienne en particulier,
où il jouissait d'un grand prestige, sinon d'une
parfaite considération. Il avait le profil dur et
énergique, d'assez beaux traits, d'abondants cheveux noirs très bouclés, une barbe carrée, le regard rêveur ou soudain fougueux, la voix harmo-
nieuse, onctueuse mais sans vraie douceur, le geste
caressant mais dominateur. Dans toutes ses paroles, dans toutes ses manières respirait je ne sais
quoi d'égoïste et de magistral. Ses mains particulièrement étaient belles, à la fois molles et puissantes.
Au piano, une animation quasi céleste le trans-
figurait; son jeu semblait plutôt celui d'un organiste que d'un pianiste et manquait parfois de
subtilité, mais il était divin dans les andantes, en
particulier ceux de Mozart pour qui il professait
une prédilection passionnée. Il avait coutume de
dire en riant :

« Pour les allegros, je ne dis pas; mais dans
les mouvements lents, je vaux Rubinstein. »

Il disait cela d'un ton si bonhomme qu'on ne
pouvait y voir vanterie; et en vérité je ne crois
pas que ni Rubinstein, dont je me souviens à
merveille, ni qui que ce fût au monde, pût jouer
la *fantaisie en ut mineur* de Mozart, par exemple,
ou tel largo d'un *concerto* de Beethoven, avec une
plus tragique noblesse, avec plus de chaleur, de
poésie, de puissance et de gravité. J'eus dans la
suite maintes raisons de m'exaspérer contre lui :
il reprochait aux fugues de Bach de se prolonger
parfois sans surprise; s'il aimait la bonne musique, il ne détestait pas suffisamment la mauvaise; il partageait avec son ami Gounod une

monstrueuse et obstinée méconnaissance de César
Franck, etc.; mais, en ce temps où je naissais
au monde des sons, il en était pour moi le grand
maître, le prophète, le magicien. Chaque soir,
après le dîner, il offrait à mon ravissement sonates, opéras, symphonies; et maman, d'ordinaire
intraitable sur les questions d'heure et qui m'envoyait coucher tambour battant, permettait que
je prolongeasse outre-temps la veillée.

Je n'ai pas de prétention à la précocité et crois
bien que le vif plaisir que je prenais à ces séances
musicales il faut le placer principalement et
presque uniquement lors des dernières visites de
M. Gueroult, deux ou trois ans après la mort de
mon père. Entre-temps, et sur ses indications,
maman m'avait mené à quantité de concerts,
et pour montrer que je profitais, tout le long du
jour je chantais ou sifflais des bribes de symphonies. Alors M. Gueroult commença d'entreprendre
mon éducation. Il me faisait mettre au piano, et
à chaque morceau qu'il m'enseignait, il inventait
une sorte d'affabulation continue, qui le doublât,
l'expliquât, l'animât : tout devenait dialogue ou
récit. Encore qu'un peu factice, la méthode, avec
un jeune enfant, peut, je crois, n'être pas mauvaise, si toutefois le récit surajouté n'est pas trop
niais ou trop inadéquat. Il faut songer que je
n'avais guère plus de douze ans.

Après midi, M. Gueroult composait; Anna,
dressée à écrire sous la dictée musicale, lui
servait parfois de secrétaire; il avait recours à elle
aussi bien pour ménager sa vue, qui commençait
à faiblir, que par besoin d'exercer son despotisme,
à ce que prétendait ma mère. Anna était à sa dévotion. Elle l'escortait dans ses promenades mati-

nales, portait son pardessus s'il avait trop chaud
et tenait ouverte devant lui, pour protéger ses
regards du soleil, une ombrelle. Ma mère protestait à ces complaisances; le sans-gêne de M. Gueroult l'indignait; elle prétendait lui faire payer ce
prestige, auquel elle ne pouvait elle-même se dérober, par une pluie de menues épigrammes dont
elle tentait de le larder, mais qu'elle appointait
et dirigeait assez mal, de sorte que lui ne faisait
que s'en amuser. Longtemps après qu'il était
devenu presque aveugle, elle mettait encore en
doute, ainsi que beaucoup d'autres, cette nuit envahissante; ou du moins accusait M. Gueroult d'en
jouer, et de n'être « pas si aveugle que ça ». Elle
le trouvait obséquieux, entrant, retors, intéressé,
féroce; il était un peu tout cela, mais il était
musicien. Parfois, au repas, son regard, à demi
voilé déjà derrière ses lunettes, se perdait; **ses**
puissantes mains, posées, comme sur un clavier, sur
la table, s'agitaient; et quand on lui parlait,
revenant à vous soudain, il répondait :

« Pardon! J'étais en *mi* bémol. »

Mon cousin Albert Démarest — pour qui je ressentais déjà une sympathie des plus vives, malgré
qu'il eût vingt ans de plus que moi — s'était
particulièrement lié avec celui qu'il appelait cordialement : le père Gueroult. Albert, seul artiste
de la famille, aimait passionnément la musique
et jouait lui-même fort agréablement du piano; la
musique était leur seul terrain d'entente; partout
ailleurs ils s'opposaient. A chaque défaut du père
Gueroult correspondait, dans le caractère d'Albert, un relief. Celui-ci était aussi droit, aussi
franc, que l'autre était retors et papelard; aussi
généreux que l'autre cupide; et tout ainsi; mais

par bonté, par indiscipline, Albert savait mal se
conduire dans la vie; il soignait peu ses propres
intérêts et, souvent, ce qu'il entreprenait tournait
à son désavantage, de sorte que, dans la famille,
on ne le prenait pas tout à fait au sérieux.
M. Gueroult l'appelait toujours « ce gros Bert »,
avec une indulgence protectrice où perçait un peu
de pitié. Albert, lui, admirait le talent de M. Gueroult; quant à l'homme, il le méprisait. Plus tard
il me raconta qu'un jour il avait surpris Gueroult
embrassant Anna. Il avait d'abord feint de ne
rien voir, par respect pour Anna; mais dès qu'il
s'était retrouvé seul avec Gueroult :

« Qu'est-ce que tu t'es permis, tout à l'heure?... »
Cela se passait dans le salon de la rue de Crosne.
Albert était très grand et très fort; il poussait
contre le mur de la pièce le maestro qui bal-
butiait :

« Qu'il est bête, ce gros Bert! Tu vois bien que
je plaisantais.

— Misérable! s'écriait Albert. Si je te reprends à
plaisanter de cette manière, je...

— J'étais si indigné, ajoutait-il : s'il avait dit
un mot de plus, je crois que je l'aurais étranglé. »

C'est peut-être au retour de ces vacances qui
suivirent mon renvoi de l'Ecole, qu'Albert Démarest commença à faire attention à moi. Que pou-
vait-il bien discerner en moi qui attirât sa sympathie? Je ne sais; mais sans doute lui fus-je
reconnaissant de cette attention, d'autant plus
que, précisément, je sentais que je la méritais
moins. Et tout aussitôt je m'efforçai d'en être un
petit peu moins indigne. La sympathie peut faire
éclore bien des qualités somnolentes; je me suis

souvent persuadé que les pires gredins sont ceux
auxquels d'abord les sourires affectueux ont manqué. Sans doute est-il étrange que ceux de mes
parents n'eussent pas suffi; mais il est de fait que
je devins aussitôt beaucoup plus sensible à l'approbation ou à la désapprobation d'Albert qu'à
la leur.

Je me souviens avec précision du soir d'automne
où il me prit à part, après dîner, dans un coin
du cabinet de mon père, tandis que mes parents
taillaient un besigue avec ma tante Démarest et
Anna. Il commença de me dire à voix basse qu'il
ne voyait pas bien à quoi d'autre je m'intéressais
dans la vie qu'à moi-même; que c'était là le propre
des égoïstes, et que je lui faisais tout l'effet d'en
être un.

Albert n'avait rien d'un censeur. C'était un être
d'apparence très libre, fantasque, plein d'humour
et de gaieté : sa réprobation n'avait rien d'hostile;
au contraire, je sentais qu'elle n'était vive qu'en
raison de sa sympathie; c'est ce qui me la rendait
pressante. Jamais encore on ne m'avait parlé ainsi;
les paroles d'Albert pénétraient en moi à une
profondeur dont il ne se doutait certes pas, et que
moi-même je ne pus sonder que plus tard. Ce que
j'aime le moins dans l'ami, d'ordinaire, c'est l'indulgence; Albert n'était pas indulgent. On pouvait
au besoin, près de lui, trouver des armes contre
soi-même. Et, sans trop le savoir, j'en cherchais.

Mes parents me firent redoubler une neuvième,
où j'avais presque tout le temps manqué; ce qui
me permit d'avoir sans peine de bonnes places;
ce qui tout à coup me donna le goût du travail.

L'hiver fut rigoureux et se prolongea longtemps

cette année. Ma mère eut le bon esprit de me faire apprendre à patiner. Jules et Julien Jardinier, les fils d'un collègue de mon père, dont le plus jeune était mon camarade de classe, apprenaient avec moi; c'était à qui mieux mieux! et nous devînmes assez promptement d'une gentille force. J'aimais passionnément ce sport, que nous pratiquions sur le bassin du Luxembourg d'abord, puis sur l'étang de Villebon dans les bois de Meudon, ou sur le grand canal de Versailles. La neige tomba si abondamment et il y eut un tel verglas par-dessus, que je me souviens d'avoir pu, de la rue de Tournon, gagner l'Ecole Alsacienne — qui se trouvait rue d'Assas, c'est-à-dire à l'autre extrémité du Luxembourg — sans enlever mes patins; et rien n'était plus amusant et plus étrange que de glisser ainsi muettement dans les allées du grand jardin, entre deux hauts talus de neige. Depuis, il n'a plus fait d'hiver pareil.

Je n'avais de véritable amitié pour aucun des deux Jardinier. Jules était trop âgé; Julien d'une rare épaisseur. Mais nos parents qui, pour l'amitié, semblaient avoir les idées de certaines familles sur les mariages de convenance, ne manquaient pas une occasion de nous réunir. Je voyais Julien déjà chaque jour en classe; je le retrouvais en promenade, au patinage. Mêmes études, mêmes ennuis, mêmes plaisirs; là se bornait la ressemblance; pour l'instant, elle nous suffisait. Certes, il était, sur les bancs de la neuvième, quelques élèves vers qui plus d'affinité m'eût porté; mais leur père, hélas! n'était pas professeur à la Faculté.

Tous les mardis, de 2 à 5, l'Ecole Alsacienne emmenait promener les élèves (ceux des basses classes du moins) sous la surveillance d'un professeur, qui nous faisait visiter la Sainte-Chapelle, Notre-Dame, le Panthéon, le Musée des Arts et Métiers — où, dans une petite salle obscure, se trouvait un petit miroir sur lequel, par un ingénieux jeu de glaces, venait se refléter, en petit, tout ce qui se passait dans la rue; cela faisait un tableautin des plus plaisants avec des personnages animés, à l'échelle de ceux de Téniers, qui s'agitaient; tout le reste du musée distillait un ennui morne; — les Invalides, le Louvre, et un extraordinaire endroit, situé tout contre le parc de Montsouris, qui s'appelait le *Géorama Universel* : c'était un misérable jardin, que le propriétaire, un grand lascar vêtu d'alpaga, avait aménagé en carte de géographie. Les montagnes y étaient figurées par des rocailles; les lacs, bien que cimentés, étaient à sec; dans le bassin de la Méditerranée naviguaient quelques poissons rouges comme pour accuser l'exiguïté de la botte italienne. Le professeur nous invitait à lui désigner les Karpathes, cependant que le lascar, une longue baguette à la main, soulignait les frontières, nommait des villes, dénonçait un tas d'ingéniosités indistinctes et saugrenues, exaltait son œuvre, insistant sur le temps qu'il avait fallu pour la mener à bien; et, comme alors le professeur, au départ, le félicitait sur sa patience, il répliquait, d'un ton doctoral :

« La patience n'est rien sans l'idée. »

Je suis curieux de savoir si tout cela existe encore?

Parfois M. Brunig lui-même, le sous-directeur, se joignait à nous, doublant M. Vedel, qui s'effaçait alors avec déférence. C'est au Jardin des plantes que M. Brunig nous conduisait immanquablement; et immanquablement, dans les sombres galeries des animaux empaillés (le nouveau Muséum n'existait pas encore) il nous arrêtait devant la tortue luth qui, sous vitrine à part, occupait une place d'honneur; il nous groupait en cercle autour d'elle et disait :

« Eh bien, mes enfants. Voyons! Combien a-t-elle de dents, la tortue? (Il faut dire que la tortue, avec une expression naturelle et comme criante de vie, gardait, empaillée, la gueule entrouverte.) Comptez bien. Prenez votre temps. Y êtes-vous? »

Mais on ne pouvait plus nous la faire; nous la connaissions, sa tortue. N'empêche que, tout en pouffant, nous faisions mine de chercher; on se bousculait un peu pour mieux voir. Dubled s'obstinait à ne distinguer que deux dents, mais c'était un farceur. Le grand Wenz, les yeux fixés sur la bête, comptait à haute voix sans arrêter, et ce n'est que lorsqu'il dépassait soixante que M. Brunig l'arrêtait avec ce bon rire spécial de celui qui sait se mettre à la portée des enfants, et, citant La Fontaine :

« Vous n'en approchez point. » Plus vous en trouvez, plus vous êtes loin de compte. Il vaut mieux que je vous arrête. Je vais beaucoup vous étonner. Ce que vous prenez pour des dents ne sont que des petites protubérances cartilagineuses. La tortue n'a pas de dents du tout. La tortue est comme les oiseaux : elle a un bec. »

Alors tous nous faisions : « Oooh! » par bienséance.

J'ai assisté trois fois à cette comédie.

Nos parents, à Julien et à moi, donnaient deux sous à chacun, ces jours de sortie. Ils avaient discuté ensemble; maman n'aurait pas consenti à me donner plus que Mme Jardinier ne donnait à Julien; comme leur situation était plus modeste que la nôtre, c'était à Mme Jardinier de décider.

« Qu'est-ce que vous voulez que ces enfants fassent avec cinquante centimes? » s'était-elle écriée. Et ma mère accordait que deux sous étaient « parfaitement suffisants ».

Ces deux sous étaient dépensés d'ordinaire à la boutique du père Clément. Installée dans le jardin du Luxembourg, presque contre la grille d'entrée la plus voisine de l'Ecole, ce n'était qu'une petite baraque de bois peinte en vert, exactement de la couleur des bancs. Le père Clément, en tablier bleu, tout pareil aux anciens portiers des lycées, vendait des billes, des hannetons, des toupies, du coco, des bâtons de sucre à la menthe, à la pomme ou à la cerise, des cordonnets de réglisse enroulés sur eux-mêmes à la façon des ressorts de montre, des tubes de verre emplis de grains à l'anis blancs et roses, maintenus à chaque extrémité par de l'ouate rose et par un bouchon; les grains d'anis n'étaient pas fameux, mais le tube, une fois vide, pouvait servir de sarbacane. C'est comme les petites bouteilles qui portaient des étiquettes : *cassis, anisette, curaçao,* et qu'on n'achetait guère que pour le plaisir, ensuite, de se les suspendre à la lèvre comme des ventouses ou des sangsues. Julien et moi d'ordinaire nous partagions nos emplettes; aussi l'un n'achetait-il jamais rien sans consulter l'autre.

L'année suivante, Mme Jardinier et ma mère

estimèrent qu'elles pouvaient porter à cinquante
centimes leurs libéralités hebdomadaires — lar-
gesse qui me permit enfin d'élever des vers à soie;
ceux-ci ne coûtaient pas si cher que les feuilles
de mûrier pour leur nourriture, que je devais
aller prendre deux fois par semaine chez un herboriste de la rue Saint-Sulpice. Julien, que les
chenilles dégoûtaient, déclara que désormais il
achèterait ce qui lui plaisait de son côté et sans
m'en rien dire. Cela jeta un grand froid entre
nous, et, dans les sorties du mardi où il fallait
aller deux par deux, chacun chercha un autre camarade.

Il y en avait un pour qui je m'étais épris d'une
véritable passion. C'était un Russe. Il faudra que
je recherche son nom sur les registres de l'Ecole.
Qui me dira ce qu'il est devenu? Il était de santé
délicate, pâle extraordinairement; il avait les cheveux très blonds, assez longs, les yeux très bleus;
sa voix était musicale, que rendait chantante un
léger accent. Une sorte de poésie se dégageait de
tout son être, qui venait, je crois, de ce qu'il se
sentait faible et cherchait à se faire aimer. Il était
peu considéré par les copains et participait rarement à leurs jeux; pour moi, dès qu'il me regardait, je me sentais honteux de m'amuser avec les
autres, et je me souviens de certaines récréations
où, surprenant tout à coup son regard, je quittais
tout net la partie pour venir auprès de lui. On
s'en moquait. J'aurais voulu qu'on l'attaquât, pour
avoir à le défendre. Aux classes de dessin, où il est
permis de parler un peu à voix basse, nous étions
l'un à côté de l'autre; il me disait alors que son
père était un grand savant très célèbre; et je
n'osais pas l'interroger sur sa mère ni lui deman-

der pour quelles raisons il se trouvait à Paris.
Un beau jour il cessa de venir, et personne ne
sut me dire s'il était tombé malade ou retourné
en Russie; du moins une sorte de pudeur ou de
timidité me retint de questionner les maîtres qui
auraient peut-être pu me renseigner, et je gardai
secrète une des premières et des plus vives tristesses de ma vie.

Ma mère prenait grand soin que rien, dans les
dépenses qu'elle faisait pour moi, ne me vînt
avertir que notre situation de fortune était sensiblement supérieure à celle des Jardinier. Mes
vêtements, en tout point pareils à ceux de Julien,
venaient comme les siens de *La Belle Jardinière*.
J'étais extrêmement sensible à l'habit, et souffrais
beaucoup d'être toujours hideusement fagoté. En
costume marin avec un béret, ou bien en complet
de velours, j'eusse été aux anges! Mais le genre
« marin » non plus que le velours ne plaisait à
Mme Jardinier. Je portais donc de petits vestons
étriqués, des pantalons courts, serrés aux genoux
et des chaussettes à raies; chaussettes trop courtes,
qui formaient tulipe et retombaient désolément,
ou rentraient se cacher dans les chaussures. J'ai
gardé pour la fin le plus horrible : c'était la chemise empesée. Il m'a fallu attendre d'être presque
un homme déjà pour obtenir qu'on ne m'em-
pesât plus mes devants de chemise. C'était l'usage,
la mode, et l'on n'y pouvait rien. Et si j'ai fini
pourtant par obtenir satisfaction, c'est tout bon-
nement parce que la mode a changé. Qu'on imagine un malheureux enfant qui, tous les jours
de l'année, pour le jeu comme pour l'étude,
porte, à l'insu du monde et cachée sous sa veste,

une espèce de cuirasse blanche et qui s'achevait
en carcan; car la blanchisseuse empesait également,
et pour le même prix sans doute, le tour du
cou contre quoi venait s'ajuster le faux col; pour
peu que celui-ci, un rien plus large ou plus étroit,
n'appliquât pas exactement sur la chemise (ce
qui neuf fois sur dix était le cas), il se formait
des plis cruels; et pour peu que l'on suât, le plas-
tron devenait atroce. Allez donc faire du sport
dans un accoutrement pareil! Un ridicule petit
chapeau melon complétait l'ensemble... Ah! les
enfants d'aujourd'hui ne connaissent pas leur bonheur!

Pourtant j'aimais courir, et, après Adrien Mo-
nod, j'étais le champion de la classe. A la gymnastique, j'étais même meilleur que lui pour
grimper au mât et à la corde; j'excellais aux anneaux, à la barre fixe, aux barres parallèles; mais
je ne valais plus rien au trapèze, qui me donnait
le vertige. Les beaux soirs d'été, j'allais retrouver
quelques camarades dans une grande allée du
Luxembourg, celle qui s'achevait à la boutique du
père Clément; on jouait au ballon. Ce n'était pas
encore, hélas! le football; le ballon était tout pareil, mais les règles étaient sommaires, et, tout au
contraire du football, il était défendu de se servir
des pieds. Tel qu'il était, ce jeu nous passionnait.

Mais je n'en avais pas fini avec la question du
costume : à la mi-carême, chaque année, le
Gymnase Pascaud donnait un bal aux enfants de
sa clientèle; c'était un bal costumé. Dès que je
vis que ma mère me laisserait y aller, dès que j'eus
cette fête en perspective, l'idée de devoir me dé-
guiser me mit la tête à l'envers. Je tâche à
m'expliquer ce délire. Quoi! se peut-il qu'une

dépersonnalisation puisse déjà promettre une telle
félicité? A cet âge déjà? Non : le plaisir plutôt
d'être en couleur, d'être brillant, d'être baroque,
de jouer à paraître qui l'on n'est pas... Ma
joie fut infiniment rafraîchie lorsque j'entendis
Mme Jardinier déclarer que, quant à Julien, elle
le mettrait en pâtissier.

« Ce qui importe, pour ces enfants, expliquait-
elle à ma mère (et ma mère aussitôt acquiesçait),
c'est d'être costumés, n'est-ce pas? Peu leur importe le costume. »

Dès lors je savais ce qui m'attendait; car ces
deux dames, consultant un catalogue de *La Belle
Jardinière*, découvraient que le costume de « pâtissier » — tout au bas d'une liste qui commençait
par le « petit marquis », et continuait decres-
cendo en passant par le « cuirassier », le « polichinelle », le « spahi », le « lazzarone » — de
« pâtissier », dis-je, était « vraiment pour rien ».

Avec mon tablier de calicot, mes manches de
calicot, ma barrette de calicot, j'avais l'air d'un
mouchoir de poche. Je paraissais si triste que
maman voulut bien me prêter une casserole de
la cuisine, une vraie casserole de cuivre, et qu'elle
glissa dans ma ceinture une cuillère à sauce, pensant relever un peu par ces attributs l'insipidité
de mon travestissement prosaïque. Et, de plus, elle
avait empli de croquignoles la poche de mon tablier : « pour que tu puisses en offrir ».

Sitôt entré dans la salle de bal, je pus constater que les « petits pâtissiers » étaient au nombre
d'une vingtaine; on aurait dit un pensionnat. La
casserole trop grande me gênait beaucoup; j'en
étais empêtré; et pour achever ma confusion, voici
que, tout à coup, je tombai amoureux, oui, posi-

tivement amoureux, d'un garçonnet un peu plus
âgé que moi, qui devait me laisser un souvenir
ébloui de sa sveltesse, de sa grâce et de sa volu-
bilité.

Il était costumé en diablotin, ou en clown, c'est-
à-dire qu'un maillot noir pailleté d'acier moulait
exactement son corps gracile. Tandis qu'on se pressait pour le voir, lui sautait, cabriolait, faisait
mille tours, comme ivre de succès et de joie; il
avait l'air d'un sylphe; je ne pouvais déprendre de
lui mes regards. J'eusse voulu attirer les siens, et
tout à la fois je le craignais, à cause de mon accoutrement ridicule; et je me sentais laid, misérable.
Entre deux pirouettes, il souffla, s'approcha d'une
dame qui devait être sa mère, lui demanda un
mouchoir et, pour s'éponger, car il était en nage,
souleva le serre-tête noir qui fixait sur son front
deux petites cornes de chevreau; je m'approchai
de lui et gauchement lui offris quelques croquignoles. Il dit : merci; en prit une distraitement
et tourna les talons aussitôt. Je quittai le bal peu
après, la mort dans l'âme, et, de retour à la maison, il me prit une telle crise de désespoir, que
ma mère me promit, pour l'an prochain, un costume de « lazzarone ». Oui, ce costume du moins
me convenait; peut-être qu'il plairait au clown...
Au bal suivant, je fus donc en « lazzarone »; mais
lui, le clown, n'était plus là.

Je ne cherche plus à comprendre pour quelles
raisons ma mère, quand je commençai ma hui-
tième, me mit pensionnaire. L'Ecole Alsacienne,
qui s'élevait contre l'internat des lycées, n'avait
pas de dortoirs; mais elle encourageait ses professeurs à prendre chacun un petit nombre de pen-

sionnaires. C'est chez M. Vedel que j'entrai, bien
que je ne fusse plus dans sa classe. M. Vedel
habitait la maison de Sainte-Beuve, de qui le
buste, au fond d'un petit couloir-vestibule, m'intriguait. Il présentait à mon étonnement cette curieuse sainte sous l'aspect d'un vieux monsieur,
l'air paterne et le chef couvert d'une toque à
gland. M. Vedel nous avait bien dit que Sainte-
Beuve était « un grand critique »; mais il y a
des bornes à la crédulité d'un enfant.

Nous étions cinq ou six pensionnaires, dans deux
ou trois chambres. Je partageais une chambre du
second avec un grand être apathique, exsangue et
de tout repos, qui s'appelait Roseau. Des autres
camarades je ne me souviens guère... Si : de Bar-
nett l'Américain, pourtant, que j'avais admiré
sur les bancs de la classe quand, au lendemain de
son entrée à l'Ecole, il s'était fait des moustaches
avec de l'encre. Il portait une vareuse flottante
et de larges pantalons courts; son visage était grêlé,
mais extraordinairement ouvert et rieur; tout son
être éclatait de joie, de santé et d'une espèce de
turbulence intérieure qui le faisait inventer sans
cesse quelque excentricité pleine de risque, par
quoi il s'auréolait de prestige à mes yeux, et positivement m'enthousiasmait. Il essuyait toujours sa
plume à ses cheveux en broussailles. Le premier
jour qu'il entra chez Vedel, dans le petit jardin
derrière la maison, où nous prenions notre récréation après les repas, il se campa tout au milieu,
le torse glorieusement rejeté en arrière, et sous
nos yeux à tous, en hauteur, il pissa. Nous étions
consternés par son cynisme.

Ce petit jardin fut le théâtre d'un pugilat. A
l'ordinaire j'étais calme, plutôt trop doux, et je

détestais les peignées, convaincu sans doute que
j'y aurais toujours le dessous. Je gardais cuisant
encore le souvenir d'une aventure qu'il faut que
je raconte ici : En rentrant de l'Ecole à travers
le Luxembourg et passant, contrairement à mon
habitude, par la grille en face du petit jardin,
ce qui ne me déroutait pas beaucoup, j'avais croisé
un groupe d'élèves, de l'école communale sans
doute, pour qui les élèves de l'Ecole Alsacienne
représentaient de haïssables aristos. Ils étaient à
peu près de mon âge, mais sensiblement plus cos-
tauds. Je surpris au passage des ricanements, des
regards narquois ou chargés de fiel, et continuai
ma route du plus digne que je pouvais; mais voici
que le plus gaillard se détache du groupe et vient
à moi. Mon sang tombait dans mes talons. Il se
met devant moi. Je balbutie :

« Qu'est-ce... qu'est-ce que vous me voulez? »

Il ne répond rien, mais emboîte le pas à ma
gauche.

Je gardais, tout en marchant, les yeux fichés en
terre, mais sentais son regard qui me braquait; et,
dans mon dos, je sentais le regard des autres. J'aurais voulu m'asseoir. Tout à coup :

« Tiens! Voilà ce que je veux! » dit-il en m'en-
voyant son poing dans l'œil.

J'eus un éblouissement et m'en allai dinguer
au pied d'un marronnier, dans cet espace creux
réservé pour l'arrosement des arbres; d'où je sortis
plein de boue et de confusion. L'œil poché me
faisait très mal. Je ne savais pas encore à quel
point l'œil est élastique et croyais qu'il était
crevé. Comme les larmes en jaillissaient avec abondance : « C'est cela, pensais-je : il se vide. »
— Mais ce qui m'était plus douloureux encore,

c'étaient les rires des autres, leurs quolibets et les applaudissements qu'ils adressaient à mon agresseur.

Au demeurant je n'aurais pas plus aimé donner des coups que je n'aimais d'en recevoir. Tout de même, chez Vedel, il y avait un grand sacré rouquin au front bas, dont le nom m'est heureusement sorti de la mémoire, qui abusait un peu trop de mon pacifisme. Deux fois, trois fois, j'avais supporté ses sarcasmes; mais voilà que, tout à coup, la sainte rage me prit; je sautai sur lui, l'empoignai; les autres cependant se rangeaient en cercle. Il était passablement plus grand et plus fort que moi; mais j'avais pour moi sa surprise; et puis je ne me connaissais plus; ma fureur décuplait mes forces; je le cognai, le bousculai, le tombai tout aussitôt. Puis, quand il fut à terre, ivre de mon triomphe je le traînai à la manière antique, ou que je croyais telle; je le traînai par la tignasse, dont il perdit une poignée. Et même je fus un peu dégoûté de ma victoire, à cause de tous ces cheveux gras qu'il me laissait entre les doigts, mais stupéfait d'avoir pu vaincre; cela me paraissait auparavant si impossible qu'il avait bien fallu que j'eusse perdu la tête pour m'y risquer. Le succès me valut la considération des autres et m'assura la paix pour longtemps. Du coup je me persuadai qu'il est bien des choses qui ne paraissent impossibles que tant qu'on ne les a pas tentées.

Nous avions passé une partie du mois de septembre aux environs de Nîmes, dans la propriété du beau-père de mon oncle Charles Gide qui venait de se marier. Mon père avait rapporté de

là une indisposition qu'on affectait d'attribuer
aux figues. De vrai, le désordre était dû à de la
tuberculose intestinale; et ma mère, je crois, le
savait; mais la tuberculose est une maladie qu'en
ce temps on espérait guérir en ne la reconnaissant
pas. Au reste, mon père était sans doute déjà trop
atteint pour qu'on pût espérer triompher du mal.
Il s'éteignit assez doucement le 28 octobre de cette
année (1880).

Je n'ai pas souvenir de l'avoir vu mort, mais
peu de jours avant sa fin, sur le lit qu'il ne quittait plus. Un gros livre était devant lui, sur les
draps, tout ouvert, mais retourné, de sorte qu'il
ne présentait que son dos de basane; mon père
avait dû le poser ainsi au moment où j'étais entré.
Ma mère m'a dit plus tard que c'était un Platon.

J'étais chez Vedel. On vint me chercher; je ne
sais plus qui; Anna peut-être. En route j'appris
tout. Pourtant mon chagrin n'éclata que lorsque je
vis ma mère en grand deuil. Elle ne pleurait pas;
elle se contenait devant moi; mais je sentais qu'elle
avait beaucoup pleuré. Je sanglotai dans ses bras.
Elle craignait pour moi un ébranlement nerveux
trop fort et voulut me faire prendre un peu de
thé. J'étais sur ses genoux; elle tenait la tasse,
en levait une cuillère qu'elle me tendait, et je
me souviens qu'elle disait, en prenant sur elle
de sourire :

« Voyons! celle-ci va-t-elle arriver à bon port? »

Et je me sentis soudain tout enveloppé par cet
amour, qui désormais se refermait sur moi.

Quant à la perte que j'avais faite, comment
l'eussé-je réalisée? Je parlerais de mes regrets,
mais hélas! j'étais surtout sensible à l'espèce de
prestige dont ce deuil me revêtait aux yeux de

mes camarades. Songez donc! Chacun d'eux
m'avait écrit, tout comme avait fait chacun des
collègues de mon père après qu'il avait été dé-
coré! Puis j'appris que mes cousines allaient venir!
Ma mère avait décidé que je n'assisterais pas à la
cérémonie funèbre; pendant que mes oncles et
mes tantes, avec maman, suivaient le char, Emmanuèle et Suzanne resteraient à me tenir compagnie. Le bonheur de les revoir l'emportait
presque, ou tout à fait, sur mon chagrin. Il est
temps que je parle d'elles.

IV

EMMANUÈLE avait deux ans de plus que moi; Suzanne n'était pas de beaucoup mon aînée; Louise suivait de près. Quant à Edouard et Georges, qu'on appelait ensemble et comme pour s'en débarrasser à la fois : « les garçons », ils nous semblaient encore à peu près négligeables, à peine sortis du berceau. Emmanuèle était, à mon goût, trop tranquille. Elle ne se mêlait plus à nos jeux sitôt qu'ils cessaient d'être « honnêtes » et même dès qu'ils devenaient bruyants. Elle s'isolait alors avec un livre; l'on eût dit qu'elle désertait; aucun appel ne l'atteignait plus; le monde extérieur cessait pour elle d'exister; elle perdait la notion du lieu au point qu'il lui arrivait de tomber tout à coup de sa chaise. Elle ne querellait jamais; il lui était si naturel de céder aux autres son tour, ou sa place, ou sa part, et toujours avec une grâce si souriante, qu'on doutait si elle ne le faisait pas plutôt par goût que par vertu, et si ce n'est pas en agissant différemment qu'elle se fût contrainte.

Suzanne avait le caractère hardi; elle était prompte, irréfléchie; le moindre jeu près d'elle aussitôt s'animait. C'est avec elle que je jouais

le plus volontiers, et avec Louise lorsque celle-ci
ne boudait point, car elle était de caractère plus
inégal et inquiet que ses deux sœurs.

Qu'est-il besoin de raconter nos jeux? Je ne
pense pas qu'ils différassent beaucoup de ceux des
autres enfants de notre âge, sinon peut-être par
la passion que nous y apportions.

Mon oncle et ma tante habitaient avec leurs
cinq enfants rue de Lecat. C'était une de ces
tristes rues de province, sans magasins, sans animation d'aucune sorte, ni caractère, ni agrément.
Avant de gagner le quai plus morne encore, elle
passait devant l'Hôtel-Dieu, où avaient vécu les
parents de Flaubert et où son frère Achille, à la
suite de son père, avait exercé.

La maison de mon oncle était aussi banale et
maussade que la rue. J'en reparlerai plus tard. Je
voyais mes cousines, sinon plus souvent, du moins
plus volontiers rue de Crosne, et plus volontiers
encore à la campagne, où je les retrouvais pendant
quelques semaines chaque été, soit qu'elles vinssent
à La Roque, soit que nous allassions à Cuverville,
qui était la propriété de mon oncle. Ensemble
alors nous prenions nos leçons, ensemble nous
jouions, ensemble se formaient nos goûts, nos caractères, ensemble se tissaient nos vies, se confon-
daient nos projets, nos désirs, et quand, à la fin
de chaque journée, nos parents nous séparaient
pour nous emmener dormir, je pensais enfan-
tinement : cela va bien parce que nous sommes
petits encore, hélas! mais un temps viendra où
la nuit même ne nous séparera plus.

Le jardin de Cuverville, où j'écris ceci, n'a pas
beaucoup changé. Voici le rond-point entouré
d'ifs taillés, où nous jouions dans le tas de sable;

non loin, dans « l'allée aux fleurs », l'endroit où
l'on avait aménagé nos petits jardins; à l'ombre
d'un tilleul argenté, la gymnastique où Emmanuèle était si craintive, Suzanne au contraire si
hardie; puis, une partie ombreuse, « l'allée
noire », où certains beaux soirs, après dîner, se
cachait mon oncle; les autres soirs il nous lisait
à haute voix un interminable roman de Walter
Scott.

Devant la maison, le grand cèdre est devenu
énorme, dans les branches duquel nous nichions et
passions des heures; chacun de nous s'y était
aménagé une chambre; on se faisait de l'une à
l'autre des visites, puis, du haut des branches,
avec des nœuds coulants, des crochets, on pêchait;
Suzanne et moi nous montions tout en haut, et
de la cime on criait à ceux des régions infé-
rieures : « On voit la mer! On voit la mer! »
— En effet, quand le temps était clair, on apercevait la petite ligne d'argent qu'elle faisait à
quinze kilomètres de là.

Non, rien de tout cela n'a changé, et je retrouve
au fond de moi sans peine le petit enfant que
j'étais. Mais il n'est ici d'aucun intérêt de remonter trop loin en arrière : lorsque Emmanuèle et
Suzanne vinrent me retrouver à Paris au moment
de la mort de mon père, les amusements de la
première enfance déjà cédaient à d'autres jeux.

Ma mère se laissa persuader par la famille d'aller
passer à Rouen les premiers temps de son deuil.
Elle n'eut pas le cœur de me laisser chez M. Vedel;
et c'est ainsi que commença pour moi cette vie
irrégulière et désencadrée, cette éducation rompue à laquelle je ne devais que trop prendre goût.

C'est donc dans la maison de la rue de Crosne,

chez mon oncle Henri Rondeaux, que nous passâmes cet hiver. M. Hubert, un professeur qui
donnait également des leçons à ma cousine Louise,
vint me faire travailler un peu chaque jour. Il
se servait, pour m'enseigner la géographie, de
« cartes muettes », dont je devais repérer et ins-
crire tous les noms, repasser à l'encre les tracés
discrets. L'effort de l'enfant était considérablement
épargné; grâce à quoi il ne retenait plus rien.
Je ne me souviens que des doigts en spatule de
M. Hubert, extraordinairement plats, larges et
carrés du bout, qu'il promenait sur ces cartes.

Je reçus en cadeau de Nouvel An, cet hiver,
un appareil à copier; je ne sais plus le nom de
cette machine rudimentaire, qui n'était, en somme,
qu'un plateau de métal couvert d'une substance
gélatineuse, sur laquelle on appliquait d'abord la
feuille qu'on venait de couvrir d'écriture, puis la
série des feuilles à impressionner. L'idée d'un
journal naquit-elle de ce cadeau? ou au contraire
le cadeau vint-il pour répondre à un projet de
journal? Peu importe. Toujours est-il qu'une
petite gazette, à l'usage des proches, fut fondée. Je
ne pense pas avoir conservé les quelques numéros
qui parurent : je vois bien qu'il y avait de la
prose et des vers de mes cousines; quant à ma
collaboration, elle consistait uniquement dans la
copie de quelques pages de grands auteurs; par
une modestie que je renonce à qualifier, je m'étais
persuadé que les parents trouveraient plus de
plaisir à lire « L'écureuil est un gentil petit ani-
mal... » de Buffon et des fragments d'épîtres de
Boileau, que n'importe quoi de mon cru — et
qu'il était séant qu'il en fût ainsi.

Mon oncle Henri Rondeaux dirigeait une fa-

brique de rouenneries au Houlme, à quatre ou
cinq kilomètres de la ville. Nous y allions assez
souvent en voiture. Il y avait primitivement, contre
l'usine, une maison rectangulaire, petite, modeste,
insignifiante au point de n'avoir laissé aucune
trace en mon esprit, que mon oncle fit abattre,
pour bâtir, sinon à la place, du moins un peu
plus loin, bien en face de ce qui devait devenir
le jardin, une habitation prétentieuse et cossue
qui tenait du chalet de bains de mer et de la
maison normande.

Mon oncle Henri était la crème des hommes :
doux, paterne, même un peu confit; son visage
non plus n'avait aucun caractère; j'ai dit, n'est-
ce pas, qu'il s'était fait catholique, vers l'âge de
dix-huit ans je crois; ma grand-mère, en ouvrant
une armoire dans la chambre de son fils, tombait
à la renverse évanouie : c'était un autel à la
Vierge.

Les Henri Rondeaux recevaient Le Triboulet,
journal humoristique ultra, créé pour déboulon-
ner Jules Ferry; cette feuille était pleine d'im-
mondes dessins dont tout l'esprit consistait à ins-
trumenter en trompe le nez du « Tonkinois »,
ce qui faisait la joie de mon cousin Robert. Les
numéros du Triboulet, à côté de ceux de La Croix,
traînaient au Houlme sur les tables du salon
ou du billard, tout ouverts, comme par défi, et
mettaient mal à l'aise ceux des hôtes qui ne partageaient pas les opinions de la maison; les parents
Démarest et ma mère affectaient de ne rien voir;
Albert s'indignait sourdement. Malgré les divergences politiques et confessionnelles, ma mère
était trop conciliante pour ne s'entendre pas avec

son frère aîné; mais plus volontiers encore avec
sa belle-sœur Lucile. Personne d'ordre, de grand
bon sens et de grand cœur, ma tante doublait exactement son mari; et pourtant on la jugeait supérieure; car il faut à l'homme beaucoup d'intelligence pour ne pas, avec d'égales qualités morales,
rester sensiblement au-dessous de la femme. C'est
ma tante et non Robert qui prit la direction de la
fabrique, à la mort de mon oncle Henri, l'an
qui suivit celui où mon récit est parvenu, et qui
tint tête aux ouvriers, certain jour qu'ils s'étaient
mis en grève.

La fabrique du Houlme était alors une des plus
importantes usines de Rouen, dont le commerce
était encore prospère. On n'y fabriquait point les
tissus; on les imprimait seulement. Mais cette
impression s'accompagnait d'une quantité d'opéra-
tions complémentaires, et occupait un peuple
d'ouvriers. Il y avait, un peu à l'écart dans la
prairie, un hangar de séchage tout en hauteur :
l'air qui passait entre les claires-voies agitait constamment les toiles dont bruissaient les mystérieux
frôlements; un escalier en zigzag s'élevait en
tremblant au travers d'une multitude de petits
paliers, de couloirs et de passerelles qui vous
perdaient parmi les infinis lacis verticaux des
blanches banderoles fraîches, tranquilles et palpi-
tantes. Contre la rivière, un petit pavillon toujours clos, où se fabriquaient en secret les couleurs,
exhalait une odeur bizarre et que l'on finissait par
aimer. Dans la salle des machines je serais volontiers resté des heures à contempler le passage
des toiles sous les rouleaux de cuivre brillant qui
les chargeaient de couleur et de vie; mais il ne
nous était pas permis, à nous enfants, d'y aller

seuls. En revanche, nous entrions sans demander la permission dans le grand magasin, chaque fois que nous en trouvions la porte ouverte. C'était un vaste bâtiment où s'empilaient en ordre les pièces d'étoffe imprimée, enroulées et prêtes à être livrées au commerce. A chacun des étages, des wagonnets, sur trois lignes de rails couraient d'un bout à l'autre des salles, le long de trois couloirs parallèles, entre les rayons vides ou pleins. Suzanne, Louise et moi, chacun sur un des wagonnets, nous organisions de pathétiques courses. Emmanuèle ne nous accompagnait pas dans le magasin, parce qu'il n'y avait que trois wagons, qu'elle n'aimait pas les aventures, et surtout qu'elle n'était pas bien sûre que ce fût permis.

A côté de l'usine s'étalait la ferme, avec une basse-cour modèle et une grange immense où mon cousin Robert s'amusait à l'élevage d'une race particulière de lapins; des fascines entassées suppléaient les terriers; là je passais des heures assis ou couché sur la paille, en l'absence de mes amies, à contempler les ébats de ce petit peuple fantasque.

Le jardin était resserré entre le mur qui bordait la route, et la rivière. Au centre, une pièce d'eau dont l'exiguïté contournée eût fait rêver Flaubert. Un ridicule joujou de pont de métal la traversait. Le fond du bassin était cimenté, et, sur ce fond, semblables à des débris végétaux, quantité de larves de phryganes se traînaient dans leur bizarre fourreau de brindilles. J'en élevais dans une cuvette, mais dus quitter le Houlme avant d'avoir pu assister à leur transformation.

Je doute si jamais livres, musiques ou tableaux me ménagèrent plus tard autant de joies, ni

d'aussi vives, que ne faisaient dès ces premiers
temps les jeux de la matière vivante. J'étais parvenu à faire partager à Suzanne ma passion pour
l'entomologie; du moins me suivait-elle dans mes
chasses et ne répugnait-elle pas trop à retourner
avec moi bouses et charognes à la recherche des
nécrophores, des géotrupes et des staphylins. Il
faut croire que ma famille finit par prendre en
considération mon zèle, car, si enfant que je
fusse encore, c'est à moi que l'on fit revenir toute
la collection d'insectes de feu Félix Archimède
Pouchet, cousin germain de ma grand-mère. Le
vieux savant, théoricien buté, avait eu son heure
de célébrité pour avoir soutenu contre Pasteur
l'aventureuse thèse de l'*hétérogénie* ou génération spontanée. Il n'est pas donné à beaucoup
d'avoir un cousin qui s'appelle Archimède. Que
je voudrais l'avoir connu! Je raconterai plus tard
mes relations avec son fils Georges, professeur au
Muséum.

Ce don de vingt-quatre boîtes à fond de liège,
pleines de coléoptères, classés, rangés, étiquetés,
certes je fus flatté d'en avoir été jugé digne; mais
je n'ai pas souvenir qu'il m'ait fait un bien
énorme plaisir. Ma pauvre collection particulière,
auprès de ce trésor, paraissait trop humiliée; et
combien m'y était plus précieux chacun de ces
insectes que j'y avais épinglés moi-même, après
les avoir moi-même capturés. Ce que j'aimais,
ce n'était pas la collection, c'était la chasse.

Je rêvais aux heureux coins de France hantés
de capricornes et cerfs-volants, qui sont les plus
gros coléoptères de nos climats; à La Roque on
n'en trouvait point; mais, au pied d'un antique
tas de sciure, à côté de la scierie du Val-Richer,

j'avais surpris une colonie de rhinocéros, c'est-à-
dire d'*oryctes nasicornes*. Ces beaux insectes d'acajou vernissé, presque aussi gros que les lucanes,
portent, entre les deux yeux, la corne retroussée à
laquelle ils doivent leur nom. Je fus comme fou
la première fois que je les vis.

En creusant la sciure, on découvrait aussi leurs
larves, d'énormes vers blancs semblables aux *turcs*
ou larves des hannetons. On découvrait encore
d'étranges chapelets ou paquets d'œufs blanchâtres
et mous, gros comme des mirabelles, collés les
uns aux autres, qui m'intriguaient d'abord étrangement. On ne pouvait briser ces œufs, qui
n'avaient à proprement parler pas de coquille, et
même avait-on quelque mal à déchirer l'enveloppe souple et parcheminée — d'où s'échappait
alors, ô stupeur! une délicate couleuvre.

Je rapportai à La Roque quantité de larves
d'oryctes que j'élevai dans une caisse pleine de
sciure, mais qui moururent toujours avant de
parvenir à la nymphose, pour cette raison, je crois,
qu'il leur faut s'enfoncer en terre pour se méta-
morphoser.

Lionel de R... m'aidait dans ces chasses. Nous
étions exactement de même âge. Orphelin, il habitait, ainsi que sa sœur, au Val-Richer, chez son
oncle, gendre de Guizot, dont il était le petit-fils.
J'allais au Val-Richer tous les dimanches. Quand
mes cousines étaient là, nos bonnes nous y menaient en bande. La route était plaisante, mais
nous étions endimanchés; la visite était une corvée.
Entre Lionel et moi, l'intimité, qui devait devenir
bientôt très étroite, ne s'était pas encore établie
et je ne voyais alors en lui qu'un garçonnet tur-
bulent, rageur, autoritaire, aux mollets de coq,

aux cheveux en poils de goupillon, toujours en
nage, et ponceau dès qu'il s'agitait. Son sport fa-
vori consistait à s'emparer de mon beau chapeau
de panama tout neuf et à le jeter dans une cor-
beille de dahlias où il était défendu d'entrer; ou
encore d'exciter contre nous « Mousse », un
énorme terre-neuve, qui nous culbutait. Parfois
des parentes plus âgées étaient là; alors c'était très
gai : on jouait aux « barres anglaises »; mais,
après le goûter, quand on commençait de vraiment s'amuser, les bonnes nous appelaient : il était
temps de rentrer. Je me souviens particulièrement
d'un de ces retours :

Un orage épouvantable s'éleva presque subitement; le ciel s'emplit de nuages violâtres; on pres-
sentait avec angoisse foudre, grêle, bourrasque et
damnation. Nous pressions le pas pour rentrer.
Mais l'orage gagnait sur nous; il semblait nous
poursuivre; nous nous sentions visés, oui, menacés
directement. Alors, selon notre coutume, repassant
ensemble notre conduite, l'un l'autre nous nous
interrogions, tâchant de reconnaître à qui le terrifiant Zeus en avait. Puis, comme nous ne parve-
nions pas à nous découvrir de gros péchés récents,
Suzanne s'écriait :

« C'est pour les bonnes! »

Aussitôt nous piquions de l'avant, au galop,
abandonnant ces pécheresses au feu du ciel.

Cette année 1881, ma douzième, ma mère qui
s'inquiétait un peu du désordre de mes études et
de mon désœuvrement à La Roque, fit venir un
précepteur. Je ne sais trop qui put lui recommander M. Gallin. C'était un tout jeune gandin,
un étudiant en théologie je crains bien, myope

et niais, que les leçons qu'il donnait semblaient
embêter encore plus que moi, ce qui n'était pourtant pas peu dire. Il m'accompagnait dans les
bois, mais sans cacher qu'il ne goûtait pas la
campagne. J'étais ravi quand une branche de
coudre, au passage, faisait sauter son pince-nez.
Il chantait du bout des lèvres, avec affectation, un
air des *Cloches de Corneville,* où revenaient ces
paroles :

> ... Des amourettes
> Qu'on n'aime pas.

La complaisante affectation de sa voix mièvre
m'exaspérait; je finis par déclarer que je ne comprenais pas qu'il pût trouver plaisir à chanter de
pareilles inepties.

« Vous trouvez cela stupide parce que vous êtes
trop jeune, répliqua-t-il avec suffisance. Vous com-
prendrez cela plus tard. C'est au contraire très
fin. »

Il ajouta que c'était un air très vanté d'un opéra
très en vogue... Tout alimentait mon mépris.

J'admire qu'une instruction si brisée ait malgré
tout pu réussir en moi quelque chose : l'hiver
suivant ma mère m'emmena dans le Midi. Sans
doute cette décision fut-elle le résultat de longues
méditations, de patients débats; chaque action de
maman était toujours très raisonnée. S'inquiétait-
elle de mon médiocre état de santé? Cédait-elle à
des objurgations de ma tante Charles Gide qui
s'obstinait volontiers à ce qu'elle estimait le préférable? Je ne sais. Les raisons des parents sont im-
pénétrables.

Les Charles Gide occupaient alors à Montpellier.

au bout en cul-de-sac de la rue Salle-l'Evêque, le second et dernier étage de l'hôtel particulier des Castelnau. Ceux-ci ne s'étaient réservé que le premier et le rez-de-chaussée beaucoup plus vaste, de plain-pied avec un jardin où nous avions gracieux accès. Le jardin n'était en lui-même, autant qu'il m'en souvient, qu'un fouillis de chênes verts et de lauriers, mais sa position était admirable; en terrasse d'angle au-dessus de l'Esplanade, dont il dominait l'extrémité, ainsi que les faubourgs de la ville, jetant le regard jusqu'au lointain pic Saint-Loup, que mon oncle contemplait également des fenêtres de son cabinet de travail.

Est-ce par discrétion que ma mère et moi nous ne logeâmes pas chez les Charles Gide? ou simplement parce qu'ils n'avaient pas la place de nous héberger? car nous avions Marie avec nous. Peut-être aussi ma mère en deuil souhaitait-elle la solitude. Nous descendîmes d'abord à l'hôtel Nevet, avant de chercher dans un quartier voisin un appartement meublé où nous installer pour l'hiver.

Celui sur lequel s'arrêta le choix de ma mère était dans une rue en pente qui partait de la grand-place, à l'autre bout de l'Esplanade, en contrebas de celle-ci, de sorte qu'elle n'avait de maisons que d'un côté. A mesure qu'elle descendait, s'éloignant de la grand-place, la rue se faisait plus sombre et plus sale. Notre maison était vers le milieu.

L'appartement était petit, laid, misérable; son mobilier était sordide. Les fenêtres de la chambre de ma mère et de la pièce qui servait à la fois de salon et de salle à manger, donnaient sur l'Esplanade, c'est-à-dire que le regard butait sur son mur de soutènement. Ma chambre et celle de Marie

prenaient jour sur un jardinet sans gazon, sans arbres, sans fleurs, et que l'on eût appelé cour, n'eussent été deux buissons sans feuilles sur lesquels la
lessive de la propriétaire s'épanouissait hebdomadairement. Un mur bas séparait ce jardin d'une
courette voisine, sur laquelle ouvraient d'autres fenêtres : il y avait là des cris, des chants, des odeurs
d'huile, des langes qui séchaient, des tapis qu'on
secouait, des pots de chambre qu'on vidait, des
enfants qui piaillaient, des oiseaux qui s'égosil-
laient dans leurs cages. On voyait errer de cour
en cour nombre de chats faméliques que, dans le
désœuvrement des dimanches, le fils de la propriétaire et ses amis, grands galopins de dix-huit ans,
poursuivaient à coups de débris de vaisselle. Nous
dînions tous les deux ou trois jours chez les
Charles Gide; leur cuisine était excellente et
contrastait avec la ratatouille que nous apportait
le reste du temps un traiteur. La hideur de notre
installation me donnait à penser que la mort de
mon père avait entraîné notre ruine; mais je
n'osais questionner maman là-dessus. Si lugubre
que fût l'appartement, c'était un paradis pour qui
revenait du lycée.

Je doute si ce lycée avait beaucoup changé depuis le temps de Rabelais. Comme il n'y avait de
patères nulle part où pouvoir accrocher ses effets,
ceux-ci servaient de coussins de siège; et aussi de
coussins de pieds pour le voisin d'au-dessus, car
on était sur des gradins. On écrivait sur ses genoux.

Deux factions divisaient la classe et divisaient
tout le lycée : il y avait le parti des catholiques et
le parti des protestants. A mon entrée à l'Ecole
Alsacienne j'avais appris que j'étais protestant; dès

la première récréation, les élèves, m'entourant, m'avaient demandé :

« T'es catholique, toi? ou protescul? »

Parfaitement interloqué, entendant pour la première fois de ma vie ces mots baroques — car mes parents s'étaient gardés de me laisser connaître que la foi de tous les Français pouvait ne pas être la même, et l'entente qui régnait à Rouen entre mes parents m'aveuglait sur leurs divergences confessionnelles — je répondis que je ne savais pas ce que tout cela voulait dire. Il y eut un camarade obligeant qui se chargea de m'expliquer :

« Les catholiques sont ceux qui croient à la sainte Vierge. »

Sur quoi je m'écriai qu'alors j'étais sûrement protestant. Il n'y avait pas de juifs parmi nous, par miracle; mais un petit gringalet, qui n'avait pas encore parlé, s'écria soudain :

« Mon père, lui, est athée. » Ceci, dit d'un ton supérieur, qui laissa les autres perplexes.

Je retins le mot pour en demander l'explication à ma mère :

« Qu'est-ce que cela veut dire : athée?

— Cela veut dire : un vilain sot. »

Peu satisfait, j'interrogeai derechef, je pressai; enfin maman, lassée, coupa court à mon insistance, comme elle faisait souvent par un :

« Tu n'as pas besoin de comprendre cela maintenant », ou : « Tu comprendras cela plus tard. » (Elle avait un grand choix de réponses de ce genre, qui m'enrageaient.)

S'étonnera-t-on que des mioches de dix à douze ans se préoccupassent déjà de ces choses? Mais non; il n'y avait là que ce besoin inné du Français de prendre parti, d'être d'un parti, qui se retrouve à tous les âges et du haut en bas de la société française.

Un peu plus tard, me promenant au Bois avec Lionel de R. et mon cousin Octave Join-Lambert, dans la voiture des parents de celui-ci, je me fis chanter pouilles par les deux autres : ils m'avaient demandé si j'étais royaliste ou républicain, et j'avais répondu :

« Républicain parbleu! » ne comprenant pas encore, puisque nous étions en république, qu'on pût être autre que républicain. Lionel et Octave m'étaient tombés dessus à bras raccourcis. Sitôt de retour :

« Ça n'est donc pas ça que j'aurais dû dire? avais-je demandé naïvement.

— Mon enfant, m'avait répondu ma mère après un petit temps de réflexion, lorsqu'on te demandera ce que tu es, dis que tu es pour une bonne représentation constitutionnelle. Tu te souviendras? »

Elle m'avait fait répéter ces mots surprenants.

« Mais... qu'est ce que ça veut dire?

— Eh bien, précisément, mon petit : les autres ne comprendront pas plus que toi, et alors ils te laisseront tranquille. »

A Montpellier la question confessionnelle importait peu; mais comme l'aristocratie catholique envoyait ses enfants chez les frères, il ne restait guère au lycée, en regard des protestants qui presque tous cousinaient entre eux, qu'une plèbe souvent assez déplaisante et qu'animaient contre nous des sentiments nettement haineux.

Je dis « nous », car presque aussitôt j'avais fait corps avec mes coreligionnaires, enfants de ceux que fréquentaient mon oncle et ma tante, et auprès de qui j'avais été introduit. Il y avait là des Westphal, des Leenhardt, des Castelnau, des Bazile, parents les uns des autres et des plus accueillants. Tous n'étaient pas dans ma classe, mais on se retrouvait à la sortie. Les deux fils du docteur Leenhardt étaient ceux avec qui je frayais le plus. Ils étaient de naturel ouvert, franc, un peu taquin, mais foncièrement honnêtes, malgré quoi je n'éprouvais qu'un médiocre plaisir à me trouver avec eux. Je ne sais quoi de positif dans leurs propos, de déluré dans leur allure, me rencognait dans ma timidité, qui s'était entre-temps beaucoup accrue. Je devenais triste, maussade et ne fréquentais mes camarades que parce que je ne pouvais faire autrement. Leurs jeux étaient bruyants autant que les miens eussent été calmes et je me sentais pacifique autant qu'ils se montraient belliqueux. Non contents des tripotées au sortir des classes, ils ne parlaient que de canons, de poudre et de « pois fulminants ». C'était une invention que nous ne connaissions heureusement pas à Paris; un peu de fulminate, un peu de fin gravier ou de sable, le tout enveloppé dans un papier à papillotes, et cela pétait ferme quand on le lançait sur le trottoir entre les jambes d'un passant. Aux premiers pois que les fils Leenhardt me donnèrent, je n'eus rien de plus pressé que de les noyer dans ma cuvette, sitôt rentré dans notre infect appartement. L'argent de poche qu'ils pouvaient avoir passait en achats de poudre dont ils bourraient jusqu'à la gueule des petits canons de cuivre ou d'acier qu'on venait de leur donner pour leurs étrennes et qui positivement me terrifiaient. Ces détonations me tapaient sur les nerfs, m'étaient odieuses et je ne comprenais pas quelle sorte de plaisir infernal on

y pouvait prendre. Ils organisaient des feux de file
contre des armées de soldats de plomb. Moi aussi
j'avais eu des soldats de plomb; moi aussi je
jouais avec eux; mais c'était à les faire fondre. On
les posait tout droits sur une pelle qu'on faisait
chauffer; alors on les voyait chanceler soudain sur
leur base, piquer du nez, et bientôt s'échappait
de leur uniforme terni une petite âme brillante,
ardente et dépouillée... Je reviens au lycée de
Montpellier :

Le régime de l'Ecole Alsacienne amendait celui
du lycée; mais ces améliorations, pour sages
qu'elles fussent, tournaient à mon désavantage
Ainsi l'on m'avait appris à réciter à peu près décemment les vers, ce à quoi déjà m'invitait un goût
naturel; tandis qu'au lycée (du moins celui de
Montpellier) l'usage était de réciter indifféremment vers ou prose d'une voix blanche, le plus
vite possible et sur un ton qui enlevât au texte,
je ne dis pas seulement tout attrait, mais tout sens
même, de sorte que plus rien n'en demeurait qui
motivât le mal qu'on s'était donné pour l'apprendre. Rien n'était plus affreux, ni plus baroque; on
avait beau connaître le texte, on n'en reconnaissait plus rien; on doutait si l'on entendait du français. Quand mon tour vint de réciter (je voudrais
me rappeler quoi), je sentis aussitôt que, malgré le
meilleur vouloir, je ne pourrais me plier à leur
mode, et qu'elle me répugnait trop. Je récitai donc
comme j'eusse récité chez nous.

Au premier vers ce fut de la stupeur, cette sorte
de stupeur que soulèvent les vrais scandales; puis
elle fit place à un immense rire général. D'un bout
à l'autre des gradins, du haut en bas de la salle,
on se tordait; chaque élève riait comme il n'est pas

souvent donné de rire en classe; on ne se moquait
même plus; l'hilarité était irrésistible au point que
M. Nadaud lui-même y cédait; du moins souriait-il,
et les rires alors, s'autorisant de ce sourire, ne se
retinrent plus. Le sourire du professeur était ma
condamnation assurée; je ne sais pas où je pus
trouver la constance de poursuivre jusqu'au bout
du morceau que, Dieu merci, je possédais bien.
Alors, à mon étonnement et à l'ahurissement de la
classe, on entendit la voix très calme, auguste
même, de M. Nadaud, qui criait encore après que
les rires enfin s'étaient tus.

« Gide, dix. (C'était la note la plus haute.) Cela
vous fait rire, messieurs; eh bien, permettez-moi
de vous le dire : c'est comme cela que vous devriez
tous réciter. »

J'étais perdu. Ce compliment, en m'opposant à
mes camarades, eut pour résultat le plus clair de
me les mettre tous à dos. On ne pardonne pas,
entre condisciples, les faveurs subites, et M. Nadaud, s'il avait voulu m'accabler, ne s'y serait pas
pris autrement. Ne suffisait-il pas déjà qu'ils me
trouvassent poseur, et ma récitation ridicule? Ce
qui achevait de me compromettre, c'est qu'on savait que je prenais avec M. Nadaud des leçons
particulières. Et voici pourquoi j'en prenais :

Une des réformes de l'Ecole Alsacienne portait
sur l'enseignement du latin, qu'elle ne commençait
qu'en sixième. De la sixième au baccalauréat ses
élèves auraient le temps, prétendait-elle, de rejoindre ceux du lycée qui, dès la neuvième, ânon-
naient : *rosa, rosae*. On partait plus tard, mais
pour n'arriver pas moins tôt; les résultats l'avaient
prouvé. Oui, mais moi qui prenais la course en
écharpe, j'étais handicapé; malgré les fastidieuses

répétitions de M. Nadaud je perdis vite tout espoir de rattraper jamais ceux qui déjà traduisaient
Virgile. Je sombrai dans un désespoir affreux.

Ce stupide succès de récitation, et la réputation
de poseur qui s'ensuivit déchaînèrent l'hostilité de
mes camarades; ceux qui d'abord m'avaient entouré me renoncèrent; les autres s'enhardirent dès
qu'ils ne me virent plus soutenu. Je fus moqué,
rossé, traqué. Le supplice commençait au sortir
du lycée; pas aussitôt pourtant, car ceux qui
d'abord avaient été mes compagnons ne m'auraient
tout de même pas laissé brimer sous leurs yeux;
mais au premier détour de la rue. Avec quelle
appréhension j'attendais la fin de la classe! Et sitôt
dehors, je me glissais, je courais. Heureusement
nous n'habitions pas loin; mais eux s'embusquaient
sur ma route : alors, par peur des guets-apens, j'inventais d'énormes détours; ce que les autres ayant
compris, ce ne fut plus de l'affût, ce devint de la
chasse à courre; pour un peu ç'aurait pu devenir
amusant; mais je sentais chez eux moins l'amour
du jeu que la haine du misérable gibier que
j'étais. Il y avait surtout le fils d'un entrepreneur
forain, d'un directeur de cirque, un nommé Lopez,
ou Tropez, ou Gomez, un butor de formes athlé-
tiques, sensiblement plus âgé qu'aucun de nous,
qui mettait son orgueil à rester dernier de la
classe, dont je revois le mauvais regard, les cheveux
ramenés bas sur le front, plaqués, luisants de pom-
made, et la lavallière couleur sang; il dirigeait la
bande et celui-là vraiment voulait ma mort. Certains jours je rentrais dans un état pitoyable, les
vêtements déchirés, pleins de boue, saignant du
nez, claquant des dents, hagard. Ma pauvre mère
se désolait. Puis enfin je tombai sérieusement ma-

lade, ce qui mit fin à cet enfer. On appela le docteur : j'avais la petite vérole. Sauvé!

Bien soignée la maladie suivit son cours normal;
c'est-à-dire que j'allais être bientôt remis sur pied.
Mais à mesure qu'avançait la convalescence et
qu'approchait l'instant où je devrais reprendre le
licol, je sentais une affreuse angoisse faite du souvenir de mes misères, une angoisse sans nom m'envahir. Dans mes rêves je revoyais Gomez le féroce;
je haletais, poursuivi par sa meute; j'essuyais à
nouveau contre ma joue l'abominable contact du
chat crevé qu'un jour il avait ramassé dans le
ruisseau pour m'en frictionner le visage, tandis que
d'autres me tenaient les bras; je me réveillais en
sueur, mais c'était pour retrouver mon épouvante
en songeant à ce que le docteur Leenhardt avait
dit à ma mère : — dans peu de jours je pourrais
rentrer au lycée; alors je sentais le cœur me
manquer. Au demeurant ce que j'en dis n'est nullement pour excuser ce qui va suivre. Dans la maladie nerveuse qui succéda à ma variole, je laisse
aux neurologues à démêler la part qu'y prit la
complaisance.

Voici, je crois, comment cela commença : Au
premier jour qu'on me permit de me lever, un
certain vertige faisait chanceler ma démarche,
comme il est naturel après trois semaines de lit. Si
ce vertige était un peu plus fort, pensai-je, puis-je
imaginer ce qui se passerait? Oui, sans doute : ma
tête, je la sentirais fuir en arrière; mes genoux flé-
chiraient (j'étais dans le petit couloir qui menait
de ma chambre à celle de ma mère) et soudain
je croulerais à la renverse. Oh! me disais-je, imiter
ce qu'on imagine! Et tandis que j'imaginais, déjà
je pressentais quelle détente, quel répit je goûterais

à céder à l'invitation de mes nerfs. Un regard en arrière, pour m'assurer de l'endroit où ne pas me faire trop de mal en tombant...

Dans la pièce voisine, j'entendis un cri. C'était Marie; elle accourut. Je savais que ma mère était sortie; un reste de pudeur, ou de pitié, me retenait encore devant elle; mais je comptais qu'il lui serait tout rapporté. Après ce coup d'essai, presque étonné d'abord qu'il réussît, promptement enhardi, devenu plus habile et plus décidément inspiré, je hasardai d'autres mouvements, que tantôt j'inventais saccadés et brusques, que tantôt je prolongeais au contraire, répétais et rythmais en danses. J'y devins fort expert et possédai bientôt un répertoire assez varié : celle-ci se sautait presque sur place; cette autre nécessitait le peu d'espace de la fenêtre à mon lit, sur lequel, tout debout, à chaque retour, je me lançais : en tout trois bonds bien exactement réussis; et cela près d'une heure durant. Une autre enfin que j'exécutais couché, les couvertures rejetées, consistait en une série de ruades en hauteur, scandées comme celles des jongleurs japonais.

Maintes fois par la suite je me suis indigné contre moi-même, doutant où je pusse trouver le cœur, sous les yeux de ma mère, de mener cette comédie. Mais avouerai-je qu'aujourd'hui cette indignation ne me paraît pas bien fondée. Ces mouvements que je faisais, s'ils étaient conscients, n'étaient qu'à peu près volontaires. C'est-à-dire que, tout au plus, j'aurais pu les retenir un peu. Mais j'éprouvais le plus grand soulas à les faire. Ah! que de fois, longtemps ensuite, souffrant des nerfs, ai-je pu déplorer de n'être plus à un âge où quelques entrechats...

Dès les premières manifestations de ce mal bizarre, le docteur Leenhardt appelé avait pu rassurer ma mère : les nerfs, rien que les nerfs, disait-il; mais comme tout de même je continuais de gigoter, il jugea bon d'appeler à la rescousse deux confrères. La consultation eut lieu, je ne sais comment ni pourquoi, dans une chambre de l'hôtel Nevet[1]. Ils étaient là, trois docteurs, Leenhardt, Theulon et Boissier; ce dernier, médecin de Lamalou-les-Bains, où il était question de m'envoyer. Ma mère assistait, silencieuse.

J'étais un peu tremblant du tour que prenait l'aventure; ces vieux messieurs, dont deux à barbe blanche, me retournaient dans tous les sens, m'auscultaient, puis parlaient entre eux à voix basse. Allaient-ils me percer à jour? dire, l'un d'eux, M. Theulon à l'œil sévère :

« Une bonne fessée, madame, voilà ce qui convient à cet enfant...? »

Mais non; et plus ils m'examinent, plus semble les pénétrer le sentiment de l'authenticité de mon cas. Après tout, puis-je prétendre en savoir sur moi-même plus long que ces messieurs? En croyant les tromper, c'est sans doute moi que je trompe.

La séance est finie.

Je me rhabille. Theulon paternellement se penche, veut m'aider; Boissier aussitôt l'arrête; je surprends, de lui à Theulon, un petit geste, un clin d'œil, et suis averti qu'un regard malicieux, fixé sur moi, m'observe, veut m'observer encore, alors que je ne me sache plus observé, qu'il épie le

---

1. A y bien réfléchir, je crois qu'il faut placer cette consultation entre mes deux séjours à Lamalou, et c'est ce qui expliquerait que nous fussions à l'hôtel.

mouvement de mes doigts, ce regard, tandis que
je reboutonne ma veste. « Avec le petit vieux que
voilà, s'il m'accompagne à Lamalou, il va falloir
jouer serré », pensai-je, et, sans en avoir l'air,
je lui servis quelques grimaces de supplément, du
bout des doigts trébuchant dans les boutonnières.

Quelqu'un qui ne prenait pas au sérieux ma
maladie, c'était mon oncle; et comme je ne savais
pas encore qu'il ne prenait au sérieux les maladies
de personne, j'étais vexé. J'étais extrêmement
vexé, et résolus de vaincre cette indifférence en
jouant gros. Ah! quel souvenir misérable! Comme
je sauterais par-dessus, si j'acceptais de rien omettre! — Me voici dans l'antichambre de l'appartement, rue Salle-l'Evêque; mon oncle vient de sortir de sa bibliothèque et je sais qu'il va repasser;
je me glisse sous une console, et, quand il revient,
j'attends d'abord quelques instants, si peut-être il
m'apercevra de lui-même, car l'antichambre est
vaste et mon oncle va lentement; mais il tient à
la main un journal qu'il lit tout en marchant;
encore un peu et il va passer outre... Je fais un
mouvement; je pousse un gémissement; alors il
s'arrête, soulève son lorgnon et, de par-dessus son
journal :

« Tiens! Qu'est-ce que tu fais là? »

Je me crispe, me contracte, me tords et, dans
une espèce de sanglot que je voudrais irrésistible :

« Je souffre », dis-je.

Mais tout aussitôt j'eus la conscience du fiasco :
mon oncle remit le lorgnon sur son nez, son
nez dans son journal, rentra dans sa bibliothèque
dont il referma la porte de l'air le plus quiet. O
honte! Que me restait-il à faire, que me relever,

secouer la poussière de mes vêtements, et détester
mon oncle; à quoi je m'appliquai de tout mon
cœur.

Les rhumatisants s'arrêtaient à Lamalou-le-Bas;
ils trouvaient là, auprès de l'établissement thermal,
un bourg, un casino, des boutiques. A quatre kilomètres en amont, Lamalou-le-Haut, ou le-Vieux,
le Lamalou des ataxiques, n'offrait que sa sauvagerie. L'établissement des bains, l'hôtel, une chapelle et trois villas, dont celle du docteur Boissier : c'était tout; encore l'établissement se déro-
bait-il aux regards, en contrebas dans une faille
ravineuse; celle-ci, brusquement, coupait le jardin
de l'hôtel et glissait, ombreusement, furtivement,
vers la rivière. A l'âge que j'avais alors, le charme
le plus proche est extrême; une sorte de myopie
désintéresse des plans lointains; on préfère le détail à l'ensemble; au pays qui se livre, le pays qui
se dissimule et qu'on découvre en avançant.
Nous venions d'arriver. Pendant que maman et
Marie s'occupaient à défaire les malles, j'échappai.
Je courus au jardin; je pénétrai dans cet étroit
ravin; par-dessus les parois schisteuses, de hauts arbres penchés formaient voûte; un ruisselet fumant,
qui traversait l'établissement thermal, chantait au
bord de mon sentier; son lit était tapissé d'une
épaisse rouille floconneuse; j'étais transi de surprise, et, pour exagérer mon ravissement, je me
souviens que j'avançais les bras levés, à l'orientale,
ainsi que j'avais vu faire à Sindbad dans le Vallon
des Pierreries, sur une image de mes chères *Mille
et une Nuits*. La faille aboutissait à la rivière, qui
faisait coude à cet endroit et dont l'eau rapide, en
venant buter contre la falaise schisteuse, l'avait

profondément creusée; le haut de la falaise était
frangé par l'inculte prolongement des jardins de
l'hôtel : yeuses, cistes, arbousiers et, courant d'un
arbuste à l'autre, puis retombant en chevelure
dans le vide hésitant au-dessus des eaux, le smilax
aimé des bacchantes. La limpidité de la rivière
éteignait aussitôt l'ardeur ferrugineuse des sources;
des troupeaux de goujons jouaient parmi les débris ardoisés faits de l'effritement des roches;
celles-ci ne s'abaissaient qu'un peu plus loin, en
aval, où plus lentement coulaient des eaux plus
profondes; en amont, la rivière plus étroite précipitait son cours; il y avait des remous, des bondis-
sements, des cascades, des vasques fraîches où
l'imagination se baignait; par endroits, lorsqu'un
avancement de la falaise barrait la route, de grandes dalles espacées permettaient de passer sur l'autre rive; puis soudain les falaises des deux rives à
la fois se rapprochaient : force était de gravir,
quittant le bord des eaux, quittant l'ombre. On retrouvait, au-dessus des falaises, un terrain où quelques cultures fanaient sous un ardent soleil; plus
loin, aux premières pentes des monts, commençaient d'immenses forêts de châtaigniers sécu-
laires.

La piscine de Lamalou-le-Haut prétendait, je
crois, remonter au temps des Romains; elle était
du moins primitive, et je l'aimais pour cela;
petite, mais il importait peu, puisqu'il était pres-
crit d'y demeurer tout immobile afin de permettre à l'acide carbonique d'opérer. L'eau, d'une
opaque couleur de rouille, n'était point si chaude
qu'en y plongeant on ne s'y sentît d'abord frissonner; puis bientôt, si l'on ne bougeait point,
venaient vous taquiner des myriades de petites

bulles, qui se fixaient sur vous, vous piquaient, in-
terposaient à la fraîcheur de l'eau une cuisson mystérieuse par quoi les centres nerveux fussent décon-
gestionnés; le fer agissait de son côté, ou de
connivence, avec le concours d'on ne sait quels
éléments subtils, et tout cela mêlé faisait l'extraordinaire efficacité de la cure. On sortait du bain la
peau cuite et les os gelés. Un grand feu de sarments flamboyait, que le vieil Antoine activait
encore, et au-dessus duquel il faisait ballonner ma
chemise de nuit; car ensuite on se recouchait :
par un interminable couloir on regagnait l'hôtel,
et sa chambre, et son lit que bassinait en votre
absence un « moine » — c'est ainsi qu'on appelle
là-bas un réchaud qu'un ingénieux système d'ar-
ceaux suspend entre les draps écartés.

L'assemblée des docteurs, à la suite de cette première cure, reconnut que Lamalou m'avait fait du
bien (oui, décidément, ce dut être cette consultation qui se tint à l'hôtel Nevet) et conclut à l'op-
portunité d'une nouvelle cure en automne, ce
qui servait tous mes désirs. Entre-temps l'on m'envoyait prendre des douches à Gérardmer.

Je renonce à copier ici les pages où je racontais
d'abord Gérardmer, ses forêts, ses vallons, ses
chaumes, la vie oisive que j'y menai. Elles n'apporteraient rien de neuf et j'ai hâte de sortir enfin
des ténèbres de mon enfance.

Lorsque après dix mois de jachère ma mère
me ramena à Paris et me remit à l'Ecole Alsacienne, j'avais complètement perdu le pli. Je n'y
étais pas depuis quinze jours que j'ajoutais à mon
répertoire de troubles nerveux les maux de tête,
d'usage plus discret, et, partant, plus pratique en
classe. Ces maux de tête m'ayant complètement

quitté à partir de la vingtième année, et plus tôt
même, je les ai jugés très sévèrement par la suite,
les accusant d'avoir été, sinon tout à fait feints, du
moins grandement exagérés. Mais à présent qu'ils
reparaissent, je les reconnais, ceux de la quarante-
sixième année [1] exactement pareils à ceux de la
treizième et admets qu'ils aient pu décourager mon
effort. En vérité je n'étais pas paresseux; et de
toute mon âme j'applaudissais en entendant mon
oncle Emile déclarer :

« André aimera toujours le travail. »

Mais c'était également lui qui m'appelait : l'irré-
gulier. Le fait est que je ne m'astreignais qu'à
grand-peine; à cet âge déjà, l'obstination laborieuse
je la mettais dans la reprise à petits coups d'un
effort que je ne pouvais pas prolonger. Il me
prenait des fatigues soudaines, des fatigues de tête,
des sortes d'interruptions de courant, qui persistè-
rent après que les migraines eurent cessé, ou qui
plus proprement les remplacèrent, et qui se prolongeaient des jours, des semaines, des mois. Indépendamment de tout cela, ce que je ressentais alors
c'était un dégoût sans nom pour tout ce que nous
faisions en classe, pour la classe elle-même, le
régime des cours, des examens, les concours, les
récréations même; et l'immobilité sur les bancs,
les lenteurs, les insipidités, les stagnances. Que mes
maux de tête vinssent fort à propos, cela est sûr;
il m'est impossible de dire dans quelle mesure
j'en jouai.

Brouardel, que nous avions d'abord comme docteur, était cependant devenu si célèbre que ma
mère reculait à le demander, tout empêchée par

---

1. Ecrit en 1916.

je ne sais quelle vergogne, que certainement j'hé-
ritai d'elle et qui me paralyse également en face
des gens arrivés. Avec M. Lizart, qui l'avait remplacé près de nous, rien de pareil n'était à craindre; on pouvait être bien assuré que la célébrité
jamais ne se saisirait de lui, car il n'offrait aucune
prise : un être débonnaire, blond et niais, à la voix
caressante, au regard tendre, au geste mou; inoffensif en apparence; mais rien n'est plus redoutable qu'un sot. Comment lui pardonner ses ordon-
nances et le traitement qu'il prescrivit? Dès que
je me sentais, ou prétendais, nerveux : du bromure; dès que je ne dormais pas : du chloral.
Pour un cerveau qui se formait à peine! Toutes
mes défaillances de mémoire ou de volonté, plus
tard, c'est lui que j'en fais responsable. Si l'on
plaidait contre les morts, je lui intenterais procès.
J'enrage à me remémorer que, durant des semaines, chaque nuit, un verre à demi plein
d'une solution de chloral (j'avais la libre disposition du flacon, plein de petits cristaux d'hydrate
et dosais à ma fantaisie), de chloral, dis-je, attendait au chevet de mon lit le bon plaisir de l'insomnie; que, durant des semaines, des mois, je
trouvais en me mettant à table, à côté de mon
assiette, une bouteille de « sirop Laroze — d'écor-
ces d'oranges amères, au bromure de potassium »;
que je sirotais à petits coups; dont il me fallait
prendre, à chacun des repas, une, puis deux, puis
trois cuillerées — et de cuillère non pas à café,
mais à soupe — puis recommencer, rythmant ainsi
par triades le traitement, qui durait, durait et qu'il
n'y avait aucune raison d'interrompre avant l'abru-
tissement complet du patient naïf que j'étais. D'autant qu'il avait fort bon goût, ce sirop. Je ne

comprends encore pas comment j'en ai pu revenir.

Décidément le diable me guettait; j'étais tout cuisiné par l'ombre, et rien ne laissait pressentir par où pût me toucher un rayon. C'est alors que survint l'angélique intervention que je vais dire, pour me disputer au malin. Evénement d'infiniment modeste apparence, mais important dans ma vie autant que les révolutions pour les empires; première scène d'un drame qui n'a pas achevé de se jouer.

V

CE devait être aux approches du Nouvel An. Nous
étions à Rouen de nouveau; non seulement parce
que c'était temps de vacances, mais parce qu'après
un mois d'essai, j'avais de nouveau quitté l'Ecole
Alsacienne. Ma mère se résignait à me traiter
en malade et acceptait que je n'apprisse rien que
par raccroc. C'est-à-dire que de nouveau et pour
longtemps mon instruction se trouvait interrom-
pue.

Je mangeais peu; je dormais mal. Ma tante Lucile était aux petits soins; le matin Adèle ou
Victor venait allumer le feu dans ma chambre; du
grand lit où je paressais longtemps après l'éveil,
j'écoutais les bûches siffler, lancer contre le garde-
feu d'inoffensives étincelles, et je sentais mon en-
gourdissement se résorber dans le bien-être qui
régnait du haut en bas de la maison. Je me revois
entre ma mère et ma tante, dans cette grande salle
à manger, à la fois aimable et solennelle, qu'or-
naient aux quatre coins, dans des niches, les blanches statues des quatre saisons, décentes et las-
cives, selon le goût de la Restauration, et dont le
piédestal était aménagé en buffet (celui de l'Hiver
en chauffe-assiettes).

Séraphine me préparait des petits plats spéciaux; mais je restais devant eux sans appétit.

« Vous le voyez, chère amie; il faut la croix et la bannière pour le faire manger », disait ma mère.

Alors ma tante : « Croyez-vous, Juliette, que des huîtres ne lui diraient rien? »

Et maman : « Non; vous êtes beaucoup trop bonne... Enfin! on peut toujours essayer. »

Il faut bien que je certifie que je ne faisais pourtant pas le difficile. Je n'avais goût à rien; j'allais à table comme on marche au supplice; je n'avalais quelques bouchées qu'au prix de grands efforts; ma mère suppliait, grondait, menaçait et presque chaque repas s'achevait dans les larmes. Mais ce n'est pas là ce qu'il m'importe de raconter...

A Rouen j'avais retrouvé mes cousines. J'ai dit comment mes goûts d'enfant me rapprochaient plutôt de Suzanne et de Louise; mais cela même n'est pas parfaitement exact : sans doute je jouais plus souvent avec elles, mais c'est parce qu'elles jouaient plus volontiers avec moi; je préférais Emmanuèle, et davantage à mesure qu'elle grandissait. Je grandissais aussi; mais ce n'était pas la même chose, j'avais beau, près d'elle, me faire grave, je sentais que je restais enfant; je sentais qu'elle avait cessé de l'être. Une sorte de tristesse s'était mêlée à la tendresse de son regard, et qui me retenait d'autant plus que je la pénétrais moins. Même je ne savais pas précisément qu'Emmanuèle était triste; car jamais elle ne parlait d'elle, et cette tristesse n'était pas de celles qu'un autre enfant pût deviner. Je vivais auprès de ma cousine déjà dans une consciente communauté de goûts et de pensées, que de tout mon cœur je tra-

vaillais à rendre plus étroite et parfaite. Elle s'en
amusait, je crois; par exemple, lorsque nous dînions ensemble rue de Crosne, au dessert, elle
jouait à me priver de ce que je préférais, en
s'en privant d'abord elle-même, sachant bien que
je ne toucherais à aucun plat qu'à sa suite. —
Tout cela paraît enfantin? — Hélas! combien l'est
peu ce qui va suivre.

Cette secrète tristesse qui mûrissait si précoce-
ment mon amie, je ne la découvris pas lentement,
comme il advient le plus souvent qu'on découvre
les secrets d'une âme. Ce fut la révélation totale
et brusque d'un monde insoupçonné, sur lequel
tout à coup mes yeux s'ouvrirent, comme ceux
de l'aveugle-né quand les eut touchés le Sau-
veur.

J'avais quitté mes cousines vers la tombée du
soir pour rentrer rue de Crosne, où je pensais que
maman m'attendait; mais je trouvai la maison
vide. Je balançai quelque temps, puis résolus de
retourner rue de Lecat; ce qui me paraissait d'autant plus plaisant que je savais qu'on ne m'y
attendait plus. J'ai dénoncé déjà cet enfantin besoin de mon esprit de combler avec du mystère
tout l'espace et le temps qui ne m'étaient pas fa-
miliers. Ce qui se passait derrière mon dos me
préoccupait fort, et parfois même il me semblait
que, si je me retournais assez vite, j'allais voir du
je-ne-sais-quoi.

J'allai donc hors temps rue de Lecat, avec le
désir de surprendre. Ce soir-là mon goût du clandestin fut servi.

Dès le seuil je flairai l'insolite. Contrairement
à la coutume, la porte cochère n'était pas fermée,
de sorte que je n'eus pas à sonner. Je me glissais

furtivement lorsque Alice, une peste femelle que
ma tante avait à son service, surgit de derrière
la porte du vestibule, où apparemment elle était
embusquée, et, de sa voix la moins douce :

« Eh quoi! c'est vous! Qu'est-ce que vous venez
faire à présent? »

Evidemment je n'étais pas celui qu'on attendait.
Mais je passai sans lui répondre.

Au rez-de-chaussée se trouvait le bureau de mon
oncle Emile, un morne petit bureau qui sentait le
cigare, où il s'enfermait des demi-journées et où
je crois que les soucis l'occupaient beaucoup plus
que les affaires; il ressortait de là tout vieilli. Certainement il avait beaucoup vieilli ces derniers
temps; je ne sais trop si j'aurais remarqué cela de
moi-même, mais, après avoir entendu ma mère dire
à ma tante Lucile : « Ce pauvre Emile a bien
changé! » aussitôt m'était apparu le plissement
douloureux de son front, l'expression inquiète et
parfois harassée de son regard. Mon oncle n'était
pas à Rouen ce jour-là.

Je montai sans bruit l'escalier sans lumière.
Les chambres des enfants se trouvaient tout en
haut; au-dessous, la chambre de ma tante et
celle de mon oncle; au premier, la salle à manger
et le salon, devant lesquels je passai. Je m'apprêtais
à franchir d'un bond le deuxième étage, mais la
porte de la chambre de ma tante était grande ouverte; la chambre était très éclairée et répan-
dait de la lumière sur le palier. Je ne jetai qu'un
rapide coup d'œil; j'entrevis ma tante, étendue
languissamment sur un sofa; auprès d'elle Suzanne
et Louise, penchées, l'éventaient et lui faisaient, je
crois, respirer des sels. Je ne vis pas Emmanuèle,
ou, plus exactement, une sorte d'instinct m'avertit

qu'elle ne pouvait pas être là. Par peur d'être
aperçu et retenu, je passai vite.

La chambre de ses sœurs, que je devais d'abord
traverser, était obscure, ou du moins je n'avais
pour me diriger que la clarté crépusculaire des
deux fenêtres dont on n'avait pas encore fermé les
rideaux. J'arrivai devant la porte de mon amie; je
frappai doucement et, ne recevant pas de réponse,
j'allais frapper encore, mais la porte céda, qui
n'était pas close. Cette chambre était plus obscure
encore; le lit en occupait le fond; contre le lit je
ne distinguai pas d'abord Emmanuèle, car elle
était agenouillée. J'allais me retirer, croyant la
chambre vide, mais elle m'appela :

« Pourquoi viens-tu? Tu n'aurais pas dû revenir... »

Elle ne s'était pas relevée. Je ne compris pas
aussitôt qu'elle était triste. C'est en sentant ses
larmes sur ma joue que tout à coup mes yeux s'ouvrirent.

Il ne me plaît point de rapporter ici le détail de
son angoisse, non plus que l'histoire de cet abominable secret qui la faisait souffrir, et dont à ce
moment je ne pouvais du reste à peu près rien
entrevoir. Je pense aujourd'hui que rien ne pouvait être plus cruel, pour une enfant qui n'était
que pureté, qu'amour et que tendresse, que d'avoir
à juger sa mère et à réprouver sa conduite; et
ce qui renforçait le tourment, c'était de devoir
garder pour elle seule, et cacher à son père qu'elle
vénérait, ce secret qu'elle avait surpris je ne sais
comment et qui l'avait meurtrie — ce secret dont
on jasait en ville, dont riaient les bonnes et qui
se jouait de l'innocence et de l'insouciance de ses
deux sœurs. Non, de tout cela je ne devais rien

comprendre que plus tard; mais je sentais que, dans ce petit être que déjà je chérissais, habitait une grande, une intolérable détresse, un chagrin tel que je n'aurais pas trop de tout mon amour, toute ma vie, pour l'en guérir. Que dirais-je de plus?... J'avais erré jusqu'à ce jour à l'aventure; je découvrais soudain un nouvel orient à ma vie.

En apparence il n'y eut rien de changé. Je vais reprendre comme devant le récit des menus événements qui m'occupèrent; il n'y eut de changé que ceci : qu'ils ne m'occupaient plus tout entier. Je cachais au profond de mon cœur le secret de ma destinée. Eût-elle été moins contredite et traversée, je n'écrirais pas ces Mémoires.

C'est sur la Côte d'Azur que nous achevâmes de passer l'hiver. Anna nous avait accompagnés. Une fâcheuse inspiration nous arrêta d'abord à Hyères, où la campagne est d'accès difficile, où la mer, que nous espérions toute proche, n'apparaissait au loin, par-delà des cultures maraîchères, que comme un mirage décevant; le séjour nous y parut morne; de plus, Anna et moi y tombâmes malades. Un certain docteur, dont le nom me reviendra demain, spécialiste pour enfants, persuada ma mère que tous mes malaises, nerveux ou autres, étaient dus à des flatuosités; en m'auscultant il découvrit à mon abdomen des cavités inquiétantes et une disposition à enfler; même il désigna magistralement le repli d'intestin où se formaient les vapeurs peccantes et prescrivit le port d'une ceinture orthopédique à commander chez son cousin le bandagiste, pour prévenir mon ballonnement. J'ai porté quelque temps, il m'en souvient, cet appareil ridicule qui gênait tous mes mouvements et avait d'autant plus de mal à me comprimer le ventre, que j'étais maigre comme un clou.

Les palmiers d'Hyères ne me ravirent point tant que les eucalyptus en fleur. Au premier que je vis, j'eus un transport; j'étais seul; il me fallut courir aussitôt annoncer l'événement à ma mère et à Anna, et comme je n'avais pu rapporter la moindre brindille, les frondaisons fleuries restant hors de prise, je n'eus de cesse que je n'eusse entraîné Anna au pied de l'arbre de merveilles. Elle dit alors :

« C'est un eucalyptus; un arbre importé d'Australie », — et elle me fit observer le port des feuilles, la disposition des ramures, la caducité de l'écorce...

Un chariot passa; un gamin haut perché sur des sacs cueillit et nous jeta un rameau couvert de ces fleurs bizarres qu'il me tardait d'examiner de près. Les boutons, couleur vert-de-gris, que couvrait une sorte de pruine résineuse, avaient l'aspect de petites cassolettes fermées; on aurait cru des graines, n'eût été leur fraîcheur; et soudain le couvercle d'une de ces cassolettes cédait, soulevé par un bouillonnement d'étamines; puis, le couvercle tombant à terre, les étamines délivrées se disposaient en auréole; de loin, dans les fouillis des feuilles coupantes, oblongues et retombées, cette blanche fleur sans pétales semblait une anémone de mer.

La première rencontre avec l'eucalyptus et la découverte, dans les haies qui bordaient les chemins vers Costebelle, d'un petit arum à capuchon, furent les événements de ce séjour.

Pendant que nous nous morfondions à Hyères, maman, qui ne prenait pas son parti de notre

déconvenue poussait une exploration par-delà
l'Esterel, revenait éblouie, et nous emmenait à
Cannes le jour suivant. Si médiocrement installés
que nous fussions, près de la gare, dans le quartier le moins agréable de la ville, j'ai gardé de
Cannes un souvenir enchanté. Aucun hôtel et
presque aucune villa ne s'élevait encore dans la
direction de Grasse; la route du Cannet circulait
à travers les bois d'oliviers; où finissait la ville,
la campagne aussitôt commençait; à l'ombre des
oliviers, narcisses, anémones, tulipes, croissaient
en abondance; à profusion dès que l'on s'éloignait.

Mais c'est principalement une autre flore qui
recevait le tribut de mon admiration; je veux parler de la sous-marine, que je pouvais contempler
une ou deux fois par semaine, quand Marie m'emmenait promener aux îles de Lérins. Il n'était
pas besoin de s'écarter beaucoup du débarcadère,
à Sainte-Marguerite où nous allions de préférence,
pour trouver, à l'abri du ressac, des criques profondes que l'érosion du roc divisait en multiples
bassins. Là, coquillages, algues, madrépores déployaient leurs splendeurs avec une magnificence
orientale. Le premier coup d'œil était un ravissement; mais le passant n'avait rien vu, qui s'en
tenait à ce premier regard : pour peu que je de-
meurasse immobile, penché comme Narcisse au-
dessus de la surface des eaux, j'admirais lentement
ressortir de mille trous, de mille anfractuosités
du roc, tout ce que mon approche avait fait fuir.
Tout se mettait à respirer, à palpiter; le roc même
semblait prendre vie et ce qu'on croyait inerte
commençait timidement à se mouvoir; des êtres
translucides, bizarres, aux allures fantasques, sur-

gissaient d'entre le lacis des algues; l'eau se peu-
plait, le sable clair qui tapissait le fond, par places,
s'agitait, et, tout au bout de tubes ternes, qu'on
eût pris pour de vieilles tiges de jonc, on voyait
une frêle corolle, craintive encore un peu, par
petits soubresauts s'épanouir.

Tandis que Marie lisait ou tricotait non loin,
je restais ainsi, durant des heures, sans souci du
soleil, contemplant inlassablement le lent travail
rotatoire d'un oursin pour se creuser un alvéole,
les changements de couleur d'une pieuvre, les tâtonnements ambulatoires d'une actinie, et des
chasses, des poursuites, des embuscades, un tas
de drames mystérieux qui me faisaient battre le
cœur. Je me relevais d'ordinaire de ces stupeurs,
ivre et avec un violent mal de tête. Comment eût-il
été question de travail?

Durant tout cet hiver, je n'ai pas souvenir
d'avoir ouvert un livre, écrit une lettre, appris
une leçon. Mon esprit restait en vacances aussi
complètement que mon corps. Il me paraît aujourd'hui que ma mère aurait pu profiter de ce
temps pour me faire apprendre l'anglais par
exemple; mais c'était là une langue dont mes
parents se réservaient l'usage pour dire devant
moi ce que je ne devais pas comprendre; de plus
j'étais si maladroit à me servir du peu d'allemand
que Marie m'avait appris, que l'on jugeait prudent de ne pas m'embarrasser davantage. Il y avait
bien dans le salon un piano, fort médiocre, mais
sur lequel j'aurais pu m'exercer un peu chaque
jour; hélas! n'avait-on pas recommandé à ma mère
d'éviter soigneusement tout ce qui m'eût coûté
quelque effort?... J'enrage, comme M. Jourdain, à
rêver au virtuose qu'aujourd'hui je pourrais être,

si seulement en ce temps j'eusse été quelque peu
poussé.

De retour à Paris, au début du printemps, maman se mit en quête d'un nouvel appartement,
car il avait été reconnu que celui de la rue de
Tournon ne pouvait plus nous convenir. Evidemment, pensais-je au souvenir du sordide logement
garni de Montpellier, évidemment la mort de papa
entraîne l'effondrement de notre fortune; et de
toute manière cet appartement de la rue de Tournon est désormais beaucoup trop vaste pour nous
deux. Qui sait de quoi ma mère et moi allons
devoir nous contenter?

Mon inquiétude fut de courte durée. J'entendis
bientôt ma tante Démarest et ma mère débattre
des questions de loyer, de quartier, d'étage, et il
n'y paraissait pas du tout que notre train de vie
fût sur le point de se réduire. Depuis la mort de
papa, ma tante Claire avait pris ascendant sur
ma mère. (Elle était son aînée de beaucoup.) Elle
lui disait sur un ton tranchant et avec une moue
qui lui était particulière :

« Oui, l'étage, passe encore. On peut consentir
à monter. Mais, quant à l'autre point, non, Juliette; je dirai même : absolument pas. » Et elle
faisait du plat de la main un petit geste en
biais, net et péremptoire qui mettait la discussion
au cran d'arrêt.

Cet « autre point », c'était la porte cochère. Il
pouvait paraître à l'esprit d'un enfant que, ne
recevant guère et ne roulant point carrosse nous-
mêmes, la porte cochère fût chose dont on aurait
pu se passer. Mais l'enfant que j'étais n'avait pas
voix au chapitre; et du reste, que pouvait-on trou-

ver à répliquer, après que ma tante avait déclaré :

« Ce n'est pas une question de commodité, mais de décence. »

Puis, voyant que ma mère se taisait, elle reprenait plus doucement, mais d'une manière plus pressante :

« Tu te le dois; tu le dois à ton fils. »

Puis, très vite et comme par-dessus le marché :

« D'ailleurs, c'est très simple, si tu n'as pas de porte cochère, je peux te nommer d'avance ceux qui renonceront à te voir. »

Et elle énumérait aussitôt de quoi faire frémir ma mère. Mais celle-ci regardait sa sœur, souriait alors d'un air un peu triste et disait :

« Et toi, Claire, tu refuserais aussi de venir? »

Sur quoi ma tante reprenait sa broderie en pinçant les lèvres.

Ces conversations n'avaient lieu que quand Albert n'était pas là. Albert certainement manquait d'usage. Ma mère l'écoutait pourtant volontiers, se souvenant d'avoir été d'esprit frondeur; mais ma tante préférait qu'il ne donnât pas son avis.

Bref, le nouvel appartement choisi se trouva être sensiblement plus grand, plus beau, plus agréable et plus luxueux que l'ancien. J'en réserve la description.

Avant de quitter celui de la rue de Tournon, je regarde une dernière fois tout le passé qui s'y rattache et relis ce que j'en ai écrit. Il m'apparaît que j'ai obscurci à l'excès les ténèbres où patientait mon enfance; c'est-à-dire que je n'ai pas su parler de deux éclairs, deux sursauts étranges qui secouèrent un instant ma torpeur. Les eussé-je racontés plus tôt, à la place qu'il eût fallu pour respecter l'ordre chronologique, sans doute se fût

134 SI LE GRAIN NE MEURT

expliqué mieux le bouleversement de tout mon
être, ce soir d'automne, rue de Lecat, au contact
de l'invisible réalité.

Le premier me reporte loin en arrière; je voudrais préciser l'année, mais tout ce que je puis
dire, c'est que mon père vivait encore. Nous
étions à table; Anna déjeunait avec nous. Mes
parents étaient tristes parce qu'ils avaient appris
dans la matinée la mort d'un petit enfant de
quatre ans, fils de nos cousins Widmer; je ne
connaissais pas encore la nouvelle, mais je la
compris à quelques mots que ma mère dit à Nana.
Je n'avais vu que deux ou trois fois le petit Emile
Widmer et n'avais point ressenti pour lui de sympathie bien particulière; mais je n'eus pas plus
tôt compris qu'il était mort, qu'un océan de chagrin déferla soudain dans mon cœur. Maman me
prit alors sur ses genoux et tâcha de calmer mes
sanglots; elle me dit que chacun de nous doit
mourir; que le petit Emile était au ciel où il n'y
a plus ni larmes, ni souffrances, bref, tout ce que
sa tendresse imaginait de plus consolant; rien n'y
fit, car ce n'était pas précisément la mort de mon
petit cousin qui me faisait pleurer, mais je ne
savais quoi, mais une angoisse indéfinissable et
qu'il n'était pas étonnant que je ne pusse expliquer à ma mère, puisque encore aujourd'hui je
ne la puis expliquer mieux. Si ridicule que cela
doive paraître à certains, je dirai pourtant que,
plus tard, en lisant certaines pages de Schopenhauer, il me sembla tout à coup la reconnaître.
Oui vraiment, pour comprendre [1] . . . .
. . . .

1. Je renonce à citer; ce serait beaucoup trop long.

c'est le souvenir de mon premier *schaudern* à l'annonce de cette mort que, malgré moi, et tout irrésistiblement, j'évoquai.

Le second tressaillement est plus bizarre encore : c'était quelques années plus tard, peu après la mort de mon père; c'est-à-dire que je devais avoir onze ans. La scène de nouveau se passa à table, pendant un repas du matin; mais, cette fois, ma mère et moi nous étions seuls. J'avais été en classe ce matin-là. Que s'était-il passé? Rien, peut-être... Alors pourquoi tout à coup me décomposai-je et, tombant entre les bras de maman, sanglotant, convulsé, sentis-je à nouveau cette angoisse inexprimable, la même exactement que lors de la mort de mon petit cousin? On eût dit que brusquement s'ouvrait l'écluse particulière de je ne sais quelle commune mer intérieure inconnue dont le flot s'engouffrait démesurément dans mon cœur; j'étais moins triste qu'épouvanté; mais comment expliquer cela à ma mère qui ne distinguait, à travers mes sanglots, que ces confuses paroles que je répétais avec désespoir :

« Je ne suis pas pareil aux autres! Je ne suis pas pareil aux autres! »

Deux autres souvenirs se rattachent encore à l'appartement de la rue de Tournon : il faut vite que je les dise avant de déménager. Je m'étais fait donner pour mes étrennes le gros livre de chimie de Troost. Ce fut ma tante Lucile qui me l'offrit; ma tante Claire, à qui je l'avais d'abord demandé, trouvait ridicule de me faire cadeau d'un livre de classe; mais je criai si fort qu'aucun autre livre ne pouvait me faire plus de plaisir, que ma tante Lucile accéda. Elle avait ce bon esprit de s'inquiéter, pour me contenter, de mes

goûts plus que des siens propres, et c'est à elle
que je dus également, quelques années plus tard,
la collection des *Lundis* de Sainte-Beuve, puis
La Comédie humaine de Balzac. Mais je reviens à
la chimie.

Je n'avais encore que treize ans, mais je proteste qu'aucun étudiant jamais ne plongea dans
ce livre avec plus d'activité que je ne fis. Il va
sans dire, toutefois, qu'une partie de l'intérêt que
je prenais à cette lecture pendait aux expériences
que je me proposais de tenter. Ma mère consentait
à ce que cette office y servît, qui se trouvait à
l'extrémité de notre appartement de la rue de
Tournon, à côté de ma chambre, et où j'élevais
des cochons de Barbarie. C'est là que j'installai
un petit fourneau à alcool, mes matras et mes
appareils. J'admire encore que ma mère m'ait
laissé faire; soit qu'elle ne se rendît pas nettement
compte des risques que couraient les murs, le
plancher et moi-même, ou peut-être estimant qu'il
valait la peine de les courir s'il devait en sortir
pour moi quelque profit, elle mit à ma disposition, hebdomadairement, une somme assez ron-
delette que j'allais aussitôt dépenser place de la
Sorbonne ou rue de l'Ancienne-Comédie en tubes,
cornues, éprouvettes, sels, métalloïdes et métaux
— acides enfin, dont certains, je m'étonne aujour-
d'hui qu'on consentît à me les vendre; mais sans
doute le commis qui me servait me prenait-il
pour un simple commissionnaire. Il arriva nécessairement qu'un beau matin le récipient dans
lequel je fabriquais de l'hydrogène m'éclata au
nez. C'était, il m'en souvient, l'expérience dite
de « l'harmonica chimique » qui se fait avec le
concours d'un verre de lampe... La production de

l'hydrogène était parfaite; j'avais assujetti le tube effilé par où le gaz devait sortir, que je m'apprêtais à enflammer; d'une main je tenais l'allumette et de l'autre le verre de lampe dans le corps duquel la flamme avait mission de se mettre à chanter; mais je n'eus pas plus tôt approché l'allumette, que la flamme, envahissant l'intérieur de l'appareil, projeta au diable verre, tubes et bouchons. Au bruit de l'explosion les cochons de Barbarie firent en hauteur un bond absolument extraordinaire et le verre de lampe m'échappa des mains. Je compris en tremblant que, pour peu que le récipient eût été plus solidement bouché, il m'eût éclaté au visage, et ceci me rendit plus réservé dans mes rapports avec les gaz. A partir de ce jour, je lus ma chimie d'un autre œil. Je désignai d'un crayon bleu les corps tranquilles, ceux avec lesquels il y avait plaisir à commercer, d'un crayon rouge tous ceux qui se comportent d'une façon douteuse ou terrible.

Il m'est arrivé ces temps derniers d'ouvrir un livre de chimie de mes jeunes nièces. Je n'y reconnais plus rien; tout est changé : formules, lois, classification des corps, et leurs noms, et leur place dans le livre, et jusqu'à leurs propriétés... Moi qui les avais crus si fidèles! Mes nièces s'amusent de mon désarroi; mais, devant ces bouleversements, j'éprouve une secrète tristesse, comme lorsqu'on retrouve pères de famille d'anciens amis qu'on imaginait devoir toujours rester garçons.

L'autre souvenir est celui d'une conversation avec Albert Démarest. Quand nous étions à Paris, il venait dîner chez nous une fois par semaine, avec sa mère. Après dîner, ma tante Claire s'installait avec maman devant une partie de cartes ou de jacquet; Albert et moi nous nous mettions au piano, d'ordinaire. Mais ce soir-là, la causerie l'emporta sur la musique. Qu'avais-je pu dire pendant le dîner, je ne sais plus, qui parût à Albert mériter d'être relevé? Il n'en fit rien devant les autres et attendit que le repas fût achevé; mais, sitôt après, me prenant à part...

J'avais pour Albert, à cette époque déjà, une espèce d'adoration; j'ai dit de quelle âme je pouvais boire ses paroles, surtout lorsqu'elles allaient à l'encontre de mon penchant naturel; c'est aussi qu'il ne s'y opposait que rarement et que je le trouvais d'ordinaire extraordinairement attentif à comprendre de moi précisément ce qui risquait d'être le moins bien compris par ma mère et par le reste de la famille. Albert était grand; à la fois très fort et très doux; ses moindres propos m'amusaient inexprimablement, soit qu'il dît précisément ce que je n'osais point dire, soit même ce que je n'osais pas penser; le seul son de sa voix me ravissait. Je le savais vainqueur à tous les sports, à la nage et au canotage surtout; et, après avoir connu l'ivresse du grand air, du bel épanouissement physique, la peinture, la musique et la poésie l'occupaient à présent tout entier. Mais ce soir-là ce n'est de rien de tout cela que nous parlâmes. Ce soir, Albert m'expliqua ce que c'était que la patrie.

Certes, sur ce sujet il restait beaucoup à m'apprendre; car ni mon père, ni ma mère, si bons Français qu'ils fussent, ne m'avaient inculqué le sentiment très net des frontières de nos terres ni de nos esprits. Je ne jurerais pas qu'ils l'eussent eux-mêmes; et, par tempérament naturel, disposé comme l'avait été mon père à attacher moins d'importance aux réalités qu'aux idées, je raisonnais là-dessus, à treize ans, comme un idéologue, comme un enfant et comme un sot. J'avais dû déclarer, pendant le dîner, qu'en 70 « si j'avais été la France » je ne me serais sûrement pas défendu — ou quelque ânerie de ce genre; et que du reste j'avais horreur de tout ce qui est militaire. C'est là ce qu'Albert avait jugé nécessaire de relever.

Il le fit sans protestations, ni grandes phrases, mais simplement en me racontant l'invasion et tous ses souvenirs de soldat. Il me dit égale à la mienne son horreur de la force qui provoque, mais que, pour cela même, il aimait celle qui défend, et que la beauté du soldat venait de ce qu'il ne se défendait pas pour lui-même, mais bien pour protéger les faibles qu'il sentait menacés. Et, tandis qu'il parlait, sa voix devenait plus grave et tremblait :

« Alors tu penses qu'on peut de sang-froid laisser insulter ses parents, violer ses sœurs, piller son bien...? » et l'image de la guerre certainement passait devant ses yeux que je voyais s'emplir de larmes, bien que son visage fût dans l'ombre. Il était dans un fauteuil bas, tout près de la grande table de mon père sur laquelle j'étais juché, les jambes ballantes, un peu gêné par ses propos et d'être assis plus haut que lui. A l'autre extrémité de la pièce, ma tante et ma mère travaillaient un grabuge ou un besigue, avec Anna qui était venue dîner ce soir-là. Albert parlait à mi-voix, de manière à n'être pas entendu par ces dames; après qu'il eut achevé de parler, je pris sa

grosse main dans les miennes et demeurai sans
rien dire, assurément plus ému par la beauté
de son cœur que convaincu par ses raisons. Du
moins dus-je me rappeler ses paroles, plus tard,
lorsque je fus mieux éduqué pour les comprendre.

L'idée de déménager m'exaltait immensément et
l'amusement que je me promettais de la mise en
place des meubles; mais ce déménagement s'ef-
fectua sans moi. A notre retour de Cannes,
maman m'avait mis en pension chez un nouveau
professeur; ce dont elle espérait plus de profit
pour moi, plus de tranquillité pour elle.

M. Richard, à qui je fus confié, avait eu le bon
goût de se loger à Auteuil; ou peut-être était-ce
parce que logé à Auteuil, que maman avait eu
l'idée de me confier à lui? Il occupait, dans la
rue Raynouard, au n° 12 je crois, une maison
vieillotte, à deux étages, flanquée d'un jardin
pas très grand mais qui formait terrasse d'où l'on
dominait la moitié de Paris. Tout cela existe
encore; pour peu d'années sans doute, car le
temps est loin où une modeste famille de professeur choisissait la rue Raynouard pour des
raisons d'économie. M. Richard ne donnait alors
de leçons qu'à ses pensionnaires, c'est-à-dire qu'à
moi et qu'à deux demoiselles anglaises qui, je
crois, payaient surtout pour le bon air et la belle
vue. M. Richard n'était que professeur *in partibus;*
ce ne fut que plus tard, ayant passé son agréga-
tion, qu'il obtint un cours d'allemand dans un
lycée. C'est au pastorat qu'il se destinait d'abord
et pourquoi il avait fait, je pense, d'assez bonnes
études, car il n'était ni paresseux, ni sot; puis des

doutes ou des scrupules (les deux ensemble plus vraisemblablement) l'avaient arrêté sur le seuil. Il gardait de sa première vocation je ne sais quelle onction du regard et de la voix, qu'il avait naturellement pastorale, je veux dire propre à remuer les cœurs; mais un sourire tempérait ses propos les plus austères, mi-triste et mi-amusé, et je crois presque involontaire, à quoi l'on comprenait qu'il ne se prenait pas lui-même bien au sérieux. Il avait toutes sortes de qualités, de vertus même, mais rien dans son personnage ne paraissait ni tout à fait valide, ni solidement établi; il était inconsistant, flâneur, prêt à blaguer les choses graves et à prendre au sérieux les fadaises — défauts auxquels, si jeune que je fusse, je ne laissais pas d'être sensible et que je jugeais en ce temps avec peut-être encore plus de sévérité qu'aujourd'hui. Je crois que sa belle-sœur, la veuve du général Bertrand, qui vivait avec nous rue Raynouard, n'avait pas pour lui beaucoup de considération; et cela m'en donnait beaucoup pour elle. Femme de grand bon sens et qui avait connu des temps meilleurs, il me paraît qu'elle était la seule personne raisonnable de la maison; avec cela beaucoup de cœur, mais ne le montrant qu'à la meilleure occasion. Mme Richard avait autant de cœur qu'elle sans doute; même on eût dit qu'elle en avait davantage, car, de bon sens aucun, il n'y avait jamais que son cœur qui parlât. Elle était de santé médiocre, maigre, au visage pâle et tiré; très douce, elle s'effaçait sans cesse devant son mari, devant sa sœur, et c'est assurément pourquoi je n'ai conservé d'elle qu'un souvenir indistinct; tandis qu'au contraire, Mme Bertrand, solide, affirmative et décidée, a su graver ses traits dans ma mémoire. Elle avait une fille, de quelques années plus jeune que moi, qu'elle tenait précautionneusement à l'écart de nous tous, et qui, à ce qu'il me semblait, souffrait un peu de l'excès d'autorité de sa mère. Yvonne Bertrand était délicate, chétive presque, et comme réduite par la discipline; même quand on la voyait sourire, elle avait toujours l'air d'avoir pleuré. Elle ne paraissait guère qu'aux repas.

Les Richard avaient deux enfants; une fillette de dix-huit mois, que je considérais avec stupeur depuis le jour où, dans le jardin, je lui avais vu manger de la terre, au grand amusement du petit Blaise, son frère, chargé de la surveiller, bien qu'il ne fût âgé lui-même que de cinq ans.

Tantôt seul, tantôt avec M. Richard, je travaillais dans une petite orangerie, si j'ose appeler ainsi un appentis vitré, qui s'appuyait au mur aveugle d'une grande maison voisine, à l'extrémité du jardin.

A côté du pupitre où j'écrivais, végétait sur une planchette un glaïeul que je prétendais voir pousser. J'avais acheté l'oignon au marché de Saint-Sulpice et l'avais mis en pot moi-même. Un glaive verdoyant avait bientôt surgi de terre, et sa croissance de jour en jour m'émerveillait; pour la contrôler, j'avais fiché dans le pot une baguette blanche sur laquelle, chaque jour, j'inscrivais le progrès. J'avais calculé que la feuille gagnait trois cinquièmes de millimètre par heure, ce qui tout de même, avec un peu d'attention, devait être perceptible à l'œil nu. Or, j'étais tourmenté de savoir par où le développement se faisait. Mais j'en venais à croire que la plante donnait d'un coup toute sa poussée dans la nuit, car

j'avais beau rester les yeux fixés sur la feuille...
L'observation des souris était infiniment plus ré-
compensante. Je n'étais pas depuis cinq minutes
devant un livre ou mon glaïeul, que gentiment
elles accouraient me distraire; chaque jour je leur
apportais des friandises, et je les avais enfin si
bien rassurées qu'elles venaient grignoter les
miettes sur la table même où je travaillais. Elles
n'étaient que deux; mais je me persuadai que
l'une des deux était pleine, de sorte que, chaque
matin, avec des battements de cœur j'espérais
l'apparition des souriceaux. Il y avait un trou
dans le mur; c'est là qu'elles rentraient quand
approchait M. Richard; c'est là qu'était leur gîte;
c'est de là que je m'attendais à voir sortir la
portée; et du coin de l'œil je guettais tandis que
M. Richard me faisait réciter ma leçon; naturellement je récitais fort mal; à la fin M. Richard
me demanda d'où venait que je paraissais si distrait. Jusqu'alors j'avais gardé le secret sur la
présence de mes compagnes. Ce jour-là je racontai tout.

Je savais que les jeunes filles ont peur des
souris; j'admettais que les ménagères les craignis-
sent; mais M. Richard était un homme. Il parut
vivement intéressé par mon récit. Il me fit lui
montrer le trou, puis sortit sans rien dire, en me
laissant perplexe. Quelques instants après, je le
vis revenir avec une bouillotte fumante. Je n'osais
comprendre. Craintivement je demandai :

« Qu'est-ce que vous apportez, monsieur?
— De l'eau bouillante.
— Pour quoi faire?
— Les échauder, vos sales bêtes.
— Oh! monsieur Richard, je vous en prie! Je

vous en supplie. Justement je crois qu'elles viennent d'avoir des petits...

— Raison de plus. »

Et c'est moi qui les avais livrées! Décidément j'aurais dû lui demander d'abord s'il aimait les animaux... Pleurs, supplications, rien n'y fit. Ah! quel homme pervers! Je crois qu'il ricanait en vidant sa bouillotte dans le trou du mur; mais j'avais détourné les yeux.

J'eus du mal à lui pardonner. A vrai dire il parut un peu surpris ensuite, devant le grand chagrin que j'en avais; il ne s'excusa pas précisément, mais je sentais percer un peu de confusion dans l'effort qu'il faisait pour me démontrer à quel point j'étais ridicule, et que ces petits animaux étaient affreux, et qu'ils sentaient mauvais, et qu'ils faisaient beaucoup de mal; surtout ils m'empêchaient de travailler. Et comme M. Richard n'était pas incapable de retour, il m'offrit, à quelque temps de là, en manière de réparation, tels animaux que je voudrais, mais qui du moins ne fussent pas nuisibles.

Ce fut un couple de tourterelles. Après tout, fut-ce bien lui qui me les offrit, ou simplement les toléra-t-il? Mon ingrate mémoire abandonne ce point... On suspendit leur cage d'osier dans une volière aux grillages à demi crevés qui faisait pendant à l'orangerie, et où vivaient deux ou trois poules, piailleuses, coléreuses, stupides, qui ne m'intéressaient pas du tout.

Les premiers jours je fus enthousiasmé par le roucoulement de mes tourterelles; je n'avais rien encore entendu de plus suave; elles roucoulaient comme des sources, sans arrêt tout le long du jour; de délicieux, ce bruit devint exaspérant. Miss

Elvin, l'une des deux pensionnaires anglaises, à
qui le roucoulis tapait particulièrement sur les
nerfs, me persuada de leur donner un nid. Ce que
je n'eus pas plus tôt fait, que la femelle se mit
à pondre, et que les roucoulements s'espacèrent.

Elle pondit deux œufs; c'est leur coutume; mais
comme je ne savais pas combien de temps elle
les devait couver, j'entrais à tout moment dans
le poulailler; là, juché sur un vieil escabeau, je
pouvais dominer le nid; mais, ne voulant pas
déranger la couveuse, j'attendais interminablement qu'elle voulût bien se soulever pour me
laisser voir que les œufs n'étaient pas éclos.

Puis, un matin, dès avant d'entrer, je distinguai,
sur le plancher de la cage, à hauteur de mon nez,
des débris de coquilles à l'intérieur légèrement san-
guinolent. Enfin! Mais quand je voulus pénétrer
dans la volière pour contempler les nouveau-nés,
je m'aperçus à ma profonde stupeur que la porte
en était fermée. Un petit cadenas la maintenait,
que je reconnus pour celui que M. Richard avait
été acheter avec moi l'avant-veille à un bazar du
quartier.

« Ça vaut quelque chose? avait-il demandé au
marchand.

— Monsieur c'est aussi bon qu'un grand »,
lui avait-il été répondu.

M. Richard et Mme Bertrand, exaspérés de me
voir passer tant de temps auprès de mes oiseaux,
avaient résolu d'y apporter obstacle; ils m'an-
noncèrent au déjeuner qu'à partir de ce jour le
cadenas resterait mis, dont Mme Bertrand gar-
derait la clef, et qu'elle ne me prêterait cette
clef qu'une fois par jour, à quatre heures, à la
récréation du goûter. Mme Bertrand arrivait à la

rescousse chaque fois qu'il y avait lieu de prendre
une initiative ou d'exercer une sanction. Elle parlait alors avec calme, douceur même, mais grande
fermeté. En m'annonçant cette décision terrible,
elle souriait presque. Je me gardai de protester;
mais c'est que j'avais mon idée : ces petits cadenas
à bon marché ont tous des clefs semblables; j'avais
pu le constater l'autre jour tandis que M. Richard
en choisissait un. Avec les quelques sous que j'entendais tinter dans ma poche... Sitôt après le déjeuner, m'échappant, je courus au bazar.

Je proteste qu'il n'y avait place en mon cœur
pour aucun sentiment de révolte. Jamais, alors
ou plus tard, je n'ai pris plaisir à frauder. Je prétendais jouer avec Mme Bertrand, non la jouer.
Comment l'amusement que je me promettais de
cette gaminerie put-il m'aveugler à ce point sur
le caractère qu'elle risquait de prendre à ses yeux?
J'avais pour elle de l'affection, du respect, et
même, je l'ai dit, j'étais particulièrement soucieux
de son estime; le peu d'humeur que peut-être
je ressentais venait plutôt de ce qu'elle eût eu recours à cet empêchement matériel, alors qu'il eût
suffi de faire appel à mon obéissance; c'est aussi
ce que je me proposais de lui faire sentir; car,
à bien considérer les choses, elle ne m'avait pas
précisément défendu d'entrer dans la volière;
simplement elle y mettait obstacle, comme si...
Eh bien, nous allions lui montrer ce que valait
son cadenas. Naturellement, pour entrer dans la
cage, je ne me cacherais point d'elle; si elle ne me
voyait pas, ce ne serait plus amusant du tout;
j'attendrais pour ouvrir la porte qu'elle fût au
salon, dont les fenêtres faisaient face à la volière
(déjà je riais de sa surprise) et ensuite je lui

tendrais la double clef en l'assurant de mon bon
vouloir. C'est tout cela que je ruminais en revenant du bazar; et qu'on ne cherche point de lo-
gique dans l'exposé de mes raisons; je les présente
en vrac, comme elles m'étaient venues et sans les
ordonner davantage.

En entrant dans le poulailler, j'avais moins
d'yeux pour mes tourterelles que pour Mme Bertrand; je la savais dans le salon, dont je surveillais
les fenêtres; mais rien n'y paraissait; on eût dit
que c'était elle qui se cachait. Comme c'était manqué! Je ne pouvais tout de même pas l'appeler.
J'attendais; j'attendais et il fallut bien à la fin
se résigner à sortir. A peine si j'avais regardé
la couvée. Sans enlever ma clef du cadenas, je retournai dans l'orangerie où m'attendait une ver-
sion de Quinte-Curce et restai devant mon travail,
vaguement inquiet et me demandant ce que
j'aurais à faire, quand sonnerait l'heure du
goûter.

Le petit Blaise vint me chercher quelques
minutes avant quatre heures : sa tante désirait me
parler. Mme Bertrand m'attendait dans le salon.
Elle se leva quand j'entrai, évidemment pour m'impressionner davantage; me laissa faire quelques
pas vers elle, puis :

« Je vois que je me suis trompée sur votre
compte : j'espérais que j'avais affaire à un honnête garçon... Vous avez cru que je ne vous voyais
pas tout à l'heure.

— Mais...

— Vous regardiez vers la maison dans la crainte
que...

— Mais précisément c'est...

— Non, je ne vous laisserai pas dire un mot.

Ce que vous avez fait est très mal. D'où avez-vous
eu cette clef?

— Je...

— Je vous défends de répondre. Savez-vous où
l'on met les gens qui forcent les serrures? En prison. Je ne raconterai pas votre tromperie à votre
mère, parce qu'elle en aurait trop de chagrin;
si vous aviez un peu plus songé à elle, jamais vous
n'auriez osé faire cela. »

Je me rendais compte, à mesure qu'elle parlait,
qu'il me serait à tout jamais impossible d'éclairer
pour elle les mobiles secrets de ma conduite; et,
à dire vrai, ces mobiles, je ne les distinguais plus
bien moi-même; à présent que l'excitation était
retombée, mon espièglerie m'apparaissait sous un
jour autre et je n'y voyais plus que sottise. Au
demeurant, cette impuissance à me justifier avait
amené tout aussitôt une sorte de résignation dédaigneuse qui me permit d'essuyer sans rougir le ser-
mon de Mme Bertrand. Je crois qu'après m'avoir
défendu de parler, elle s'irritait à présent de mon
silence, qui la forçait de continuer après qu'elle
n'avait plus rien à dire. A défaut de voix, je
chargeais mes yeux d'éloquence :

« Je n'y tiens plus du tout, à votre estime, lui
disaient-ils; dès l'instant que vous me jugez mal,
je cesse de vous considérer. »

Et pour exagérer mon dédain, je m'abstins,
quinze jours durant, d'aller visiter mes oiseaux.
Le résultat fut excellent pour le travail.

M. Richard était bon professeur; plus que le
besoin de s'instruire, il avait le goût d'enseigner;
il s'y prenait avec douceur et avec une sorte d'enjouement qui faisait que ses leçons n'étaient pas

ennuyeuses. Comme il me restait tout à apprendre, nous avions dressé un emploi du temps compliqué, mais que brouillaient sans cesse mes maux de tête persistants. Il faut dire aussi que mon esprit prenait facilement la tangente; M. Richard s'y prêtait, tant par crainte de me fatiguer que par goût naturel, et la leçon dégénérait en causerie. C'est l'inconvénient ordinaire des professeurs particuliers.

M. Richard avait du goût pour les lettres, mais n'était pas assez lettré pour que ce goût fût excellent. Il ne se cachait pas de moi pour bâiller devant les classiques; force était de se soumettre aux programmes, mais il se reposait d'une analyse de *Cinna* en me lisant *Le Roi s'amuse*. Les apostrophes de Triboulet aux courtisans m'arrachaient des larmes; avec des sanglots dans la voix je déclamais :

Oh! voyez! Cette main, main qui n'a rien d'illustre,
Main d'un homme du peuple, et d'un serf et d'un rustre,
Cette main qui paraît désarmée aux rieurs
Et qui n'a pas d'épée, a des ongles, Messieurs!

Ces vers dont aujourd'hui la soufflure m'est intolérable, à treize ans me paraissaient les plus beaux du monde, et autrement émus que le :

Embrassons-nous, Cinna...

qu'on proposait à mon admiration. Je répétais après M. Richard la tirade fameuse du marquis de Saint-Vallier :

Dans votre lit, tombeau de la vertu des femmes,
Vous avez froidement, sous vos baisers infâmes,
Terni, flétri, souillé, déshonoré, brisé,
Diane de Poitiers, Comtesse de Brézé.

Qu'on osât écrire ces choses, et en vers encore! voici qui m'emplissait de stupeur lyrique. Car ce que j'admirais surtout en ces vers, c'était assurément la hardiesse. Le hardi, c'était de les lire à treize ans.

Devant mon émotion, et constatant que je vibrais comme un violon, M. Richard résolut de soumettre ma sensibilité à de plus rares épreuves. Il m'apporta *Les Blasphèmes* de Richepin, puis *Les Névroses* de Rollinat, qui étaient à ce moment ses livres de chevet, et commença de me les lire. Bizarre enseignement!

Ce qui me permet de préciser la date de ces lectures, c'est le souvenir exact du lieu où je les fis. M. Richard, avec qui je travaillai trois ans, s'installa au centre de Paris l'hiver suivant; *Le Roi s'amuse*, *Les Névroses* et *Les Blasphèmes* ont pour décor la petite orangerie de Passy.

M. Richard avait deux frères. Edmond le puîné était un grand jeune homme mince, distingué d'intelligence et de manières, que j'avais eu comme précepteur l'été précédent en remplacement de Gallin le dadais. Depuis, je ne l'ai plus revu; il était de santé délicate et ne pouvait vivre à Paris. (J'ai récemment appris qu'il avait fait, depuis, une brillante carrière dans la banque.) Je n'étais que depuis peu de temps rue Raynouard lorsqu'y vint habiter le second frère, qui n'avait que cinq ans de plus que moi. Il vivait précédemment à Guéret, chez une sœur dont je connaissais l'existence parce que, l'été passé, Edmond Richard avait parlé d'elle à ma mère; répondant aux interrogations de ma mère qui, le soir de son arrivée à La Roque, s'infor-

mait affablement de ses proches, comme elle lui
demandait :

« Vous n'avez pas de sœurs, n'est-ce pas?

— Si, madame », avait-il dit. Puis, en homme
bien élevé, trouvant son monosyllabe un peu bref,
il ajoutait d'une voix douce :

« J'ai une sœur, qui vit à Guéret.

— Tiens! faisait maman; à Guéret... Et que
fait-elle?

— Elle est pâtissière. »

Ce colloque avait lieu pendant le dîner; mes
cousines étaient là; nous étions suspendus aux
lèvres du nouveau précepteur, cet inconnu qui
venait partager notre vie et qui, pour peu qu'il
se montrât prétentieux, niais ou grincheux, allait
nous gâter nos vacances.

Edmond Richard nous paraissait charmant, mais
nous guettions ses premiers propos sur lesquels
notre jugement collectif allait s'asseoir, ce jugement si implacable, si irrévocable, que sont dis-
posés à porter ceux qui ne connaissent rien de
la vie. Nous n'étions pas moqueurs et c'est un
rire sans méchanceté, mais un fou rire incoercible,
qui s'empara de nous à ces mots : Elle est pâtissière — qu'Edmond Richard avait dits pourtant
bien simplement, droitement, et courageusement,
si tant est qu'il ait pu pressentir ces rires. Nous
les étouffâmes de notre mieux, sentant bien à quel
point ils étaient irrévérencieux; la pensée qu'il a
pu les entendre me rend ce souvenir très douloureux.

Abel Richard était, sinon simple d'esprit, du
moins sensiblement moins ouvert que ses deux
aînés; et c'est pourquoi son instruction avait été
très négligée. Grand garçon d'aspect flasque, au re-

gard tendre, à la main molle, à la voix plaintive,
il était serviable, empressé même, mais pas très
adroit, de sorte que, pour prix de ses soins, il
recevait moins de remerciements que de rebuffades. Bien qu'il tournât sans cesse autour de
moi, nous ne causions pas beaucoup ensemble;
je ne trouvais rien à lui dire, et lui semblait
tout essoufflé dès qu'il avait sorti trois phrases.
Un soir d'été, un de ces beaux soirs chauds où
vient se reposer dans l'adoration toute la peine
de la journée, nous prolongions la veillée sur la
terrasse. Abel s'approcha de moi selon son habitude et, comme à l'ordinaire, je feignis de ne
pas le voir; j'étais assis un peu à l'écart, sur une
escarpolette où, durant le jour, se balançaient
les enfants de M. Richard; mais ils étaient couchés depuis longtemps; du bout du pied je maintenais immobile la balançoire, et, sentant Abel
tout près de moi maintenant, immobile lui aussi,
appuyé contre un montant de la balançoire à laquelle sans le vouloir il imprimait un léger tremblement, je restais la face détournée, les yeux dirigés vers la ville dont les feux répondaient aux
étoiles du ciel. Nous demeurions ainsi depuis assez
longtemps l'un et l'autre; à un petit mouvement
qu'il fit, enfin je le regardai. Sans doute il
n'attendait que mon regard; il balbutia d'une
voix étranglée, et que je pouvais à peine entendre :

« Voulez-vous être mon ami? »

Je ne ressentais à l'égard d'Abel qu'une affection des plus ordinaires; mais il aurait fallu de la
haine pour repousser ce cœur qui s'offrait. Je répondis :

« Mais oui », ou : « Je veux bien », gauchement, confusément. Et lùi, tout aussitôt, sans transition aucune :

« Alors, je vais vous montrer mes secrets. Venez. »

Je le suivis. Dans le vestibule il voulut allumer une bougie; il était si tremblant que plusieurs allumettes se cassèrent. A ce moment, la voix de M. Richard :

« André! Où êtes-vous? Il est temps d'aller vous coucher. »

Abel me prit la main dans l'ombre.

« Ce sera pour demain », dit-il, avec résignation.

Le jour suivant il me fit monter dans sa chambre. J'y vis deux lits, dont l'un restait inoccupé depuis le départ d'Edmond Richard. Abel, sans un mot, se dirigea vers une armoire de poupée, qui se trouvait sur une table, l'ouvrit avec une clef qu'il portait pendue à sa chaîne de montre; il sortit de là une douzaine de lettres ceinturées d'une faveur rose, dont il défit le nœud; puis, me tendant le paquet :

« Tenez! Vous pouvez toutes les lire », fit-il avec un grand élan.

A dire vrai, je n'en avais aucun désir. L'écriture de toutes ces lettres était la même; une écriture de femme, déliée, égale, banale, pareille à celle des comptables ou des fournisseurs, et dont le seul aspect eût glacé la curiosité. Mais je ne pouvais me dérober; il fallait lire ou mortifier Abel cruellement.

J'avais pu croire à des lettres d'amour; mais non : c'étaient des lettres de sa sœur, la pâtissière de Guéret; de pauvres lettres éplorées, lamentables, où il n'était question que de traites à payer, de

termes échus, d' « arriéré » — je voyais pour la
première fois ce mot sinistre — et je comprenais
à des allusions, des réticences, qu'Abel avait dû
généreusement faire l'abandon à sa sœur d'une
part qui lui serait revenue de la fortune de leurs
parents; je me souviens spécialement d'une phrase
où il était dit que son geste ne suffirait pas, hélas!
à « couvrir l'arriéré »...

Abel s'était écarté de moi pour me laisser lire;
j'étais assis devant une table de bois blanc, à côté
de l'armoire minuscule d'où il avait sorti les
lettres; il n'avait pas refermé l'armoire et, tout
en lisant, je louchais vers celle-ci, craignant que
n'en sortissent encore d'autres lettres; mais l'armoire était vide. Abel se tenait près de la fenêtre
ouverte; assurément il connaissait ces pages par
cœur; je sentais qu'il suivait de loin ma lecture.
Il attendait sans doute quelque parole de sympathie, et je ne savais trop que lui dire, répugnant
à marquer plus d'émotion que je n'en éprouvais.
Les drames d'argent sont de ceux dont un enfant
sent le plus difficilement la beauté; j'aurais juré
qu'ils n'en avaient aucune, et j'avais besoin de
quelque sorte de beauté pour m'émouvoir. J'eus
enfin l'idée de demander à Abel s'il n'avait pas un
portrait de sa sœur, ce qui m'épargnait tout men-
songe et cependant pouvait passer pour un témoignage d'intérêt. Avec une hâte bégayante, il tira
de son portefeuille une photographie :

« Comme elle vous ressemble! m'écriai-je.

— Oh! n'est-ce pas! » fit-il dans une jubilation
subite. J'avais dit ce mot sans intention, mais
il y trouvait plus de réconfort que dans une
protestation d'amitié.

« Maintenant vous savez tous mes secrets, re-

prit-il, après que je lui eus rendu l'image. Vous
me raconterez les vôtres, n'est-ce pas? »

Déjà, tout en lisant les lettres de sa sœur, j'avais
distraitement évoqué Emmanuèle. Auprès de ces
tristesses désenchantées, de quel rayonnement se
nimbait le beau visage de mon amie! Le vœu que
j'avais fait de lui donner tout l'amour de ma vie
ailait mon cœur où foisonnait la joie; d'indistinctes ambitions déjà tout au fond de moi
s'agitaient, mille velléités confuses; chants, rires,
danses et bondissantes harmonies formaient cor-
tège à mon amour... A la question d'Abel je sentis, gonflé de tant de biens, mon cœur s'étrangler
dans ma gorge. Et, décemment, devant sa pénu-
rie, puis-je étaler mes trésors? pensais-je. En déta-
cherai-je quelque miette? Mais quoi! c'était le
bloc d'une fortune immense, un lingot qui ne
se laissait par monnayer. Je regardai de nouveau le paquet de lettres autour duquel Abel
renouait avec application la faveur, la petite armoire vide; et quand Abel de nouveau me
demanda :

« Dites-moi vos secrets, voulez-vous? »

Je répondis :

« Je n'en ai pas. »

VI

La rue de Commaille était une rue nouvelle taillée au travers des jardins qui, dans cette partie de la rue du Bac sur quoi elle donnait, longtemps se dissimulèrent derrière la façade protectrice des hautes maisons. La porte cochère de celles-ci restait-elle, par hasard, entrouverte, l'œil émerveillé s'enfonçait curieusement vers d'insoupçonnables, de mystérieuses profondeurs, jardins d'hôtels particuliers, auxquels d'autres jardins faisaient suite, jardins de ministères, d'ambassades, jardins de Fortunio, jalousement protégés, mais sur lesquels les fenêtres des maisons voisines les plus modernes avaient parfois le coûteux privilège de plonger.

Les deux fenêtres du salon, celle de la bibliothèque, celles de la chambre de ma mère et de la mienne ouvraient sur un de ces merveilleux jardins, qui n'était séparé de nous que par la largeur de la rue. Celle-ci n'était bâtie que d'un côté; un mur bas, face aux maisons, ne gênait que les premiers étages; nous habitions au quatrième.

C'est dans la chambre de ma mère qu'elle et moi nous nous tenions le plus souvent. C'est là

que nous prenions notre thé du matin. Je parle
déjà de cette seconde année où, M. Richard ayant
réintégré le centre de Paris, je n'étais plus que
son « demi-pensionnaire », c'est-à-dire que je rentrais dîner et coucher à la maison chaque jour.
J'en repartais au matin, à l'heure où Marie commençait de coiffer ma mère; aussi ne m'était-il
donné d'assister que les jours de congé à cette
opération, qui durait une demi-heure. Maman,
recouverte d'un peignoir blanc, s'asseyait, bien
au jour, devant la fenêtre. En face d'elle, et de
manière qu'elle s'y pût mirer, Marie dressait une
glace ovale échassière, articulée, montée sur tige
de métal à trépied, qui se haussait à volonté; un
minuscule plateau rond ceinturait la tige, sur
lequel peignes et brosses étaient posés. Ma mère,
alternativement, lisait trois lignes du *Temps* de
la veille au soir, qu'elle tenait en main, puis regardait dans le miroir. Elle y voyait le dessus de
sa tête et la main de Marie armée du peigne
ou de la brosse, qui sévissait; quoi que fît Marie,
c'était avec l'apparence de la fureur.

« Oh! Marie, que vous me faites mal! » geignait
maman.

Je lisais, vautré dans un des deux grands fauteuils qui, de droite et de gauche, encombraient
les abords de la cheminée (mastodontesques fauteuils de velours grenat, dont la monture et la
forme même se dissimulaient sous l'intumescence
du capiton). Je levais un instant les yeux vers le
beau profil de ma mère; ses traits étaient naturellement graves et doux, un peu durcis occasionnel-
lement par la blancheur crue du peignoir et par
la résistance qu'elle opposait, quand Marie lui
tirait les cheveux en arrière.

« Marie, vous ne brossez pas, vous tapez! »

Marie s'arrêtait un instant; puis repartait de plus belle. Maman laissait alors glisser de dessus ses genoux le journal et mettait ses mains l'une dans l'autre en signe de résignation, de cette manière qui lui était familière, les doigts exactement croisés, à l'exception des deux index, arqués l'un contre l'autre et pointant en avant.

« Madame ferait bien mieux de se coiffer elle-même; comme ça elle ne se plaindrait plus. »

Mais la coiffure de maman comportait un peu d'artifice et se fût malaisément passée de l'assistance de Marie. Séparés par le milieu, de dessous un couronnement de tresses formant chignon plat, deux bandeaux lisses, au-dessus des tempes ne bombaient de manière séante qu'à l'aide de quelques adjonctions. En ce temps on en fourrait partout : c'était l'époque hideuse des « tournures ».

Marie n'avait pas précisément son franc-parler — maman ne l'eût point toléré — elle s'en tenait aux boutades : quelques mots partaient en sifflant, chassés par une furia comprimée. Maman tremblait un peu devant elle, et lorsqu'elle servait à table on attendait qu'elle fût sortie pour dire :

« J'ai beau le répéter à Désirée (c'est à ma tante Claire que la phrase s'adressait) sa mayonnaise est encore trop vinaigrée. »

Désirée avait succédé à Delphine, l'ex-passion de Marie; mais, quelle qu'eût été la cuisinière, Marie aurait pris toujours son parti. Alors, le lendemain, comme je sortais avec elle :

« Tu sais, Marie — commençais-je, à la manière des plus vilains cafards —, si Désirée ne veut pas écouter ce que lui dit maman, je ne sais pas si nous pourrons la garder. — (C'était aussi pour faire l'important.) — Sa mayonnaise, hier...

— Etait encore trop vinaigrée, je sais », interrompait Marie, d'un air vengeur. Elle pinçait les lèvres, retenait son rire un instant, puis, quand la tension était devenue assez forte, on entendait jaillir :

« Allez! Vous êtes des fins becs. »

Marie n'était pas réfractaire à toute émotion esthétique; mais chez elle, comme chez beaucoup de Suisses, le sentiment de la beauté se confondait avec celui de l'altitude; et pareillement ses dispositions musicales se limitaient au chant des cantiques. Un jour pourtant, tandis que j'étais au piano, elle entra brusquement dans le salon; je jouais une *Romance sans paroles* assez fadement expressive.

« Au moins voilà de la musique », dit-elle en hochant la tête avec mélancolie; puis furieusement : « Je vous demande si ça ne vaut pas mieux que toutes vos trioles? »

Elle appelait indifféremment des « trioles » toute la musique qu'elle ne comprenait pas.

Les leçons de Mlle de Gœcklin ayant été jugées insuffisantes, je fus confié à un professeur mâle, qui ne valait, hélas! pas beaucoup mieux. M. Merriman était essayeur chez Pleyel; il avait fait du métier de pianiste sa profession, sans vocation aucune; à force de travail il était parvenu à décrocher au Conservatoire un premier prix, si je ne m'abuse; son jeu correct, luisant, glacé, ressortissait plutôt à l'arithmétique qu'à l'art; quand il se mettait au piano, on croyait voir un comptable devant sa caisse; sous ses doigts, blanches, noires et croches s'additionnaient; il faisait la vérification du morceau. Assurément il aurait pu m'entraîner pour le mécanisme; mais il ne prenait aucun plaisir à enseigner. Avec lui, la musique devenait un pensum aride; ses maîtres étaient Cramer, Steibelt, Dussek, du moins ceux dont il préconisait pour moi la férule. Beethoven lui paraissait libidineux. Deux fois par semaine, il venait, ponctuel; la leçon consistait dans la répétition monotone de quelques exercices, et encore point des plus profitables pour les doigts, mais des plus niaisement routiniers; quelques gammes, quelques arpèges, puis je commençais de rabâcher « les huit dernières mesures » du morceau en cours, c'est-à-dire les dernières étudiées; après quoi, huit pas plus loin, il faisait une sorte de grand V au crayon, marquant la besogne à abattre, comme on désigne dans une coupe de bois les arbres à exécuter; puis disait, en se levant, tandis que sonnait la pendule :

« Pour la prochaine fois, vous étudierez les huit mesures suivantes. »

Jamais la moindre explication. Jamais le moindre appel, je ne dis pas à mon goût musical ou à ma sensibilité (comment en eût-il été question?) mais non plus seulement à ma mémoire ou à mon jugement. A cet âge de développement, de souplesse et d'assimilation, quels progrès n'eussé-je point faits, si ma mère m'avait aussitôt confié au maître incomparable que fut pour moi, un peu plus tard (trop tard, hélas!) M. de la Nux. Hélas! après deux ans d'ânonnements mortels, je ne fus délivré de Merriman que pour tomber en Schifmacker.

Je reconnais qu'en ce temps il n'était pas aussi facile qu'aujourd'hui de trouver un bon profes-

seur; la Schola n'en formait pas encore; l'éducation musicale de la France entière restait à faire,
et, de plus, le milieu où fréquentait ma mère n'y
entendait à peu près rien. Ma mère indéniable-
ment faisait de grands efforts pour s'instruire elle-
même et m'instruire; mais ses efforts étaient mal
dirigés. Schifmacker lui était chaudement recommandé par une amie.

Le premier jour qu'il vint chez nous, il nous
exposa son système. C'était un gros vieux homme
ardent, essoufflé, qui rougeoyait comme une forge,
qui bredouillait, sifflait et postillonnait en parlant.
On eût dit qu'il était sous pression et laissait
échapper sa vapeur. Il portait les cheveux en
brosse et des favoris; tout cela, blanc de neige,
avait l'air de fondre sur sa face qu'il lui fallait
sans cesse éponger. Il disait :

« Les autres professeurs, qu'est-ce qu'ils racon-
tent? Faut faire des exercices, des exercices, et
patati, et patata. Mais est-ce que j'en ai fait, moi,
des exercices? Laissez-moi donc tranquille! On apprend à jouer en jouant. C'est comme pour parler.
Voyons! vous qui êtes raisonnable, Madame, est-ce
que vous accepteriez que chaque matin on fît
faire à votre enfant des exercices de langue,
sous prétexte qu'il aura à se servir de sa langue
dans la journée : ra, ra, ra, ra, gla, gla, gla, gla.
(Ici ma mère, positivement terrifiée par l'humide
exubérance de Shifmacker, reculait sensiblement
son fauteuil; l'autre approchait le sien d'autant.)
— Qu'on ait la langue bien ou mal pendue, ce
qu'on dit, c'est ce qu'on a à dire, et au piano on
a toujours assez de doigts pour exprimer ce qu'on
sent. Ah! si l'on ne sent rien, quand on aurait dix
doigts à chaque main, la belle affaire! — Alors il

partait d'un gros rire, puis s'étranglait et toussait, puis suffoquait durant quelques instants, roulait des yeux tout blancs, puis s'épongeait, puis s'éventait avec son mouchoir. Ma mère proposait d'aller lui chercher un verre d'eau; mais il faisait signe que ce n'était rien, agitait un dernier coup ses petits bras, ses courtes jambes, expliquait qu'il avait voulu rire et tousser à la fois, faisait un : Hum! retentissant et, tourné vers moi :

— Alors, mon petit, c'est compris : plus d'exercices. Regardez, madame! regardez ce farceur comme il est content! Il se dit déjà : on ne va pas s'embêter avec le papa Schifmacker. Il a raison cet enfant. »

Ma mère, complètement submergée, éberluée, amusée tout de même par tant de pitrerie, mais effrayée plutôt encore, et n'approuvant pas trop une méthode qui supprimait la contrainte et l'effort, elle qui en apportait à tout dans la vie et s'appliquait sans cesse et à quoi que ce soit qu'elle fît, tâchait en vain de placer une phrase complète; on l'entendait, à travers cet éclaboussement continu :

« Oui, pourvu que... mais il ne demande pas à... évidemment... à condition de... »

Et tout à coup Schifmacker se levait :

« Maintenant je vais vous jouer quelque chose, pour que vous n'alliez pas penser : ce professeur de piano, il ne sait que parler. »

Il ouvrit le piano, frappa quelques accords, puis se lança dans une petite étude de Stephen Heller, en forme de fanfare, qu'il mena d'un train d'enfer et avec un étourdissant brio. Il avait de petites mains courtes et rouges avec lesquelles, presque sans agiter les doigts, il semblait pétrir le piano.

Son jeu ne rappelait rien que j'eusse jamais entendu ou que je dusse jamais entendre; ce qu'on appelle « mécanisme » lui faisait complètement défaut et je crois qu'il aurait trébuché dans une simple gamme; aussi n'était-ce jamais précisément le morceau tel qu'il était écrit qu'on entendait avec lui, mais quelque approximation pleine de fougue, de saveur et d'étrangeté.

Je n'étais pas particulièrement ravi qu'il supprimât de ma vie les exercices; déjà j'aimais étudier; c'est pour plus de progrès que je changeais de professeur, et je doutais si, avec ce diable d'homme... Il avait de bizarres principes; celui-ci, par exemple : que le doigt, sur la touche, ne doit jamais demeurer immobile; il feignait que ce doigt continuât de disposer de la note, comme fait le doigt du violoniste ou l'archet qui porte sur la corde vibrante elle-même, et se donnait ainsi l'illusion d'en grossir ou d'en diminuer le son et de le modeler à son gré, suivant qu'il enfonçait ce doigt plus avant sur la touche ou au contraire le ramenait à lui. C'est là ce qui donnait à son jeu cet étrange mouvement de va-et-vient par quoi il avait l'air de malaxer la mélodie.

Ses leçons prirent fin brusquement sur une scène affreuse. Voici ce qui la motiva : Schifmacker était corpulent, je l'ai dit. Ma mère, craignant pour les petites chaises du salon, et que leur complexion délicate s'accommodât mal d'un tel poids, avait été chercher dans l'antichambre un robuste siège, hideux, recouvert de molesquine et qui jurait étrangement avec le mobilier du salon. Elle mit ledit siège à côté du piano, et écarta les autres, « pour qu'il comprît bien où il devait s'asseoir », disait-elle. La première leçon, tout alla bien, la chaise

tenait bon et résistait à l'oppression et à l'agitation
de ce gros corps. Mais la fois suivante il se passa
quelque chose d'épouvantable : la molesquine,
amollie sans doute à la leçon précédente, commença de lui coller aux chausses. On ne s'en
aperçut, hélas! qu'à la fin de la séance, au moment qu'il voulut se lever. Vains efforts! Il tenait
à la chaise, et la chaise tenait à lui. Son mince
pantalon (nous étions en été) si l'étoffe en était un
peu mûre, le fond allait y rester, c'était sûr; il y
eut quelques secondes d'angoisse... Et puis, non!
sur un nouvel effort, ce fut la molesquine qui
céda, doucement, doucement, abandonnant du
sien, comme par conciliation. Je maintenais la
chaise, encore trop consterné pour oser rire; lui,
tirant de l'avant, disait :

« Mon Dieu! Mon Dieu! qu'est-ce que c'est encore que cette invention d'enfer? » et tâchait, par-
dessus son épaule, de surveiller le décollement, ce
qui rendait sa face plus rouge encore.

Tout se passa sans déchirure, heureusement, et
sans dommage, que pour la molesquine dont il emportait avec lui tout l'apprêt, laissant sur le siège,
imprimée, l'effigie de son volumineux derrière.

Le plus curieux, c'est qu'il ne se fâcha qu'à la
leçon suivante. Je ne sais ce qui lui prit ce jour-là,
mais, après la leçon, comme je le raccompagnais
dans l'antichambre, subitement il éclata en invec-
tives d'une violence extrême, déclara qu'il y
voyait clair dans mon jeu, que j'étais « un faux
bonhomme », qu'il ne supporterait pas plus longtemps qu'on se fichât de lui et qu'il ne remettrait
plus les pieds dans une maison où on le traitait en
paltoquet.

Effectivement, il ne reparut plus; et nous apprîmes par les journaux, à quelque temps de là, qu'il s'était noyé pendant une partie de canotage.

Je n'entrais guère dans le salon qu'à cause du piano qui s'y trouvait. La pièce restait à demi fermée d'ordinaire, les meubles soigneusement protégés par des housses de percale blanche, striée de minces raies rouge vif. Ces housses habillaient si exactement la forme des chaises et des fauteuils, que c'était un plaisir de les remettre chaque jeudi matin, après la parade du mercredi, jour de réception de ma mère; la percale avait de savants retours, et de petites agrafes la maintenaient appliquée contre les soutiens des dossiers. Je ne suis pas bien sûr que je n'aimasse pas mieux le salon, ainsi revêtu de son uniforme de housses, décent, modeste et, l'été, délicieusement frais derrière les volets clos, que lorsque éclatait aux regards son luxe morne et inharmonieux. Il y avait diverses chaises en tapisserie, des fauteuils faux Louis XVI, recouverts d'un damas bleu et vieil or, dont étaient faits également les rideaux, rangés le long des murs ou en deux files qui, partant du milieu du salon, rejoignaient, aux deux côtés de la cheminée, deux fauteuils beaucoup plus importants que les autres, et dont le faste m'éblouissait; je savais qu'ils étaient en « velours de Gênes », mais j'imaginais mal sur quel métier compliqué pouvait être tissée cette étoffe qui tenait à la fois du velours, de la guipure et de la broderie; elle était de couleur havane; les bois de ces fauteuils étaient noirs et dorés; je n'avais pas la permission de m'y asseoir. Sur la cheminée, des candélabres et une pendule en cuivre doré : la décente *Sapho* de Pradier. Que dirai-je du lustre et des appliques? J'ai fait un grand pas dans l'émancipation de la pensée, le jour où j'osai me persuader que tous les lustres de tous les salons « comme il faut » n'étaient pas forcément en girandoles de cristal, comme ceux-ci.

Devant la cheminée, un écran en tapisserie de soie présentait, sous des églantines, une espèce de pont chinois dont les bleus me sont restés dans l'œil; des pendeloques agrémentaient la monture de bambou, balançant de droite et de gauche des glands de soie, du même azur que celui de la tapisserie, suspendus deux par deux à la tête et à la queue de poissons de nacre et retenus par des fils d'or. Il me fut raconté, plus tard, que ma mère l'avait brodé en secret dans les premiers temps de son mariage; le regard de mon père, le jour de sa fête, avait été buter contre, en entrant dans son cabinet. Quelle consternation! Lui, si doux, et qui adorait ma mère, il s'était presque fâché :

« Non, Juliette! s'était-il écrié; non, je vous en prie. Ici, je suis chez moi. Cette pièce au moins, laissez-moi l'arranger moi-même, tout seul, à ma façon. »

Puis, rappelant à lui son aménité, il avait persuadé ma mère que l'écran lui faisait beaucoup de plaisir, mais qu'il le préférait dans le salon.

Depuis la mort de mon père nous dînions tous les dimanches avec ma tante Claire et Albert; nous allions chez eux et ils venaient chez nous, alternativement, on n'enlevait pas les housses pour eux. Après le repas, tandis que nous nous mettions au piano, Albert et moi, ma tante et ma mère s'approchaient de la grande table, éclairée par une lampe à huile que coiffait un de ces abat-jour compliqués comme on en faisait alors; je crois qu'on n'en voit plus de pareils aujourd'hui; une fois par an, à même époque, nous allions en choisir un nouveau, maman et moi, chez un papetier de la rue de Tournon qui en avait un grand choix; dans leur carton opaque, des gaufrures savantes et des crevés laissaient passer des onglets de lumière à travers des papiers très minces et diversement colorés; c'était proprement enchanteur.

La table du salon était couverte d'un épais tapis de velours, marginé d'une très large bande de tapisserie laine et soie, qui, je crois, avait été l'œuvre patiente d'Anna et de ma mère, au temps qu'elles vivaient rue de M... Elle débordait la table et retombait sur les côtés, verticale, de sorte qu'on ne la pouvait admirer que de loin. Elle représentait, cette bordure, une torsade de pivoines et de rubans, ou du moins de quelque chose de jaune et de contourné qui pouvait passer pour tel. La bordure avait fait effort pour se raccorder au velours, c'est-à-dire qu'il y avait, mordant la bordure, en guise d'amorce ou de provocation, une régulière indentation de faux prolongements du velours; mais le velours, lui, n'avait fait aucun effort pour s'harmoniser avec la bordure; il avait préféré s'assortir aux fauteuils de velours de Gênes, adoptant leur couleur havane, tandis que les amorces restaient vert chou.

Alors, tandis que ma tante et ma mère faisaient leur partie de cartes, Albert et moi nous nous plongions dans les trios, les quatuors et les symphonies de Mozart, de Beethoven et de Schumann, déchiffrant avec frénésie tout ce que les éditions allemandes ou françaises nous offraient d'arrangements à quatre mains.

J'étais devenu à peu près de sa force, ce qui

n'était du reste pas beaucoup dire, mais ce qui
nous permettait de goûter ensemble des joies musicales qui sont restées parmi les plus vives et les
plus profondes que j'aie connues.

Tout le temps que nous jouions, ces dames
n'arrêtaient pas de causer; leurs voix s'élevaient à
la faveur de nos fortissimos; mais dans les pianis-
simos, hélas! elles ne baissaient guère et nous souf-
frions beaucoup de ce défaut de recueillement. Il
ne nous arriva que deux fois de pouvoir jouer
dans le silence, et ce fut un ravissement. Maman
m'avait laissé pour quelques jours, dans les circonstances que je vais dire, et, Albert, deux soirs
de suite, avait eu la gentillesse de venir dîner
avec moi; a-t-on compris ce qu'était pour moi mon
cousin, on comprendra du même coup quelle fête
ce put être de l'avoir ainsi pour moi tout seul, et
qui n'était venu que pour moi. Nous prolon-
geâmes la soirée fort avant dans la nuit, et nous
jouâmes si suavement que les anges durent entendre.

C'est à La Roque qu'était allée maman; une
épidémie de fièvre typhoïde s'était déclarée sur
une de nos fermes, et maman ne l'avait pas plus
tôt appris, qu'elle était partie pour soigner les
malades, estimant qu'il était de son devoir de le
faire, puisque ces gens étaient ses fermiers. Ma
tante Claire avait essayé de la retenir, disant
qu'avant de se devoir à ses fermiers, elle se devait
à son fils; qu'elle risquait beaucoup, pour n'être
que d'un secours très médiocre; et ce que ma
tante aurait pu ajouter, c'est que ces gens, assez
neufs sur la ferme, butés, rapaces, étaient inca-
pables à tout jamais d'apprécier un geste désin-
téressé comme celui de ma mère. Albert et moi

faisions chorus, très alarmés, car déjà deux des
gens de la ferme étaient morts. Conseils, objurgations, rien n'y fit : ce que maman reconnaissait
pour son devoir, elle l'accomplissait contre vent et
marée. S'il n'y paraissait pas toujours nettement,
c'est qu'elle avait encombré sa vie de maintes
préoccupations adventices, de sorte que l'idée de
devoir, souvent, se brésillait chez elle en un tas
de menues obligations.

Ayant à parler souvent de ma mère, je comptais
que ce que je rappellerais d'elle en cours de route
allait la peindre suffisamment; mais je crains
d'avoir bien imparfaitement laissé voir la *personne
de bonne volonté* qu'elle était (je prends ce mot
dans le sens le plus évangélique). Elle allait toujours s'efforçant vers quelque bien, vers quelque
mieux, et ne se reposait jamais dans la satisfaction
de soi-même. Il ne lui suffisait point d'être modeste;
sans cesse elle travaillait à diminuer ses imper-
fections, ou celles qu'elle surprenait en autrui, à
corriger elle ou autrui, à s'instruire. Du vivant de
mon père, tout cela se soumettait, se fondait dans
un grand amour. Son amour pour moi était sans
doute à peine moindre, mais, toute la soumission
qu'elle avait professée pour mon père, à présent
c'est de moi qu'elle l'exigeait. Des conflits en nais-
saient, qui m'aidaient à me persuader que je ne
ressemblais qu'à mon père; les plus profondes simi-
litudes ancestrales ne se révèlent que sur le tard.

En attendant, ma mère, très soucieuse de sa
culture et de la mienne, et pleine de considération pour la musique, la peinture, la poésie et en
général tout ce qui la surplombait, faisait de son
mieux pour éclairer mon goût, mon jugement, et
les siens propres. Si nous allions voir une exposi-

tion de tableaux — et nous ne manquions aucune
de celles que *Le Temps* voulait bien nous signaler
— ce n'était jamais sans emporter le numéro du
journal qui en parlait, ni sans relire sur place les
appréciations du critique, par grand'peur d'admirer de travers, ou de n'admirer pas tout. Pour
les concerts, le resserrement et la timide monotonie
des programmes d'alors laissaient peu de champ à
l'erreur; il n'y avait qu'à écouter, qu'à approuver,
qu'à applaudir.

Maman me menait chez Pasdeloup à peu près
tous les dimanches; un peu plus tard nous prîmes
un abonnement au Conservatoire où, deux années
de suite, nous allâmes ainsi, de deux dimanches
l'un. Je remportais de certains de ces concerts des
impressions profondes, et ce que je n'étais pas
d'âge encore à comprendre (c'est en 79 que maman
commença de m'y mener) n'en façonnait pas moins
ma sensibilité. J'admirais tout, à peu près indifféremment, comme il sied à cet âge, sans choix presque, et par urgent besoin d'admirer : la *Symphonie en ut mineur* et la *Symphonie écossaise,* la
suite de concertos de Mozart que Ritter (ou Risler)
débitait chez Pasdeloup de dimanche en dimanche,
et *Le Désert* de Félicien David, que j'entendis plusieurs fois, Pasdeloup et le public affectant un
goût particulier pour cette œuvre aimable, qu'on
trouverait sans doute un peu surannée et man-
quant d'épaisseur aujourd'hui; elle me charmait
alors comme avait fait un paysage oriental de
Tournemine, qui, lors de mes premières visites au
Luxembourg avec Marie, me paraissait le plus
beau du monde : il montrait, sur un fond de couchant couleur de grenade et d'orange, reflété dans
de calmes eaux, des éléphants ou des chameaux al-

longeant trompe ou cou pour boire, et tout au loin une mosquée allongeant ses minarets vers le ciel.

Si vifs que soient certains souvenirs de ces premiers « moments musicaux », il en est un près duquel tous pâlissent : en 83, Rubinstein vint donner une suite de concerts, à la salle Erard; les programmes prenaient la musique de piano à ses débuts et la menaient jusqu'à nos jours. Je n'assistai pas à tous, car les places étaient « hors de prix », comme disait maman, mais à trois seulement — dont j'ai gardé souvenir si lumineux, si net, que je doute parfois s'il s'agit bien du souvenir de Rubinstein lui-même, ou seulement des morceaux que, depuis, j'ai tant de fois relus et étudiés. Mais non; c'est bien précisément lui que j'entends et que je revois; et certains de ces morceaux : quelques pièces de Couperin par exemple, la *sonate en C dur* de Beethoven (op. 53) et le rondo de celle en *mi* (op. 90), *L'Oiseau prophète* de Schumann, je ne les pus ensuite écouter jamais qu'à travers lui.

Son prestige était considérable. Il ressemblait à Beethoven, de qui certains le disaient fils (je n'ai pas été vérifier si son âge rendait cette supposition vraisemblable); visage plat aux pommettes marquées, large front à demi noyé dans une crinière abondante, sourcils broussailleux; un regard absent ou dominateur; la mâchoire volontaire, et je ne sais quoi de hargneux dans l'expression de la bouche lippue. Il ne charmait point, il domptait. L'air hagard, il paraissait ivre, et l'on disait que souvent il l'était. Il jouait les yeux clos et comme ignorant du public. Il ne semblait point tant présenter un morceau que le chercher, le découvrir, ou le composer à mesure, et non point dans une improvisation, mais dans une ardente vision intérieure, une progressive révélation dont lui-même éprouvât et ravissement et surprise.

Les trois concerts que j'entendis étaient consacrés, le premier à la musique ancienne, les deux autres à Beethoven et à Schumann. Il y en eut un consacré à Chopin auquel j'aurais bien voulu également assister, mais ma mère tenait la musique de Chopin pour « malsaine » et refusa de m'y mener.

L'an suivant j'allai moins au concert; davantage au théâtre, à l'Odéon, au Français; à l'Opéra-Comique surtout, où j'entendis à peu près tout ce qu'on voulait bien donner du répertoire vieillot de l'époque : Grétry, Boïeldieu, Hérold, dont la grâce m'emplissait d'aise, qui m'emplirait aujourd'hui d'un ennui mortel. Oh! ce n'est pas à ces maîtres charmants que j'en ai, mais à la musique dramatique; mais au théâtre en général. Y ai-je été trop naguère? Tout m'y paraît prévu, conventionnel, outré, fastidieux... Si par mégarde encore parfois je m'aventure dans une salle de spectacles, et si quelque ami près de moi ne me retient, j'ai bien du mal à attendre le premier entr'acte pour m'éclipser du moins décemment. Il a fallu dernièrement le Vieux-Colombier, l'art et la ferveur de Copeau et la bonne humeur de sa troupe pour me réconcilier un peu avec les plaisirs de la scène. Mais je réserve les commentaires et reviens à mes souvenirs.

Depuis deux ans un enfant de mon âge venait passer près de moi les vacances; maman, qui s'était ingéniée à me procurer ce camarade, y voyait un double avantage : faire profiter du bon air de la campagne un enfant peu fortuné qui sinon n'aurait

pas quitté Paris de tout l'été, et m'arracher aux
trop contemplatives joies de la pêche. Armand
Bavretel avait pour fonction de me promener. Fils
de pasteur, nécessairement. Il vint la première année avec Edmond Richard; la seconde avec Richard l'aîné, chez qui j'étais déjà pensionnaire.
C'était un enfant d'aspect plutôt frêle, aux traits
délicats, fins, presque jolis; son œil très vif et son
aspect craintif lui donnaient l'air d'un écureuil;
il était de naturel espiègle et devenait rieur sitôt
qu'il se sentait à l'aise; mais le premier soir, tout
dépaysé dans le grand salon de La Roque, malgré
l'accueil affectueux d'Anna et de ma mère, le
pauvre petit éclata en sanglots. Comme j'y allais
aussi de toute mon affection, je fus plus que surpris et presque choqué par ces larmes; il me semblait qu'il reconnaissait mal les prévenances de ma
mère; pour un peu j'aurais trouvé qu'il lui manquait. Je ne pouvais comprendre alors tout ce que
le visage de la fortune peut présenter d'offensant
pour un pauvre; et pourtant le salon de La Roque
n'avait rien de bien luxueux; mais on s'y sentait
à l'abri de cette meute de soucis qu'excite et fait
aboyer la misère. Armand aussi quittait les siens
pour la première fois, et je crois qu'il était de ceux
qui se blessent à tout ce qui ne leur est pas familier. Du reste, la fâcheuse impression de ce premier soir dura peu; bientôt il se laissa cajoler par
ma mère, et par Anna qui avait de bonnes raisons
pour le comprendre mieux encore. Pour moi j'étais
ravi d'avoir un camarade, et remisai mes hame-
çons.

Notre plus grand amusement était de nous lancer
à travers bois, à la manière des *Trappeurs de l'Ar-
kansas* dont Gustave Aimard nous racontait les

aventures, dédaigneux des chemins tracés, ne reculant devant fourrés ni marécages, et ravis au
contraire lorsque l'épaisseur des taillis nous obligeait à avancer péniblement sur les genoux et sur
les mains, voire à plat ventre, car nous tenions à
déshonneur de biaiser.

Nous passions les après-midi du dimanche au
Val-Richer; c'était alors d'épiques parties de
cache-cache, fécondes en péripéties, car elles se
jouaient dans la grande ferme, à travers granges,
remises et n'importe quels bâtiments. Puis, après
que nous eûmes éventé leurs mystères, nous en
cherchâmes d'autres à La Roque, où vinrent Lionel
et sa sœur Blandine; nous montions à la ferme
de la Cour Vesque (que mes parents appelaient
Cour l'Evêque) et, là, les parties reprirent de plus
belle, dans l'imprévu de ce décor nouveau. Blandine allait avec Armand, et je restais avec Lionel;
les uns cherchant, les autres se cachant sous des
fagots, sous des bottes de foin, dans la paille; on
grimpait sur les toits, on passait par tous les per-
tuis, toutes les trappes, et par ce trou dangereux,
au-dessus du pressoir, par où l'on fait crouler les
pommes; on inventait, poursuivi, mainte acro-
batie... Mais, si passionnante que fût la poursuite,
peut-être le contact avec les biens de la terre, les
plongeons dans l'épaisseur des récoltes, et les bains
d'odeurs variées, faisaient-ils le plus vrai du plaisir.
O parfum des luzernes séchées, âcres senteurs de la
bauge aux pourceaux, de l'écurie ou de l'étable!
effluves capiteux du pressoir, et là, plus loin, entre
les tonnes, ces courants d'air glacé où se mêle aux
relents des futailles une petite pointe de moisi.
Oui, j'ai connu plus tard l'enivrante vapeur des
vendanges, mais, pareil à la Sulamite qui deman-

dait qu'on la soutînt avec des pommes, c'est l'éther
exquis de celles-ci que je respire, de préférence à la
douceur obtuse du moût. Lionel et moi, devant
l'énorme tas de blé d'or qui s'effondrait en pentes
molles sur le plancher net du grenier, nous mettions bas nos vestes, puis, les manches haut rele-
vées, nous enfoncions nos bras jusqu'à l'épaule et
sentions entre nos doigts ouverts glisser les menus
grains frais.

Nous convînmes un jour de nous aménager,
chacun séparément et secrètement, une sorte de
résidence particulière où chacun, à tour de rôle,
inviterait les trois autres, qui apporteraient le
goûter. Le sort me désigna le premier. J'avisai
pour mon installation un bloc calcaire énorme,
blanc, lisse et de fort bel aspect, mais perdu dans
un fouillis d'orties que je ne pus traverser que par
un bond énorme, en m'aidant d'une perche et prenant un formidable élan. Je baptisai *Le Pourquoi
pas?* mon beau domaine. Puis m'assis sur le bloc
comme sur un trône, et j'attendis mes invités. Ils
s'amenèrent enfin; mais, quand ils virent le rem-
part d'orties qui me séparait d'eux, ils poussèrent
les hauts cris. Je leur tendis la perche qui m'avait
servi, afin qu'ils sautassent à leur tour; mais ils ne
s'en furent pas plus tôt emparés en riant, qu'ils
s'enfuirent à toutes jambes, emportant et perche et
goûter, m'abandonnant dans ce diable de retiro
d'où, sans élan, j'eus le plus grand mal à sortir.

Armand Bavretel ne vint passer chez nous que
deux étés. L'été de 84, mes cousines ne vinrent pas
non plus, ou que peu de temps, et, me trouvant
seul à La Roque, je fréquentai davantage Lionel.
Non contents de nous retrouver ouvertement le dimanche, jour où il était convenu que je goûtais au

Val-Richer, nous nous donnions de vrais rendez-
vous d'amoureux, auxquels nous courions furtivement, le cœur battant et la pensée frémissante.
Nous étions convenus d'une cachette, qui nous
pût servir de poste restante; pour savoir où et
quand nous retrouver, nous échangions des lettres
bizarres, mystérieuses, cryptographiées et qu'on ne
pouvait lire qu'à l'aide d'une grille ou d'une clef.
La lettre était déposée dans un coffret clos, lequel
se dissimulait dans la mousse, à la base d'un vieux
pommier, dans un pré à l'orée du bois, à mi-dis-
tance de nos deux demeures. Sans doute il y avait
dans l'exagération de nos sentiments l'un pour
l'autre, comme eût dit La Fontaine « un peu de
faste », mais nullement d'hypocrisie, et, après que
l'un à l'autre nous eûmes fait serment d'amitié
fidèle, je crois que, pour nous rejoindre, nous aurions traversé le feu. Lionel me persuada qu'un
pacte aussi solennel nécessitait un gage; il rompit
en deux un fleuron de clématite, m'en remit une
moitié, garda l'autre, qu'il jura de porter sur lui
comme talisman. J'enfermai mon demi-fleuron
dans un petit sachet brodé que je suspendis à mon
cou à la façon d'un scapulaire et que je gardai
ainsi contre ma poitrine, jusqu'à ma première
communion.

Si passionnée que fût notre liaison, il ne s'y
glissait de sensualité pas la moindre. Lionel,
d'abord, était richement laid; puis sans doute
éprouvais-je déjà cette inhabileté foncière à mêler
l'esprit et les sens, qui je crois m'est assez particulière, et qui devait bientôt devenir une des répugnances cardinales de ma vie. De son côté,
Lionel, en digne petit-fils de Guizot, affichait
des sentiments à la Corneille. Certain jour de dé-

part, comme je m'approchais pour une accolade fraternelle, il me repoussa à bras tendus et, solennel :

« Non; entre eux, les hommes ne s'embrassent pas! »

Il avait un amical souci de m'introduire davantage dans sa vie et dans la coutume de sa famille. J'ai dit qu'il était orphelin; le Val-Richer appartenait alors à son oncle, également gendre de Guizot, les deux frères de R... ayant épousé les deux sœurs. M. de R... était député, et le fût resté jusqu'à la fin de sa vie si, au début de l'affaire Dreyfus, il n'avait eu le courage unique de voter contre son parti (c'est dire qu'il était de la droite). Extrêmement bon et honnête, il manquait un peu de caractère, d'étoffe, ou enfin de je ne sais quoi qui lui eût permis de présider autrement que par l'âge et qu'en apparence, à cette table de famille nombreuse où les éléments les plus jeunes n'étaient pas toujours les plus soumis; mais l'excellent homme avait déjà de la peine à faire figure suffisante aux côtés de sa femme, dont la supériorité l'exténuait. Mme de R... était du reste très calme, très douce et suffisamment prévenante; rien dans le ton de sa voix ou dans ses manières ne cherchait à imposer; mais, sans dire peut-être des choses bien neuves ou bien profondes, elle ne parlait jamais pour ne rien dire et n'exprimait jamais rien que de sensé (j'ajoute à mes souvenirs d'enfant d'autres souvenirs plus récents), de sorte que l'ascendant était réel qu'elle exerçait sur tous comme une naturelle souveraineté. Il ne me paraît pas que ses traits rappelassent beaucoup ceux de M. Guizot; mais elle avait été sa secrétaire, la confidente de sa pensée et certainement son prestige s'aggravait du poids conscient de ce passé.

En plus de M. de R..., tout le monde dans la famille s'occupait plus ou moins de politique. Lionel, dans sa chambre, me faisait me découvrir devant une photographie du duc d'Orléans (je ne savais, alors, absolument pas qui c'était). Son frère aîné, qui travaillait l'opinion dans un département du Midi, s'était fait blackbouler et reblackbouler aux élections. Le facteur apportait de Lisieux le courrier; il arrivait pendant qu'on était à table; chacun, grand ou petit, s'emparait aussitôt d'un journal; on arrêtait de manger et, durant un long temps, sur tout le tour de la table, l'invité que j'étais ne voyait plus un visage.

Le dimanche matin, dans le salon, Mme de R... faisait le culte, auquel assistaient parents, enfants et serviteurs. Lionel, d'autorité, me faisait asseoir près de lui; et, durant la prière, alors que nous étions agenouillés, il me prenait la main, qu'il gardait serrée dans la sienne, comme pour offrir à Dieu notre amitié.

Pourtant Lionel ne respirait pas toujours le sublime. A côté de la salle de culte (j'ai dit que c'était le salon), se trouvait la bibliothèque, une vaste pièce carrée aux murs tapissés de livres, où la grande *Encyclopédie* avoisinait les œuvres de Corneille. A portée de la main, elle s'ouvrait aux curiosités de l'enfant; dès que Lionel savait trouver déserte la pièce, il y fouillait éperdument. Un article menait à l'autre; tout y était présenté avec vivacité, agrément et vigueur; ces impertinents esprits forts du XVIIIe siècle s'entendaient admirablement à amuser, à étonner et à distraire en instruisant. Quand nous traversions la pièce, Lionel me poussait du coude (le dimanche il y avait toujours du monde à côté) et d'un clin d'œil m'indiquait les fameux bouquins, que je n'eus jamais l'heur de toucher. Du reste, d'esprit plus lent que Lionel, ou plus occupé, j'étais beaucoup moins curieux que lui de ces choses — on a compris de quoi je veux parler; et lorsque ensuite il me racontait ses explorations au travers du dictionnaire, me faisant part de ses découvertes, je l'écoutais, mais plus ahuri qu'excité; je l'écoutais, mais je ne l'interrogeais point. Je ne comprenais rien à demi-mot, et, l'an suivant encore, comme Lionel me racontait, avec cet air supérieur et renseigné qu'il savait prendre, qu'il avait trouvé dans la chambre abandonnée de son frère un livre au titre suggestif : *Les Souvenirs d'un chien de chasse,* je crus qu'il s'agissait de vénerie.

Cependant la nouveauté de l'*Encyclopédie* s'épuisait et le temps vint que Lionel n'y trouva plus guère à apprendre. Par le plus singulier retour, nous fîmes alors, mais cette fois de conserve, des lectures du genre le plus sérieux : ce fut Bossuet, ce fut Fénelon, ce fut Pascal. A force de dire « l'année suivante », j'en arrive à ma seizième année. Je préparais mon instruction religieuse et la correspondance que j'avais commencé d'entretenir avec ma cousine m'inclinait également l'esprit. Cette année, passé l'été, Lionel et moi nous ne cessâmes pas de nous voir; à Paris nous allions alternativement l'un chez l'autre. Rien de plus prétentieux que nos entretiens de cette époque, pour profitables qu'ils fussent; nous avions la présomption *d'étudier* les grands écrivains susnommés; nous commentions à qui mieux mieux des passages philosophiques, et choisissions de préférence les plus abstrus. Les *Traités de la Concu-*

*piscence, De la Connaissance de Dieu et de soi-
même*, etc., furent mis en coupes réglées; férus de
grandiloquence, tout nous paraissait terre à terre,
tant que nous n'avions pas perdu pied; nous éla-
borions d'ineptes gloses, des paraphrases qui me
feraient rougir aujourd'hui si je les revoyais, mais
qui tout de même nous bandaient l'esprit, et dont
surtout était ridicule la satisfaction de nous-mêmes
que nous y puisions.

J'achève avec Lionel, car notre belle amitié n'eut
pas de suites, et je n'aurai pas l'occasion d'y revenir. Nous continuâmes de nous voir encore quelques années, mais avec de moins en moins de joie.
Mes goûts, mes opinions et mes écrits lui déplai-
saient; il tenta de m'amender d'abord, puis cessa
de me fréquenter. Il était, je crois, de cette famille
d'esprits qui ne sont susceptibles que d'amitiés dé-
valantes, je veux dire : accompagnées de condes-
cendance et de protection. Même au plus chaud
de notre passion, il me faisait sentir que je n'étais
pas né comme lui. La correspondance du comte de
Montalembert avec son ami Cornudet venait de
paraître; le livre (la nouvelle édition de 84) était
sur les tables du salon de La Roque et de celui
du Val-Richer; Lionel et moi, cédant au mouvement, nous nous exaltions sur ces lettres où Montalembert faisait figure de grand homme; son amitié pour Cornudet était touchante; Lionel rêvait
notre amitié pareille; bien entendu, c'était moi,
Cornudet.

C'est sans doute aussi ce qui fait qu'il ne supportait pas qu'on lui apprît rien; toujours il savait tout avant vous, et parfois il lui arrivait de
vous réciter votre propre opinion comme sienne,
oubliant qu'il vous la devait, ou de vous redonner

avec suffisance le renseignement qu'il tenait de
vous. En général il servait comme de son cru ce
qu'il avait glané par ailleurs. Avec quel amusement j'avais retrouvé, dans une revue, le mot, absurde du reste, qu'il avait laissé tomber de si
haut, comme un fruit de ses réflexions personnelles,
du temps que nous découvrions Musset : « C'est
un garçon coiffeur qui a dans son cœur une belle
boîte à musique. » (Je n'aurais peut-être pas parlé
de ce travers, si je n'avais lu dans les *Cahiers*
de Sainte-Beuve que Guizot en était pareillement entiché.)

— Et Armand?

Durant quelques mois je continuai d'aller le voir
à Paris de loin en loin. Il habitait avec sa famille
rue de l'A..., contre les Halles centrales. Il vivait
là, aux côtés de sa mère, digne femme douce et
réservée; avec deux sœurs; l'une, sensiblement plus
âgée, s'était faite insignifiante, par effacement et affectueuse abnégation devant sa sœur cadette,
comme il advient souvent, prenant à sa charge,
pour autant qu'il pouvait me paraître, toutes les
corvées et les soins les plus rebutants du ménage.
La seconde sœur, du même âge à peu près qu'Armand, était charmante; on eût dit qu'elle acceptait
son rôle de représenter la grâce et la poésie dans
cette sombre maison; on la sentait choyée par tous
et particulièrement par Armand, mais par celui-ci
de la façon bizarre que je dirai. Armand avait encore un grand frère, qui venait d'achever ses
études de médecine et commençait à chercher clientèle; je n'ai pas souvenir de l'avoir jamais rencontré. Quant au pasteur Bavretel, le père, la phi-
lanthropie l'accaparait sans doute et je ne l'avais
encore jamais rencontré, lorsque soudain, certaine

fin d'après-midi que Mme Bavretel avait convié à
goûter quelques amis d'Armand, il fit, dans la salle
à manger où nous partagions le gâteau des rois,
une apparition sensationnelle. Ah! juste Ciel!
qu'il était laid! C'était un homme court, carré
des épaules; avec des bras et des mains de gorille;
la dignité de la redingote pastorale accentuait encore l'inélégance de son aspect. Que dire de son
chef? Les cheveux grisonnants, huileux, par paquets de mèches plates lustraient son col; les yeux
globuleux roulaient sous des paupières épaisses; le
nez faisait un encombrement informe; sa lèvre
inférieure, tuméfiée, retombait en avant, molle,
violette et baveuse. Il parut, et notre animation
figea net. Il ne demeura parmi nous qu'un instant,
prononça quelque phrase insignifiante, comme :

« Amusez-vous bien, mes enfants », ou

« Que Dieu vous ait en sa sainte garde », et
sortit, entraînant à sa suite Mme Bavretel à qui
il voulait dire quelques mots.

L'an suivant, dans les mêmes circonstances exactement, il fit exactement la même entrée, dit la
même phrase, ou une exactement équivalente, et
allait ressortir exactement de la même manière,
suivi de son épouse, lorsque, celle-ci ayant eu la
malencontreuse idée de m'appeler pour me présenter à lui, qui jusqu'alors ne me connaissait
que de nom, le pasteur me tira à lui, ô horreur!
et, avant que j'eusse pu m'en défendre, m'em-
brassa.

Je ne le vis que ces deux fois, mais mon impression fut si vive qu'il ne cessa depuis lors de
hanter mon imagination; même il commença d'habiter un livre que je projetais d'écrire, et qu'il
n'est pas encore dit que je n'écrirai pas, au travers

duquel je pusse répandre un peu de la fuligineuse
atmosphère que j'avais respirée chez les Bavretel.
Ici la pauvreté cessait d'être seulement privative,
comme la croient trop souvent les riches; on la
sentait réelle, agressive, attentionnée; elle régnait
affreusement sur les esprits et sur les cœurs, s'in-
sinuait partout, touchait aux endroits les plus
secrets et les plus tendres, et faussait les ressorts
délicats de la vie. Tout ce qui s'éclaire à mes
yeux aujourd'hui, j'étais mal éduqué pour le comprendre d'abord; bien des anomalies, chez les Bavretel, ne me paraissaient étranges sans doute que
parce que j'en discernais mal l'origine, et ne savais
pas faire intervenir toujours et partout cette gêne
que, par pudeur, la famille prenait tant de soin de
cacher. Je n'étais pas précisément un enfant gâté;
j'ai dit déjà la vigilance de ma mère à ne m'avan-
tager en rien sur d'autres camarades moins for-
tunés; mais ma mère ne s'était jamais proposé
de me faire échapper à mes habitudes et de rompre le cercle enchanté de mon bonheur. J'étais
privilégié sans le savoir, comme j'étais Français et
protestant sans le savoir; sorti de quoi, tout me
paraissait exotique. Et, de même qu'il fallait une
porte cochère à la maison que nous habitions, ou
mieux : que « nous nous devions » comme disait
ma tante Claire, d'avoir une porte cochère, de
même « nous nous devions » de ne voyager jamais
qu'en première classe, par exemple; et de même,
au théâtre, je ne concevais pas que des gens qui se
respectent pussent aller ailleurs qu'au balcon.
Quelles réactions une telle éducation me préparait,
il est prématuré d'en parler; j'en suis encore au
temps où, emmenant Armand à une matinée de
l'Opéra-Comique, pour laquelle ma mère avait re-

tenu deux places de seconde galerie — car, nous
laissant, pour la première fois, aller seuls, elle
avait jugé ces places suffisantes pour deux galopins de notre âge — je fus éperdu de me trouver
sensiblement plus haut que de coutume, environné
de gens qui me paraissaient du commun; me précipitant au contrôle je versai tout l'argent que
j'avais en poche, pour des suppléments qui nous
permissent de regagner mon niveau. Il faut dire
aussi que, pour une fois que j'invitais Armand, je
souffrais de ne pas lui offrir le meilleur.

Donc, au jour de l'Epiphanie, Mme Bavretel
conviait les amis d'Armand à venir « tirer les
rois ». J'assistai plusieurs fois à cette petite fête;
pas chaque année pourtant, car à ce moment de
l'hiver nous étions d'ordinaire à Rouen ou dans le
Midi; mais je dus y retourner encore passé 1891,
car je me souviens que cette bonne Mme Bavretel
me présentait déjà comme un auteur illustre aux
autres jeunes gens, tous plus ou moins illustres
eux aussi. Evidemment l'arrière-souci du probléma-
tique avenir de la jeune sœur n'était pas absent
de ces réunions. Mme Bavretel pensait que, parmi
ces jeunes célébrités, un parti s'offrirait peut-être,
et cette préoccupation, qu'elle eût voulu dissimuler et désavouer presque, était au contraire bru-
talement mise en lumière par la cynique intervention d'Armand, qui profitait du jour des rois pour
se permettre les allusions les plus directes et les
plus gênantes; c'est lui qui taillait les parts du
gâteau, et, connaissant la place de la fève, il s'ar-
rangeait de manière qu'elle échût à sa sœur ou à
l'éventuel prétendant. En l'absence d'autres jeunes
filles, force était qu'il la choisît pour reine. Mais
alors, quelles plaisanteries! Certainement Armand

souffrait déjà du mal bizarre qui le porta quelques
années plus tard à se tuer. Je ne puis m'expliquer
autrement l'acharnement qu'il y mettait; il n'avait
de cesse que sa sœur ne fût en larmes, et, si les
mots n'y suffisaient pas, il s'approchait pour la
brutaliser, la pincer. Quoi! la détestait-il? Je crois
qu'il l'adorait au contraire, et qu'il souffrait pour
elle de tout, et aussi de ces mortifications qu'il
lui faisait subir, car il était de tendre nature et
nullement cruel; mais son obscur démon se plaisait à détériorer son amour. Avec nous Armand
était nerveux, sémillant, mais toujours ce même
esprit caustique envers soi-même, envers les siens,
envers tout ce qu'il aimait, le poussait à rengréger
sur la misère; il désolait sa mère en exposant et
désignant tout ce qu'elle aurait voulu cacher : les
taches, les dépareillements, les déchirures, et mettait tous les invités mal à l'aise. Mme Bavretel
s'affolait, concédait à demi, comme faisant la part
du feu, mais gâtait le reste par trop d'excuses, par
des : « Je sais bien que chez M. Gide on n'oserait
pas servir le gâteau des rois dans un plat ébréché »,
dont Armand soulignait la gaucherie en éclatant
de rire insolemment ou s'écriant : « C'est le plat
dans lequel j'ai mis les pieds », ou : « Ça te la
coupe, mon vieux », exclamations qui s'échap-
paient de lui nerveusement et dont il paraissait
à peine responsable. Qu'on imagine pour couron-
ner la scène — Armand gouaillant, la mère protestant, la sœur pleurant, tous les hôtes dans
leurs petits souliers — qu'on imagine l'entrée solennelle du pasteur!

J'expliquais à quel point mon éducation me
rendait sensible à l'exotisme de la misère, mais
il s'y joignait ici je ne sais quoi de grimaçant

et de contraint, de courtois et de saugrenu qui
portait à la tête et, au bout de peu de temps,
me faisait perdre complètement la notion de la
réalité; tout commençait à flotter autour de moi,
à se déconsister, à verser dans le fantastique, non
seulement le lieu, les gens, les propos, mais moi-
même, ma propre voix que j'entendais comme à
distance et dont les sonorités m'étonnaient. Parfois il me paraissait qu'Armand n'était pas inconscient de toute cette bizarrerie, mais s'efforçait
d'y concourir, tant était juste et pour ainsi dire
attendue la note aigre qu'il apportait dans ce
concert; bien plus, il me semblait enfin que
Mme Bavretel elle-même se grisait de cette affo-
lante harmonie, lorsqu'elle présentait à l'auteur
des *Cahiers d'André Walter,* « ce livre si remarquable que vous avez lu certainement », monsieur
Dehelly, « premier prix de diction au Conservatoire, dont tous les journaux ont fait l'éloge »
et chaque invité sur ce mode, de sorte que moi-
même, et Dehelly et tous les autres, bientôt, fan-
toches irréels, nous parlions, nous gesticulions
sous la dictée de l'atmosphère que nous avions
nous-mêmes créée. On était tout surpris, en sortant, de se retrouver dans la rue.

Je revis Armand... Ce jour-là, je fus reçu par la
sœur aînée. Elle était seule dans l'appartement.
Elle me dit que je trouverais Armand, deux étages
au-dessus, dans sa chambre; car il avait fait dire
qu'il ne descendrait pas. Je savais où était sa
chambre, mais n'y étais encore jamais entré. Elle
donnait directement sur l'escalier en face du logement où son frère avait ouvert un cabinet de
consultation si je ne me trompe. C'était une pièce
point trop petite mais très sombre qui prenait

air sur une courette, et vers laquelle un hideux
réflecteur de zinc gondolé rabattait des reflets bla-
fards. Armand était étendu, tout vêtu, sur son
lit défait; il avait gardé sa chemise de nuit; il
était mal rasé; sans cravate. Il se leva quand j'entrai, et me serra dans ses bras, ce qu'il ne faisait
pas d'habitude. Je ne me souviens pas du début
de notre conversation. Sans doute étais-je beaucoup plus occupé par l'aspect de sa chambre que
par ce qu'il disait. Il n'y avait pas dans toute
la pièce le moindre objet où poser agréablement
le regard; la misère, la laideur, la noirceur étaient
étouffantes, au point que bientôt je lui demandai
s'il ne consentirait pas à m'accompagner au-
dehors.

« Je ne sors plus, dit-il sommairement.

— Pourquoi?

— Tu vois bien que je ne peux pas sortir
comme je suis. »

J'insistai, lui dis qu'il pouvait mettre un col
et que je me souciais peu qu'il fût ou non rasé.

« Je ne suis pas lavé non plus », protesta-t-il.
Puis, avec une sorte de ricanement douloureux, il
m'annonça qu'il ne se lavait plus, et que c'était
pour cela que ça sentait si mauvais dans la pièce;
qu'il n'en sortait que pour les repas et n'avait
plus mis les pieds dehors depuis vingt jours.

« Que fais-tu?

— Rien. »

Voyant que je cherchais à distinguer les titres
de quelques livres qui traînaient sur un coin de
table, auprès de son lit :

« Tu veux savoir ce que je lis? »

Il me tendit *La Pucelle* de Voltaire, que depuis
longtemps je savais être son livre de chevet, *Le*

Citateur de Pigault-Lebrun, et *Le Cocu* de Paul
de Kock. Puis, mis en veine de confidence, il m'expliqua bizarrement qu'il s'enfermait parce qu'il
n'était capable de faire que du mal, qu'il savait
qu'il nuisait aux autres, leur déplaisait, les dégoû-
tait; que d'ailleurs il avait beaucoup moins d'esprit qu'il n'avait l'air d'en avoir, et que même
le peu qu'il avait il ne savait plus s'en servir.

Je me dis aujourd'hui que je n'aurais pas dû
l'abandonner dans cet état; que du moins j'aurais dû lui parler davantage; il est certain que
l'aspect d'Armand et sa conversation ne m'affec-
tèrent pas alors autant qu'ils eussent fait plus
tard. Il faut que j'ajoute ceci : il me semble bien
me souvenir qu'il me demanda brusquement ce
que je pensais du suicide, et qu'alors, le regardant dans les yeux, je répondis que, dans certains
cas, le suicide me paraissait louable — avec un
cynisme dont en ce temps j'étais bien capable. —
mais je ne suis pas certain de n'avoir pas imaginé tout cela par la suite, à force de remuer
dans ma tête ce dernier entretien et de l'apprêter
pour le livre où je me proposais de faire figurer
également le pasteur.

J'y repensai particulièrement lorsque, à quelques années de là (je l'avais, entre-temps, perdu
de vue) je reçus le faire-part de la mort d'Armand.
J'étais en voyage et ne pus aller à son enterre-
ment. Quand je revis un peu plus tard sa mal-
heureuse mère, je n'osai l'interroger. C'est indi-
rectement que j'appris qu'Armand s'était jeté dans
la Seine.

VII

Sur le seuil de cette année (1884) il m'arriva une aventure extraordinaire. Au matin du premier jour de l'an : j'étais allé embrasser Anna qui, je l'ai dit, habitait rue de Vaugirard. Je revenais, joyeux déjà, content de moi, du ciel et des hommes, curieux de tout, amusé d'un rien et riche immensément de l'avenir. Je ne sais pourquoi, ce jour-là, je pris pour m'en revenir, au lieu de la rue Saint-Placide qui était mon chemin habituel, une petite rue sur la gauche, qui lui est parallèle; par amusement, par simple plaisir de changer. Il était près de midi; l'air était clair et le soleil presque chaud coupait l'étroite rue dans sa longueur, de sorte qu'un trottoir était lumineux, l'autre sombre.

A mi-chemin, quittant le soleil, je voulus goûter de l'ombre. J'étais si joyeux que je chantais en marchant et sautant, les yeux au ciel. C'est alors que je vis descendre vers moi, comme une réponse à ma joie, une petite chose voletante et dorée, comme un morceau de soleil trouant l'ombre, qui s'approcha de moi, battant de l'aile, et vint se poser sur ma casquette, à la manière du Saint-Esprit. Je levai la main; un joli canari s'y

logea; il palpitait comme mon cœur, que je sentais emplir ma poitrine. Certainement l'excès de
ma joie était manifeste au-dehors, sinon aux sens
obtus des hommes; certainement pour des yeux un
peu délicats je devais scintiller tout entier comme
un miroir à alouettes et mon rayonnement avait
attiré cette créature du ciel.

Je revins en courant près de ma mère, ravi
de rapporter le canari; mais surtout ce qui me
gonflait, ce qui me soulevait de terre, c'était l'en-
thousiasmante assurance d'avoir été célestement
désigné par l'oiseau. Déjà j'étais enclin à me croire
une vocation; je veux dire une vocation d'ordre
mystique; il me sembla qu'une sorte de pacte
secret me liait désormais, et lorsque j'entendais
ma mère souhaiter pour moi telle ou telle carrière, celle des Eaux et Forêts par exemple qui
lui semblait devoir convenir particulièrement à
mes goûts, je me prêtais à ses projets par convenance, du bout du cœur, comme on se prêterait
à un jeu, mais sachant bien que l'intérêt vital
est ailleurs. Pour un peu j'aurais dit à ma mère :
Comment disposerais-je de moi? Ne sais-tu pas
que je n'en ai pas le droit? N'as-tu donc pas compris que je suis élu? — Je crois bien qu'un
jour qu'elle me poussait sur le choix d'une profession, je lui sortis quelque chose de cela.

Le serin (c'était une serine) alla rejoindre, dans
une vaste cage, une nichée de chardonnerets que
j'avais rapportée de La Roque; avec laquelle il
fit très bon ménage. J'étais ravi. Mais le plus
surprenant reste à dire : à quelques jours de là,
un matin que je me rendais à Batignolles où habitait à présent M. Richard, voici que, sur le
boulevard Saint-Germain, au moment que je m'ap-

prêtais à le traverser, je vis s'abattre, obliquement, vers le milieu de la chaussée... avais-je la berlue? encore un canari! Je m'élançai; mais, un peu plus farouche que l'autre, échappé de la même cage sans doute, cet oiseau me fuyait, s'envolait plus loin, non d'un vol franc, du reste, mais par courtes étapes, rasant le sol, comme un oiseau jusqu'à présent captif et que la liberté de son vol étourdit. Je le poursuivis quelque temps; le long de la ligne de tramways, il m'éluda trois fois, mais enfin je parvins à le couvrir de ma casquette. C'était entre deux rails, à l'instant qu'un tramway menaçait de nous écraser tous les deux.

Cette chasse m'avait mis en retard pour ma leçon; je courus chez mon professeur, éperdu de joie, délirant, tenant mon canari dans mes mains closes. M. Richard n'était pas difficile à distraire; gentiment, l'heure de la leçon se passa à la recherche d'une minuscule cage provisoire dans quoi je pusse ramener rue de Commaille mon oiseau. Moi qui précisément souhaitais un mâle pour ma serine! Le voir tomber du ciel à nouveau, voici qui tenait du miracle. Qu'à moi fussent réservées de si gracieuses aventures, j'en ressentais un orgueil fou, bien plus que de quelque haut fait que j'aurais accompli moi-même. Décidément j'étais prédestiné. Je n'allais plus que les regards en l'air, attendant du ciel, comme Élie, mon plaisir et ma nourriture.

Mes canaris firent souche et, quelques semaines plus tard, si grande que fût ma cage, mes protégés s'y bousculaient. Les dimanches, jours de sortie de mon cousin Edouard, on les lâchait tous dans ma chambre; ils s'ébattaient, fientaient de tous côtés, se posaient sur nos têtes, sur le haut des

meubles, sur des cordons tendus, et sur quelques
ramures rapportées du bois de Boulogne ou de
la forêt de Meudon, qu'on coinçait dans des tiroirs,
qu'on fichait horizontales dans des trous de ser-
rure, ou verticales dans des pots. Au rez-de-chaussée, dans un dédale de tapis, ingénieusement en-
tassés, folâtrait une famille de souris blanches. Je
fais grâce de l'aquarium.

Diverses raisons avaient ramené les Richard
dans Paris : l'élévation des loyers dans le quartier de Passy; le désir de se rapprocher d'un lycée
où le petit Blaise pût commencer ses études; l'espoir des répétitions aux élèves de ce lycée. Il faut
dire aussi que Mme Bertrand avait pris le parti
de s'installer de son côté, avec sa fille, ce qui certainement amenait une grande défaillance de bud-
get. Enfin les deux miss pensionnaires avaient
repassé le détroit. Edmond Richard était reparti
pour Guéret. Moi-même je n'habitais plus chez
M. Richard; j'arrivais chez lui chaque matin, vers
neuf heures; j'y déjeunais et rentrais rue de Commaille pour le dîner. A la reprise des classes, cette
année, j'avais bien essayé de nouveau de l'Ecole
Alsacienne et m'y étais cramponné quelques mois;
mais, de nouveau, des maux de tête des plus gê-
nants m'avaient empêché, et force avait été de
reprendre l'autre régime, je veux dire cette instruction rompue, indulgente et n'appuyant pas
trop le licol. M. Richard s'y entendait à merveille, étant de tempérament musardeur. Que de
fois la promenade nous tint-elle lieu de leçon!
Le soleil vaporisait-il notre zèle, on s'écriait :
C'est péché de rester enfermé par ce beau
temps! — D'abord nous flânions par les rues, re-
flétant, observant, réflexionnant; mais, l'an suivant,

nos promenades eurent un but : pour je ne sais quel motif, M. Richard se mit en tête de redéménager; le logement qu'il avait pris ne faisait décidément pas son affaire; il fallait chercher mieux... Alors, autant par jeu que par besoin, nous courûmes l'écriteau et visitâmes tout ce qui se présentait « à louer ».

En avons-nous gravi des étages, dans des immeubles luxueux, dans des taudis! Nous chassions de préférence le matin. Il arrivait souvent que le gîte n'était pas vide et que nous surprenions à leur petit lever les habitants. Ces voyages de découverte m'instruisaient plus que la lecture de maints romans. Nous chassions à l'entour du lycée Condorcet, de la gare Saint-Lazare et dans le quartier dit : de l'Europe; je laisse à penser le gibier que parfois nous levions. M. Richard s'en amusait aussi; il avait soin de me précéder dans les pièces, par décence, et parfois, se retournant vers moi, criait brusquement : Ne venez pas! Mais j'avais le temps néanmoins d'en voir beaucoup, et, de certaines de ces visites domiciliaires, je ressortais éberlué. Avec une autre nature que la mienne, cette indirecte initiation eût présenté bien des dangers; mais l'amusement que j'y prenais ne me troublait guère et ne m'échauffait que l'esprit; bien mieux : j'y cultivais plutôt une sorte de réprobation pour ce que j'entrevoyais de la débauche, contre quoi mon instinct secrètement m'insurgeait. Et peut-être quelque aventure particulièrement scabreuse éclaira-t-elle enfin M. Richard sur l'incongruité de ces visites : il y mit le holà. A moins que tout simplement il eût fini par trouver un logis à sa convenance. Toujours est-il que nous cessâmes de chercher.

En dehors des leçons je lisais beaucoup. C'était le temps où le *Journal intime* d'Amiel faisait fureur; M. Richard me l'avait indiqué, m'en avait lu de longs passages; il y trouvait un complaisant reflet de ses indécisions, de ses retombements, de ses doutes, et comme une sorte d'excuse ou même d'autorisation; pour moi, je ne laissais pas d'être sensible au charme ambigu de cette préciosité morale, dont les scrupules, les tâtonnements et l'amphigouri m'exaspèrent tant aujourd'hui. Puis aussi je cédais à M. Richard et j'admirais par sympathie, ou mieux, comme il advient souvent, pour ne pas me trouver en reste; au demeurant le plus sincèrement du monde.

A la table des Richard s'asseyaient deux pensionnaires; l'un un peu plus âgé que moi, l'autre d'un ou deux ans plus jeune. Adrien Giffard, l'aîné, était un orphelin de père et de mère, sans frères ni sœurs, une sorte d'enfant trouvé; je ne sais trop à la suite de quelles aventures il avait fini par échouer chez les Richard. C'était un de ces êtres de second plan qui semblent ne figurer dans la vie qu'en comparse et pour grossir un nombre. Il n'était ni méchant ni bon, ni gai ni triste et ne s'intéressait jamais qu'à demi. Il vint à La Roque avec M. Richard l'année précisément que cessa d'y venir Armand. Les premiers temps il y fut très malheureux parce qu'il n'osait fumer tout son soûl, par égard pour ma mère; il en tomba presque malade; ce que voyant, on mit à sa disposition tout le tabac qu'il voulut, et il s'enfonça dans une fumerie sans arrêt.

Quand j'étudiais mon piano, il s'approchait, collait son oreille au bois de l'instrument et restait, aussi longtemps que je faisais des gammes, dans

un état proche de la félicité; puis s'en allait, sitôt
que je commençais un morceau. Il disait :

« Ce n'est pas que j'aime la musique; mais c'est
les exercices que vous faites qui me plaisent. »

Lui-même s'essayait sur une flûte de bazar.

Ma mère lui faisait peur. Elle représentait pour
lui, j'imagine, un degré de civilisation qui lui
donnait le vertige. Il arriva qu'un jour, au cours
d'une promenade, en traversant une haie (car il
n'était pas bien adroit), une ronce au derrière lui
déchira son pantalon. L'idée de devoir reparaître
dans cet état devant ma mère le terrifia au point
qu'il s'enfuit et qu'on ne le revit pas de deux
jours — qu'il passa, couchant on ne sut où et
se nourrissant on ne sut comment.

« Ce qui m'a fait revenir, me confia-t-il ensuite,
c'est le tabac. Tout le reste, je m'en passe. »

Bernard Tissaudier était un gros garçon réjoui,
franc, coloré, aux cheveux noirs taillés en brosse;
plein de bon sens, aimant à causer, et vers qui me
poussait une sympathie assez vive. Le soir, quittant
M. Richard, chez qui nous n'étions l'un et l'autre
que demi-pensionnaires, nous faisions volontiers
un bout de route ensemble, en bavardant; un de
nos thèmes favoris était l'éducation des enfants.
Nous nous entendions à merveille pour reconnaître
que les Richard élevaient déplorablement les leurs,
et nous naviguions de conserve sur l'océan des
théories — car en ce temps je ne savais pas encore
à quel point le natif l'emporte sur l'acquis, et
qu'à travers tous les apprêts, les empois, les repas-
sages et les plis, la naturelle étoffe reparaît, qui
se tient, d'après le tissu, raide ou floche. Je projetais alors d'écrire un traité sur l'éducation et
en promettais à Bernard la dédicace.

Adrien Giffard suivait les cours de Lakanal. Bernard Tissaudier allait au lycée Condorcet. Or, il arriva que ma mère, un soir, lisant certain article du *Temps,* se récria et me dit sur un ton interrogatif :

« J'espère au moins que ton ami Tissaudier, en sortant du lycée, ne passe pas par le passage du Havre? » (Il faut dire, pour ceux qui l'ignorent, que ledit passage est à quelques pas du lycée.)

Comme je ne m'étais jamais inquiété de l'itinéraire de mon ami Tissaudier, la question demeura sans réponse. Maman reprit :

« Tu devrais lui dire de l'éviter. »

La voix de maman était grave, et elle fronçait les sourcils comme je me souviens que faisait le capitaine du navire, certain jour de traversée orageuse entre Le Havre et Honfleur.

« Pourquoi?

— Parce que je lis dans le journal que le passage du Havre est extrêmement mal fréquenté. »

Elle n'en dit pas davantage, mais je restai tout troublé par ces énigmatiques paroles. Je comprenais bien, à peu près, ce que ce mot « mal fréquenté » prétendait dire, mais mon imagination, que ne refrénait aucune idée des convenances ni des lois, me représenta tout aussitôt le passage du Havre (où je n'étais jamais entré) comme un lieu de stupre, une géhenne, le Roncevaux des bonnes mœurs. Malgré mes explorations à travers les appartements des cocottes, j'étais demeuré, à quinze ans, incroyablement ignorant des alentours de la débauche; tout ce que j'en imaginais n'avait aucun fondement dans le réel; je brodais et chargeais aussi bien dans l'indécent, dans le charmant et dans l'horrible — dans l'horrible surtout, à

cause de cette instinctive réprobation dont je parlais plus haut : je voyais, par exemple, mon pauvre
Tissaudier orgiastiquement lacéré par les hétaïres.
Et d'y penser, chez M. Richard, mon cœur se serrait, tandis que je contemplais ce bon gros garçon rouge et joufflu, si calme, si joyeux, si simple...
Nous étions seuls dans la pièce, Adrien Giffard,
lui et moi, faisant nos devoirs. Enfin, je n'y tins
plus, et, d'une voix étranglée par l'angoisse, lui
demandai :

« Bernard, quand tu sors du lycée, tu ne prends
pas par le passage du Havre, n'est-ce pas? »

Il ne dit d'abord oui, ni non; mais, répondant
à ma question par une autre question que l'inat-
tendu de mon interrogation rendait naturelle :

« Pourquoi est-ce que tu me demandes ça? »
fit-il en ouvrant de grands yeux.

Soudain quelque chose d'énorme, de religieux,
de panique, envahit mon cœur, comme à la mort
du petit Raoul, ou comme le jour où je m'étais
senti séparé, forclos; tout secoué de sanglots, me
précipitant aux genoux de mon camarade :

« Bernard! Oh! je t'en supplie : n'y va pas. »

L'accent de mes paroles, ma véhémence, mes
larmes étaient d'un fou. Adrien reculait sa chaise
et roulait des yeux effarés. Mais Bernard Tissaudier, d'éducation puritaine ainsi que moi, ne se
méprit pas un instant sur la nature de mon angoisse; du ton le plus naturel et le plus propre
à me calmer :

« Tu crois donc que je ne connais pas le
métier? » me dit-il.

Je jure que ce furent là ses paroles.

Mon émotion retomba net. J'entrevis aussitôt
qu'il en savait aussi long ou plus long que moi

sur ces matières; et certes le regard qu'il y portait,
droit, ferme et même quelque peu chargé d'ironie, était plus rassurant que mon désordre; mais
c'est précisément là ce qui me renversait : que
le dragon que je m'étais fait de *cela,* on le pût
considérer de sang-froid et sans frissonner d'épouvante. Le mot « métier » sonnait péniblement à
mon oreille, apportant une signification pratique
et vulgaire où je n'avais vu jusqu'alors qu'un
pathétique mélange de hideur et de poésie; je
crois bien que je ne m'étais encore jamais avisé
que la question d'argent entrât en rien dans la
débauche, ni que la volupté se finançât; ou peut-
être (car pourtant j'avais quelque lecture et ne
voudrais pas me peindre par trop niais) était-ce
de voir quelqu'un de plus jeune, et j'allais dire :
de plus tendre que moi, le savoir, qui me désar-
çonnait ainsi. La seule connaissance de cela me
paraissait déjà flétrissante. Il s'y mêlait également
je ne sais quelle affection, peut-être à mon insu
frémissante, quel besoin fraternel de protection,
et le dépit de le voir tourné...

Cependant, comme après la repartie de Tissaudier je demeurais pantois et prêt à ne plus sentir
que mon ridicule, lui me tapa sur l'épaule et,
riant d'un gros rire bien franc, bien positif :

« Tu n'as pas besoin d'avoir peur pour moi,
va! » reprit-il d'un ton qui remettait tout à sa
place.

J'ai décrit de mon mieux cette sorte de suffo-
cation profonde, accompagnée de larmes, de sanglots, à quoi j'étais sujet, et qui, dans les trois
premières manifestations que j'en eus et que j'ai
redites, me surprit moi-même si fort. Je crains
pourtant qu'elle ne demeure parfaitement incom-

préhensible à qui n'a connu rien d'approchant.
Depuis, les accès de cette étrange aura, loin de
devenir moins fréquents, s'acclimatèrent, mais tem-
pérés, maîtrisés, apprivoisés pour ainsi dire, de
sorte que j'appris à n'en être effrayé, non plus
que Socrate de son démon familier. Je compris vite
que l'ivresse sans vin n'est autre que l'état lyrique,
et que l'instant heureux où me secouait ce délire
était celui que Dionysos me visitait. Hélas! pour
qui connut le dieu, combien mornes et désespérées
les périodes débilitées où il ne consent plus à
paraître!

Si Bernard Tissaudier n'avait été que fort peu
remué par le pathos de ma sortie, combien je le
fus, en revanche, par la bonhomie souriante de sa
réplique! C'est à la suite de cette conversation,
il me semble, sinon peut-être aussitôt après, que
je commençai de prêter attention à certains spectacles de la rue. Ma tante Démarest habitait boulevard Saint-Germain, à peu près en face du
théâtre Cluny, ou, plus exactement, de cette rue
montante qui mène au Collège de France, dont
on voyait la façade, du balcon de son appartement, lequel était au quatrième. La maison avait
porte cochère, il est vrai; mais comment ma
tante, avec ses goûts et ses principes, avait-elle
été choisir ce quartier? Entre le boul'Mich' et la
place Maub', à la tombée du jour, le trottoir commençait de s'achalander. Albert avait mis en
garde ma mère :

« Je crois, ma tante, lui avait-il dit devant moi,
qu'il est préférable que ce grand garçon rentre
avec vous, le soir, quand vous venez dîner ici
(c'était tous les quinze jours). Et même, pour
vous en retourner, vous ferez mieux de suivre le

milieu de la chaussée, jusqu'à la station du tramway. »

Je ne sais si j'avais tout à fait compris. Mais un soir, contrairement à ma coutume qui était de courir sans arrêt depuis la rue du Bac jusqu'à la porte de ma tante, mettant mon orgueil à devancer le tramway où j'avais fait monter ma mère, certain soir, dis-je — et c'était un soir de printemps — comme ma mère avait passé l'après-midi chez sa sœur et que j'étais parti plus tôt qu'à l'ordinaire, j'allais plus lentement, jouissant de la tiédeur nouvelle. Et déjà j'étais presque arrivé, lorsque je m'avisai de l'allure bizarre de certaines femmes en cheveux, qui vaguaient de-ci, de-là, comme indécises, et précisément à l'endroit où je devais passer. Ce mot de « métier » dont s'était servi Tissaudier retentit dans mon souvenir; j'hésitai, le temps d'un éclair, si je ne quitterais pas le trottoir, pour n'avoir pas à passer près d'elles; mais quelque chose en moi presque toujours l'emporte sur la peur : c'est la peur de la lâcheté; je continuai donc d'avancer. Brusquement, tout contre moi, une autre de ces femmes, que d'abord je n'avais pas remarquée ou qui bondit de dessous une porte, vint me dévisager, me barrant la route. Je dus faire un brusque détour, et de quel pas chancelant, précipité! Elle alors, qui d'abord chantait, s'écria d'une voix à la fois grondeuse, moqueuse, câline et enjouée :

« Mais il ne faut pas avoir peur comme ça, mon joli garçon! »

Un flot de sang me monta au visage. J'étais ému comme si je l'avais échappé belle.

Nombre d'années après, ces quêtantes créatures m'inspiraient encore autant de terreur que des

vitrioleuses. Mon éducation puritaine encourageait à l'excès une retenue naturelle où je ne
voyais point malice. Mon incuriosité à l'égard
de l'autre sexe était totale; tout le mystère fémi-
nin, si j'eusse pu le découvrir d'un geste, ce geste
je ne l'eusse point fait; je m'abandonnais à cette
flatterie d'appeler réprobation mes répugnances et
de prendre mon aversion pour vertu; je vivais replié, contraint, et m'étais fait un idéal de résistance; si je cédais, c'était au vice, j'étais sans attention pour les provocations du dehors. Au surplus,
à cet âge, et sur ces questions, avec quelle générosité l'on se dupe! Certains jours qu'il m'arrive
de croire au diable, quand je pense à mes saintes
révoltes, à mes nobles hérissements, il me semble
entendre l'*autre* rire et se frotter les mains dans
l'ombre. Mais pouvais-je pressentir quels lacs...? Ce
n'est pas le lieu d'en parler.

En décrivant notre appartement, j'ai réservé
la bibliothèque. C'est que, depuis la mort de mon
père, ma mère ne m'y laissait plus pénétrer. La
pièce restait fermée à clef; et, bien que située
à une extrémité de l'appartement, il me semblait
qu'elle en faisait le centre; mes pensées, mes ambitions, mes désirs gravitaient autour. C'était, dans
l'esprit de ma mère, une sorte de sanctuaire où
respirait le cher souvenir du défunt; sans doute,
elle eût trouvé malséant que je prisse trop vite
sa place; je crois aussi qu'elle balayait de son
mieux tout ce qui, à mes propres yeux, pouvait
souffler mon importance; enfin, dirai-je qu'il ne
lui paraissait pas prudent de mettre à la disposition de mon avidité tous ces livres qui n'étaient
rien moins que des livres d'enfant. A l'approche

de ma seizième année pourtant, Albert commença
d'intercéder en ma faveur; je surpris quelques
bribes de discussion; maman s'écriait :

« Il va mettre la bibliothèque au pillage. »

Albert arguait doucement que le goût que
j'avais pour la lecture méritait d'être encouragé.

« Il a bien assez à faire avec les livres du couloir et avec ceux de sa chambre. Attendons qu'il
les ait tous lus, ripostait ma mère.

— Ne craignez-vous pas de prêter à ceux du
cabinet un attrait de fruit défendu? »

Ma mère protestait que « à ce compte-là on ne
devrait jamais rien défendre ». Elle se débattit
ainsi quelque temps, puis finit par céder, comme
elle faisait presque toujours lorsque c'était Albert
qui lui tenait tête, parce qu'elle avait pour lui
beaucoup d'affection, beaucoup d'estime, et parce
que le bon sens, avec elle, finissait toujours par
triompher.

A dire vrai, non, l'interdiction n'ajoutait rien
à l'attrait de cette pièce; ou qu'un peu de mystère en sus. Je ne suis pas de ces tempéraments
qui d'abord s'insurgent; au contraire il m'a toujours plu d'obéir, de me plier aux règles, de
céder, et, de plus, j'avais une particulière horreur
pour ce que l'on fait en cachette; s'il m'est arrivé
par la suite et trop souvent, hélas! de devoir dissimuler, je n'ai jamais accepté cette feinte que
comme une protection provisoire comportant le
constant espoir et même la résolution d'amener
bientôt tout au grand jour. Et n'est-ce pas pourquoi j'écris aujourd'hui ces mémoires?... Pour en
revenir à mes lectures de naguère, je puis dire
que je n'ai pas souvenir d'une seule, faite dans
le dos de ma mère; je mettais mon honneur à ne

pas la tromper. Qu'avaient donc de si particulier
les livres de la bibliothèque? Ils avaient d'abord
pour eux leur bel aspect. Puis, tandis que dans
ma chambre et dans le couloir abondaient presque
uniquement les livres d'histoire, d'exégese ou de
critique, dans le cabinet de mon père je découvrais les auteurs mêmes dont ces livres de critique
parlaient.

A peu près convaincue par Albert, ma mère
ne céda pourtant pas tout d'un coup; elle composa. Il fut admis que j'entrerais dans la pièce,
mais avec elle, que je choisirais tel ou tel livre
qui me plairait et qu'elle m'autoriserait à le lire,
mais avec elle, à haute voix. Le premier livre sur
lequel mon choix s'abattit fut le premier volume des poésies complètes de Gautier.

Je faisais volontiers lecture à ma mère, mais,
par souci de se former le goût, par méfiance de
son jugement personnel, les livres qui obtenaient
sa faveur étaient d'un genre tout différent.
C'étaient les plates et fastidieuses études de Paul
Albert; c'était le *Cours de littérature dramatique*
de Saint-Marc Girardin dont, à raison d'un chapitre par jour, nous venions d'absorber l'un après
l'autre les cinq volumes. J'admire que de tels
aliments ne m'aient pas davantage rebuté. Mais
non; j'y prenais plaisir au contraire et, tant était
pressant mon appétit, j'allais de préférence au plus
scolaire, au plus compact, au plus ardu. J'estime
aujourd'hui que ma mère n'avait point tort, du
reste, d'accorder tant aux ouvrages de critique;
son tort était de ne les pas mieux choisir; mais
personne ne la renseignait. Et puis! si j'eusse lu
tout aussitôt les *Lundis* de Sainte-Beuve, ou la
Littérature anglaise de Taine, en eussé-je pu déjà

tirer profit, comme je devais faire plus tard?
L'important était d'occuper mon esprit.

Si l'on s'étonne que ma mère ne me dirigeât
point, de préférence, ou également du moins,
vers des livres d'histoire, je répondrai que rien
ne décourageait plus mon esprit. C'est une infir-
mité sur laquelle il faudra tout à l'heure que
je m'explique. Un bon maître aurait peut-être
éveillé mon intérêt s'il eût su, tout au travers
des faits, montrer le jeu des caractères; mais ma
chance voulut que, pour m'enseigner l'histoire,
je n'eusse jamais affaire qu'à des cuistres. Maintes
fois, depuis, j'ai voulu forcer ma nature et m'y
suis appliqué de mon mieux; mais mon cerveau
reste rebelle, et du plus brillant des récits ne
retient rien — sinon ce qui s'inscrit en deçà des
événements, comme en marge, et les conclusions
qu'un moraliste en peut tirer. Avec quelle reconnaissance je lus, au sortir de ma rhétorique, les
pages où Schopenhauer tente d'établir le départ
entre l'esprit de l'historien et celui du poète :
Et voilà donc pourquoi je n'entends rien à l'histoire! me disais-je avec ravissement : c'est que je
suis poète. C'est poète que je veux être! C'est
poète que je suis!

what has never happened

> *Was sich nie und nirgends hat begeben*
> *Das allein veraltet nie.*

will never become obsolete

Et je me répétais la phrase qu'il cite d'Aristote :
« C'est une plus importante chose, la philosophie,
et c'en est une plus belle, la poésie — que l'histoire. » Mais je reviens à ma lecture de Gautier.

Me voici donc, un soir, dans la chambre de ma
mère, assis près d'elle, avec ce livre qu'elle m'a

permis de prendre dans une petite bibliothèque
vitrée, réservée plus particulièrement aux poètes.
Et je me lance dans la lecture à haute voix
d'*Albertus. Albertus* ou *L'Ame et le Péché*... De
quel prestige s'auréolait encore en ce temps le
nom de Gautier! Puis l'impertinent sous-titre :
Poème théologique, m'attirait. Gautier représentait pour moi, comme pour tant d'autres éco-
liers d'alors, le dédain du convenu, l'émancipation, la licence. Et certes il entrait du défi dans
mon choix. Maman voulait m'accompagner : nous
verrions qui, de nous deux le premier, crierait
grâce. — Mais du défi surtout contre moi-même;
comme lorsque, peu de mois auparavant, je m'étais
contraint d'entrer, et avec quel raidissement, quel
air de mauvaise assurance, dans l'immonde boutique d'un herboriste de la rue Saint-Placide, qui
vendait de tout et aussi des chansons — pour
acheter la plus niaise et la plus vulgaire : « *Ah!
qu'el' sent bon, Alexandrine!* » — Pourquoi? Oh!
je vous dis : uniquement par défi; car, en vérité,
je n'en avais aucun désir. Oui, par besoin de
me violenter et parce que, la veille, en passant
devant la boutique, je m'étais dit : Ça, tu n'oserais
tout de même pas le faire. Je l'avais fait.

Je lisais sans regarder maman, assise, enfouie
dans un des vastes fauteuils, elle faisait de la
tapisserie. J'avais commencé très allégrement, mais
à mesure que j'avançais, ma voix se glaçait, tandis que le texte devenait plus gaillard. Il s'agit,
dans ce poème « gothique », d'une sorcière qui,
pour attirer Albertus, revêt l'aspect de la plus
fraîche des jouvencelles : prétexte à des descriptions infinies... Maman tirait l'aiguille d'une main
toujours plus nerveuse; tout en lisant j'accrochais

du coin de l'œil l'extrémité de son mouvement.
J'avais atteint la strophe CI :

> ... La dame était si belle
> Qu'un saint du paradis se fût damné pour elle.
> Oh! le tableau charmant! Toute honteuse et rouge...

« Passe-moi le livre un instant », dit ma mère,
m'interrompant soudain, à mon immense soula-
gement. Alors je la regardai : elle approcha le
livre de la lampe et, les lèvres serrées, parcourut
les strophes qui suivaient, avec ce regard froncé
du juge qui, durant un huis clos, écoute une déposition scabreuse. J'attendais. Elle tourna la page;
puis revint en arrière, hésitant; puis tourna de
nouveau, allant de l'avant, et, me rendant le
livre, elle m'indiqua le point où raccrocher ma
lecture :

« Oui... Enfin :

> Elle valait tout un sérail »,

dit-elle, citant le vers qui pouvait le mieux résumer, d'après elle, les strophes censurées — et dont
je ne pris connaissance que beaucoup plus tard,
pour ma parfaite déception.

Ce pénible et ridicule essai ne fut heureusement
pas renouvelé. Je m'abstins durant quelques semaines de regarder vers la bibliothèque, et lorsque
enfin ma mère m'en permit l'accès, ce fut sans
plus parler de m'y rejoindre.

La bibliothèque de mon père se composait, en
majeure partie, de livres grecs et latins; livres
de droit également, il va sans dire; mais qui n'occupaient point la place d'honneur. Celle-ci était
donnée à Euripide dans la grande édition de

Glasgow, à Lucrèce, à Eschyle, à Tacite, au beau
Virgile de Heyne et aux trois élégiaques latins.
Je pense qu'il fallait voir dans cette élection,
moins un effet des préférences de mon père,
qu'une certaine appropriation des reliures et des
formats. Un grand nombre de ces livres, vêtus de
vélin blanc, tranchaient sans dureté sur le sombre
et chatoyant émail de l'ensemble. La profondeur
du meuble énorme permettait un second rang
légèrement surélevé; et rien n'était exquis comme
de voir entre un Horace et un Thucydide, la collection des lyriques grecs, dans l'exquise petite
édition de Lefèvre, abaisser leur maroquin bleu
devant l'ivoire des Ovide de Burmann et devant
un Tite-Live en sept volumes, également habillé
de vélin. Au milieu du meuble, sous les Virgile,
ouvrait une armoire dans laquelle divers albums
étaient serrés; entre l'armoire et le rayon de
cymaise, une planchette formant pupitre permettait de poser le livre en lecture ou d'écrire
debout; de chaque côté de l'armoire, des rayons
bas supportaient de lourds in-folio : l'*Anthologie
grecque*, un Plutarque, un Platon, le *Digeste* de
Justinien. Mais quelque attrait qu'eussent pour
moi ces beaux livres, ceux de la petite bibliothèque vitrée l'emportaient.

Il n'y avait là que des livres français, et presque
uniquement des poètes... J'avais accoutumé depuis
longtemps d'emporter en promenade quelqu'un
des premiers recueils de Hugo, dans une charmante petite édition qu'avait ma mère, et qui lui
avait été donnée, je crois, par Anna; où j'achevais d'apprendre par cœur nombre de pièces des
Voix intérieures, des *Chants du Crépuscule* et des
Feuilles d'Automne, que je me redisais inlassable-

ment et me promettais de réciter bientôt à Emmanuèle. En ce temps j'avais pour les vers une prédilection passionnée; je tenais la poésie pour la fleur et l'aboutissement de la vie. J'ai mis beaucoup de temps à reconnaître — et je crois qu'il n'est pas bon de reconnaître trop vite — la précellence de la belle prose et sa plus grande rareté. Je confondais alors, comme il est naturel à cet âge, l'art et la poésie; je confiais mon âme à l'alternance des rimes et à leur retour obligé; complaisamment je les sentais élargir en moi comme le battement rythmé de deux ailes et favoriser un essor... Et pourtant, la plus émouvante découverte que je fis dans la bibliothèque vitrée, ce fut celle, je crois, des poésies de Henri Heine. (Je parle de la traduction.) Certainement l'abandon de la rime et du mètre ajoutait au charme de l'émotion une invite fallacieuse, car ce qui me plaisait aussi dans ces poèmes, c'est ce que je me persuadai d'abord que j'allais pouvoir imiter.

Je me revois, étendu sur le tapis, à l'étrusque, au pied de la petite bibliothèque ouverte, en ce printemps de ma seizième année, tremblant à découvrir, à sentir s'éveiller et répondre à l'appel d'Henri Heine, l'abondant printemps de mon cœur. Mais que peut-on raconter d'une lecture? — C'est le fatal défaut de mon récit, aussi bien que de tous les Mémoires; on présente le plus apparent; le plus important, sans contours, élude la prise. Jusqu'à présent je prenais plaisir à m'attarder aux menus faits; mais voici que je nais à la vie.

Les maux de tête, qui, l'an précédent, plus fréquents que jamais, m'avaient forcé d'abandonner presque complètement toute étude, du moins toute étude suivie, à présent s'espaçaient. J'avais quitté M. Richard dont sans doute l'enseignement ne paraissait plus assez sérieux à ma mère; elle me confia cette année à la pension Keller, rue de Chevreuse, tout près de l'Ecole Alsacienne où l'on ne désespérait pas de me voir rentrer.

Si nombreux que fussent les élèves de la pension Keller, j'étais le seul d'entre eux qui ne suivît pas les cours du lycée. J'arrivais, le matin et le soir, aux heures où précisément la pension se désertait. Un grand silence régnait alors dans les salles vides, et je prenais mes leçons tantôt dans l'une, tantôt dans l'autre; de préférence dans une pièce toute petite, plus propice au travail, et où se resserraient les relations avec le tableau noir; propice également aux confidences des répétiteurs. J'ai toujours été friand des confidences; je me flattais d'avoir l'oreille particulièrement bien faite pour les recevoir et rien ne m'enorgueillissait davantage. Je mis bien longtemps à comprendre que, d'ordinaire, l'autre cède au besoin de se raconter qui tourmente le cœur de l'homme, et sans s'inquiéter beaucoup si l'oreille où il se déverse a vraiment qualité pour l'entendre.

C'est ainsi que M. de Bouvy me faisait part de ses déboires. M. de Bouvy, maître répétiteur à la pension, ne commençait pas une phrase qu'il ne la fît précéder d'un soupir. C'était un petit homme flasque, au poil noir, à la barbe épaisse. Je ne sais plus trop ce que j'étudiais avec lui; et sans doute je n'apprenais pas grand-chose, car, dès le début de la leçon, le regard de M. de Bouvy s'éteignait; les soupirs se multipliaient et la phrase cessait bientôt de les suivre. Tandis que

je récitais mes leçons, il hochait la tête pensivement, murmurait une suite de : « ouih » plaintifs,
puis tout à coup m'interrompant :

« Cette nuit encore, elle ne m'a pas laissé rentrer. »

Les déboires de M. de Bouvy étaient de l'ordre
conjugal.

« Quoi! m'écriais-je, plus amusé je le crains
qu'apitoyé : vous avez de nouveau couché dans
l'escalier?

— Ouih! Vous trouvez aussi que cela n'est pas
tolérable. »

Il regardait dans le vague. Je crois qu'il cessait
de me voir et oubliait que c'était à un enfant
qu'il parlait.

« D'autant plus, continuait-il, que je deviens la
risée des autres locataires, qui ne se rendent
pas compte de la situation.

— Vous n'auriez pas pu forcer la porte?

— Quand je fais cela, elle me bat. Mettez-vous
seulement à ma place.

— A votre place, je la battrais. »

Il soupirait profondément, levait vers le plafond
un œil de vache, et sentencieusement :

« On ne doit pas battre une femme. » Et il
ajoutait dans sa barbe : « D'autant plus qu'elle
n'est pas seule!... »

M. de Bouvy fut remplacé bientôt par M. Daniel, être malpropre, ignare et liquoreux, qui fleu-
rait la taverne et le bordel; mais qui du moins
ne faisait pas de confidences; qui fut remplacé
par je ne sais plus qui.

L'ignorance et la vulgarité de ces répétiteurs
successifs désolait M. Keller, homme de réel mérite
et qui se donnait beaucoup de mal pour maintenir

la pension à peu près digne de sa première
renommée, laquelle était grande et, je crois, parfaitement justifiée. J'obtins bientôt de prendre avec
lui seul toutes mes leçons; à l'exception de celles
de mathématiques qui m'étaient données par M. Si-
monnet — tous deux, professeurs excellents, de
ces professeurs-nés, qui, loin d'accabler le cerveau
de l'enfant, mettent leur soin à le délivrer au
contraire, et qui s'y usent; de sorte qu'ils semblent,
dans leurs rapports avec l'élève, mettre en pratique
la parole du Précurseur... « Il faut qu'il croisse et
que je diminue » — tous deux, dis-je, me chauf-
fèrent si bien qu'en un peu plus de dix-huit mois
je rattrapai les années incultes et pus, en octobre
1887, rentrer en rhétorique à l'Ecole Alsacienne,
où je retrouvai les camarades que j'avais perdus
de vue depuis si longtemps [1].

1. Je crois pourtant que je fais erreur et ne retrouvai que
ceux de la classe suivante, mes premiers camarades m'ayant
devancé d'une année.

VIII

La joie, en moi, l'emporte toujours; c'est pourquoi mes arrivées sont plus sincères que mes
départs. Au moment de partir, cette joie, souvent il n'est point décent que je la montre. J'étais
ravi de quitter la pension Keller, mais je ne voulais pas trop le laisser paraître, par crainte d'at-
trister M. Jacob, que j'aimais beaucoup. On appelait ainsi, par son prénom, M. Keller, mon
professeur; ou plutôt : il se faisait appeler ainsi,
par égard pour son vieux père, le fondateur et
directeur de la pension. Semblable au Wemmick
des *Grandes Espérances*, M. Jacob avait pour ses
parents — car sa mère également vivait encore
— mais principalement pour son vieux père, une
vénération quasi religieuse et paralysante. Si mûr
qu'il fût déjà lui-même, il subordonnait sa pensée, ses desseins, sa vie, à cet « *Aged* » que les
élèves connaissaient à peine, car il ne se montrait que dans les occasions solennelles, mais dont
l'autorité pesait sur la maison entière; et M. Jacob
en revenait tout chargé lorsqu'on le voyait redes-
cendre (comme, de la montagne, Moïse porteur
des tables saintes) de la chambre du second où
le Vieux restait enfermé. Lieu très saint où il

ne me fut permis de pénétrer (et je puis témoigner
que l'*Aged* existait vraiment) que de rares fois,
accompagnant ma mère, car seul, je n'aurais jamais
osé. On était introduit dans une petite pièce
huguenote, où le vieux, installé pour tout le jour
dans un grand fauteuil de reps vert, près d'une
fenêtre par où il surveillait le défilé des pensionnaires dans la cour, s'excusait d'abord de ne
pouvoir se lever pour vous recevoir. Son coude
droit posait de biais sur le pupitre d'un bureau
d'acajou, chargé de papiers; à sa gauche je re-
marquais, sur un petit guéridon, une Bible énorme
et un bol bleu qui lui servait de crachoir, car il
était très catarrheux. Bien que de grande taille,
le poids des ans ne le courbait point trop. Il avait
le regard droit, la voix sévère, et ses ordres, que
M. Jacob transmettait au reste de la pension, on
comprenait ou sentait qu'il les recevait, lui, directement de Dieu.

Quant à la vieille Mme Keller, qui se décida la
première à quitter ce monde, je ne me souviens
d'elle que comme de la créature la plus ratatinée
qu'il m'ait été donné de voir, après ma grand-
mère. Plus petite encore que ma grand-mère, mais
tout de même un peu moins ridée.

M. Jacob était lui-même marié et père de trois
enfants à peu près de mon âge, fondus dans le
gros de la pension et avec qui je n'avais que de
fuyants rapports. M. Jacob faisait de vains efforts
pour se donner une apparence rébarbative et cacher à ses élèves sa bonté; car il était, au fond,
très doux; je devrais dire plutôt : débonnaire — et
ce mot implique pour moi quelque chose d'enfantin dans le propos. De naturel enjoué, il remplaçait communément, n'étant pas très spirituel, le

trait par le calembour, et répétait insatiablement
les mêmes, comme pour bien montrer qu'il n'importait que de marquer sa bonne humeur, et
aussi parce que les soucis l'empêchaient de chercher mieux. Quand, par exemple, traduisant un
peu précipitamment mon Virgile, je m'embarquais
dans un contresens, j'entendais immanquablement : « Ne nous emportons pas, nous nous en
porterons mieux »; et si, par aventure, il lui
arrivait de faire erreur, il s'écriait : « Pardon,
monsieur! c'est moi qui se trompe. » Ah! l'excellent homme! La Suisse est la patrie de ces êtres-là.
Töpffer est leur auteur.

Il tenait l'harmonium, le dimanche matin, au
culte de la rue Madame où prêchaient tour à
tour M. Hollard et M. de Pressensé, un vieux
pasteur sénateur, presque aussi laid que le pasteur
Bavretel, père du rédacteur du *Temps*, prédica-
teur assez éloquent, mais ressasseur et affligé d'un
coryza perpétuel qui lui faisait rater parfois ses
effets les plus pathétiques. M. Jacob improvisait,
avant le chant des cantiques, d'anodins préludes
où se racontait sa candeur; moi, qui manquais
totalement d'imagination mélodique, je restais
dans l'admiration de sa fécondité.

Donc, devant que de quitter la pension Keller
pour rentrer à l'Ecole Alsacienne, je cherchai
quelque moyen subtil de marquer à M. Jacob
le souvenir ému que je gardais de ses bons soins.
Evidemment j'aurais pu continuer à le voir, la
pension étant sur le chemin de l'Ecole, à lui faire
visite de temps à autre, mais je n'aurais trouvé
rien à lui dire; et puis cela ne me suffisait pas.
Cette absurde délicatesse — ou plus exactement :
ce besoin de prouver ma délicatesse, qui me for-

çait de raffiner sur l'exquis, et tantôt me bourre-
lait d'inutiles scrupules, tantôt me conseillait des
prévenances incompréhensibles pour ceux qui en
étaient l'objet — me fit inventer de prendre pension une fois par semaine chez les Keller. Il y
avait aussi là-dedans le désir de goûter, mais du
bout des lèvres, au régime de l'internat. Et il fut
convenu que, le mercredi, je déjeunerais à la pension. C'était le jour du veau. Je pensais qu'on me
ferait asseoir parmi les autres élèves; mais M. Jacob tint à me traiter comme un hôte de marque
et rien ne fut plus gênant que la situation privi-
légiée où il me mit. Une quinzaine d'élèves prenaient leur repas à l'extrémité de l'énorme table,
que M. et Mme Keller, à l'autre extrémité, prési-
daient. Assis à côté de M. Jacob, je semblais
présider avec lui, séparé des élèves par un grand
vide. Le plus fâcheux, c'est que les fils Keller eux-
mêmes prenaient place, loin de leurs parents,
confondus avec le reste de la classe. Cet effort pour
me mettre au pas ne réussit donc qu'à me diffé-
rencier davantage, comme il advint chaque fois
que je tentai de m'enrégimenter.

L'intérêt extrême que je prenais à tout désormais venait surtout de ceci, que m'accompagnait
partout Emmanuèle. Je ne découvrais rien que
je ne l'en voulusse aussitôt instruire, et ma joie
n'était parfaite que si elle la partageait. Dans les
livres que je lisais, j'inscrivais son initiale en
marge de chaque phrase qui me paraissait mériter
notre admiration, notre étonnement, notre amour.
La vie ne m'était plus de rien sans elle, et je la
rêvais partout m'accompagnant, comme à La
Roque, l'été, dans ces promenades matinales où je
l'entraînais à travers bois : Nous sortions quand

la maison dormait encore. L'herbe était lourde de
rosée; l'air était frais; la rose de l'aurore avait
fané depuis longtemps, mais l'oblique rayon nous
riait avec une nouvelleté ravissante. Nous avan-
cions la main dans la main, ou moi la précédant
de quelques pas, si la sente était trop étroite. Nous
marchions à pas légers, muets, pour n'effaroucher
aucun dieu, ni le gibier, écureuils, lapins, che-
vreuils, qui folâtre et s'ébroue, confiant en l'innocence de l'heure, et ravive un éden quotidien
avant l'éveil de l'homme et la somnolence du jour.
Eblouissement pur, puisse ton souvenir, à l'heure
de la mort, vaincre l'ombre! Mon âme, que de
fois, par l'ardeur du milieu du jour, s'est rafraîchie dans ta rosée...

Séparés, nous nous écrivions. Une correspondance suivie avait commencé de s'établir entre
nous... J'ai voulu récemment relire mes lettres;
mais leur ton m'est insupportable et je m'y parais
odieux. Je tâche de me persuader aujourd'hui qu'il
n'y a que les simples pour être naturellement
naturels. Pour moi j'avais à démêler ma ligne
d'entre une multitude de courbes; encore n'étais-je
point conscient de l'enchevêtrement à travers quoi
je m'avançais; je sentais s'accrocher ma plume,
mais je ne savais trop à quoi; et, malhabile encore
à démêler, je tranchais.

C'est en ce temps que je commençai de découvrir les Grecs, qui eurent sur mon esprit une si
décisive influence. Les traductions de Leconte de
Lisle achevaient alors de paraître, dont on parlait
beaucoup et que ma tante Lucile (je crois) m'avait
données. Elles présentaient des arêtes vives, un
éclat insolite et des sonorités exotiques propres

à me ravir; même on leur savait gré de leur ru-
desse et de cette petite difficulté de surface, parfois, qui rebutait le profane en quêtant du lecteur une plus attentive sympathie. A travers elles
je contemplais l'Olympe, et la douleur de l'homme
et la sévérité souriante des dieux; j'apprenais la
mythologie; j'embrassais, je pressais sur mon cœur
ardent la Beauté.

Mon amie lisait de son côté *L'Iliade* et les Tra-
giques; son admiration surexaltait la mienne et
l'épousait; je doute si même aux pâques de l'Evangile nous avons communié plus étroitement.
Etrange! c'était au temps précisément de ma
préparation chrétienne que cette belle ferveur
païenne flambait. J'admire aujourd'hui combien
peu l'un gênait l'autre; ce que l'on pourrait à
la rigueur expliquer si je n'eusse été qu'un tiède
catéchumène; mais non! je dirai tout à l'heure
mon zèle et jusqu'à quels excès je le poussai. Au
vrai, le temple de nos cœurs était pareil à ces
mosquées qui, du côté de l'orient, restent béantes
et se laissent divinement envahir par les rayons,
les musiques et les parfums. L'exclusion nous semblait impie; en nous, quoi que ce fût de beau
trouvait accueil.

Le pasteur Couve, qui me préparait, était certes
le plus digne homme du monde; mais, Dieu! que
son cours était ennuyeux! Nous étions une dizaine
à le suivre, tant filles que garçons, dont je n'ai
pas gardé le moindre souvenir. L'instruction se
faisait dans la salle à manger de M. Couve, qui
habitait boulevard Saint-Michel, à la hauteur du
Luxembourg. On s'asseyait autour de la grande
table ovale et, après la récitation des versets de
l'Ecriture que, la fois précédente, M. Couve avait

désignés, commençait la leçon, que précédait et
que suivait une prière. La première année était
employée à l'analyse du livre saint; et durant
toute cette année je pus nourrir l'espoir que le
cours s'animerait un peu l'année suivante; mais
M. Couve apportait à l'étude des dogmes et à l'exposé historique de la doctrine chrétienne cette
même impassibilité grave qui faisait, je crois, partie de son orthodoxie. Et tout le temps que coulait
sa voix monotone, nous prenions des notes et des
notes, en vue du résumé qu'il faudrait présenter
à la prochaine réunion. Fastidieuses leçons, sui-
vies de devoirs plus fastidieux encore. M. Couve
était orthodoxe jusque dans le ton de sa voix,
égale et forte comme son âme; et rien ne rebutait
plus ma frémissante inquiétude que son imper-
turbabilité. C'était au demeurant le cœur le plus
tendre, mais qui n'avait que faire à se montrer
ici... Quelle déconvenue! Car j'avançais vers les
mystères saints comme on s'approchait d'Eleusis.
Avec quel tremblement j'interrogeais! et pour
toute réponse j'apprenais quel était le nombre des
prophètes et l'itinéraire des voyages de saint
Paul. Je fus déçu jusqu'au cœur de l'âme; et,
comme mon interrogation subsistait, j'en venais
à me demander si la religion où l'on m'instruisait,
j'entends : la protestante, était bien celle qui ré-
pondît à mes appels; j'eusse voulu connaître un
petit peu la catholique; car enfin je ne laissais
pas d'être sensible à tout l'art dont elle s'entou-
rait, et je n'avais point retrouvé dans l'enseignement de M. Couve l'émotion qui m'étreignait à
la lecture de Bossuet, de Fénelon ou de Pascal.

J'eus la naïveté de m'en ouvrir à M. Couve lui-
même; j'allai jusqu'à lui dire, en entretien parti-

culier, que je n'étais pas certain de quel autel
s'approchait mon cœur en quête de Dieu... Cet
excellent homme me remit alors un livre où la
doctrine catholique se trouvait fort honnêtement
exposée; ce n'était pas, il va sans dire, une apo-
logie; mais rien n'était plus loin du pamphlet; rien
plus propre à me refroidir. C'était aussi dépouillé
qu'un constat, aussi morne qu'un exposé de
M. Couve; de sorte que, ma foi! je pensai qu'ici
comme là, force était de rester sur ma soif — ou de
puiser à même; ce que je fis éperdument. C'est-à-
dire que je commençai de lire la Bible mieux que
je n'avais fait jusqu'alors. Je lus la Bible avide-
ment, gloutonnement, mais avec méthode. Je commençai par le commencement, puis lus à la suite,
mais entamant par plusieurs côtés à la fois. Chaque soir, dans la chambre de ma mère et près
d'elle, je lisais ainsi un chapitre ou plusieurs dans
les livres historiques, un ou plusieurs dans les
poétiques, un ou plusieurs dans les prophètes.
Ainsi faisant, je connus bientôt de part en part
toute l'Ecriture; j'en repris alors la lecture par-
tielle, plus posément, mais avec un appétit non
calmé. J'entrais dans le texte de l'ancienne alliance
avec une vénération pieuse, mais l'émotion que j'y
puisais n'était sans doute point d'ordre uniquement
religieux, non plus que n'était d'ordre purement
littéraire celle que me versait *L'Iliade* ou *L'Orestie*.
Ou plus exactement, l'art et la religion en moi
dévotieusement s'épousaient, et je goûtais ma plus
parfaite extase au plus fondu de leur accord.

Mais l'Evangile... Ah! je trouvais enfin la
raison, l'occupation, l'épuisement sans fin de
l'amour. Le sentiment que j'éprouvais ici m'expliquait en le renforçant le sentiment que j'éprou-

vais pour Emmanuèle; il n'en différait point; on
eût dit qu'il l'approfondissait simplement et lui
conférait dans mon cœur sa situation véritable. Je
ne buvais à pleine Bible que le soir, mais au matin
reprenais plus intimement l'Evangile; le reprenais
encore au cours du jour. Je portais un Nouveau
Testament dans ma poche; il ne me quittait point;
je l'en sortais à tout instant, et non point seulement quand je me trouvais seul, mais bien aussi
en présence de gens précisément qui m'eussent pu
tourner en ridicule et dont j'eusse à redouter la
moquerie : en tramway, par exemple, tout comme
un prêtre, et pendant les récréations, à la pension
Keller, ou, plus tard, à l'Ecole Alsacienne, offrant
à Dieu ma confusion et mes rougeurs sous les quolibets de mes camarades. La cérémonie de ma première communion trancha peu sur mes habitudes;
ni l'eucharistie ne m'apprit une extase nouvelle,
ni même elle n'augmenta sensiblement celle que
déjà je savourais en moi; au contraire je fus plutôt gêné par la sorte d'apparat et d'officialité dont
on se plaît à entourer ce jour, et qui presque le
profanait à mes yeux. Mais de même que ce jour
n'avait été précédé d'aucune langueur, de même
aucun retombement ne le suivit; tout au contraire,
ma ferveur, après la communion, ne fit que croître et pour atteindre son apogée l'an suivant.

Je me maintins alors, des mois durant, dans une
sorte d'état séraphique, celui-là même, je présume,
que ressaisit la sainteté. C'était l'été. Je n'allais
presque plus en classe, ayant obtenu, par une extraordinaire faveur, de ne plus suivre que les cours
où je trouvais profit réel, c'est-à-dire que quelques
rares. Je m'étais dressé un emploi du temps, à quoi
je me soumettais strictement, car je trouvais la plus

grande satisfaction dans sa rigueur même, et quelque fierté à ne m'en point départir. Levé dès l'aube, je me plongeais dans l'eau glacée dont, la veille au soir, j'avais pris soin d'emplir une baignoire; puis, avant de me mettre au travail, je lisais quelques versets de l'Ecriture, ou plus exactement relisais ceux que j'avais marqués la veille comme propres à alimenter ma méditation de ce jour; puis je priais. Ma prière était comme un mouvement perceptible de l'âme pour entrer plus avant en Dieu; et ce mouvement, je le renouvelais d'heure en heure; ainsi je rompais mon étude et dont je ne changeais point l'objet sans à nouveau l'apporter en offrande. Par macération je dormais sur une planche; au milieu de la nuit je me relevais, m'agenouillais encore, mais non point tant par macération que par impatience de joie. Il me semblait alors atteindre à l'extrême sommet du bonheur.

Qu'ajouterais-je?... Ah! je voudrais exténuer l'ardeur de ce souvenir radieux! Voici la duperie des récits de ce genre : les événements les plus futiles et les plus vains usurpent sans cesse la place, et tout ce qui se peut raconter. Hélas! ici, quel récit faire? Ce qui gonflait ainsi mon cœur tient dans trois mots qu'en vain je souffle et j'allonge. O cœur encombré de rayons! O cœur insoucieux des ombres qu'ils allaient projetant, ces rayons, de l'autre côté de ma chair. Peut-être, à l'imitation du divin, mon amour pour ma cousine s'accommodait-il par trop facilement de l'absence. Les traits les plus marquants d'un caractère se forment et s'accusent avant qu'on en ait pris conscience. Mais pouvais-je déjà comprendre le sens de ce qui se dessinait en moi?...

Et pourtant ce n'était pas l'Evangile que Pierre Louis [1] surprenait entre mes mains, à la récréation du soir, mais bien le *Buch der Lieder* de Henri Heine, que je lisais dans le texte, à présent. Nous venions de composer en français. Pierre Louis, que je retrouvais en rhétorique, n'avait pas cessé, lui, de suivre les classes. C'était mieux qu'un brillant élève; une sorte de génie l'habitait et ce qu'il faisait de mieux c'était avec le plus de grâce. A chaque nouveau concours de français, la place de premier lui revenait sans conteste; il précédait de loin les suivants. Dietz, notre professeur, annonçait d'une voix amusée, ce que déjà si souvent avaient annoncé les professeurs des autres classes : — Premier, Louis. Personne n'osait lui disputer cette place; personne même n'y songeait; moi pas plus que les autres, assurément — habitué depuis nombre d'années à travailler seul, nerveux et beaucoup moins stimulé que gêné par la présence de vingt-cinq camarades. Et tout à coup, sans que j'eusse, me semblait-il, particulièrement mérité, à cette composition-là :

« Premier, Gide », commença Dietz, qui donnait le résultat du classement.

Il dit cela de sa voix la plus haute, comme on jette un défi, avec accompagnement d'un gros coup de poing sur le pupitre de la chaire, et, circulairement, par-dessus ses lunettes, un sourire amusé qui débordait. Dietz était devant sa classe comme un organiste devant son clavier; ce maestro tirait de nous, à son gré, les sons les plus inattendus, les moins espérés par nous-mêmes. Parfois on eût dit

1. Qui signera plus tard Pierre Louÿs. (*Note de l'éditeur.*)

qu'il s'en divertissait un peu trop, comme il advient aux virtuoses. Mais que ses cours étaient amusants! J'en sortais surnourri, gonflé. Et combien j'aimais sa voix chaude! et cette affectation d'indolence qui le couchait à demi dans le fauteuil de sa chaire, de travers, une jambe passée sur un bras du fauteuil, le genou à hauteur du nez...

« Premier, Gide! »

Je sentis se diriger vers moi tous les regards. Je fis, pour ne pas rougir, un effort énorme, qui me fit rougir davantage; la tête me tournait; mais je n'étais point tant satisfait de ma place, que consterné à l'idée de mécontenter Pierre Louis. Comment prendrait-il cet affront! S'il allait me haïr! En classe je n'avais d'yeux que pour lui; il ne s'en doutait pas, assurément; jusqu'à ce jour je n'avais pas échangé avec lui vingt paroles; il était très exubérant, mais j'étais déplorablement timide, perclus de réticences, paralysé de scrupules. Pourtant, ces temps derniers, j'avais pris une résolution : j'irais à lui; je lui dirais : Louis, il faut à présent que nous causions. Si quelqu'un peut te comprendre ici, c'est moi... Oui, vraiment, je me sentais à la veille de lui parler. Et tout à coup, la catastrophe :

« Second, Louis. »

Et de loin, de plus loin que jamais, me disais-je, je le regardais qui appointait un crayon, avec l'air de ne rien entendre, mais un peu crispé, un peu pâle, me semblait-il. Je le regardais entre mes doigts, ayant mis ma main devant mes yeux, quand je m'étais senti rougir.

A la récréation qui suivit, je m'en allai, selon ma coutume, dans un couloir vitré qui menait à la cour où jouaient bruyamment les autres; là j'étais

seul; là, préservé. Je sortis de ma poche le *Buch
der Lieder* et commençai de relire :

> *Das Meer hat seine Perlen;*
> *Der Himmel hat seine Sterne*

consolant avec son amour mon cœur en peine
d'amitié,

> *Aber mein Herz, mein Herz,*
> *Mein Herz hat seine Liebe.*

Des pas derrière moi. Je me retourne. C'était
Pierre Louis. Il portait une veste à petits carreaux
noirs et blancs, aux manches trop courtes; un col
déchiré, car il était batailleur; une cravate flottante... Je le revois si bien! un peu dégingandé,
comme un enfant grandi trop vite, flexible, délicat;
le désordre de ses cheveux cachait à demi son beau
front. Il était contre moi avant que j'aie eu le
temps de me ressaisir, et tout de suite :

« Qu'est-ce que tu lis là? » me dit-il.

Incapable de parler, je lui tendis mon livre. Il
feuilleta le *Buch der Lieder* un instant :

« Tu aimes donc les vers? » reprit-il avec un ton
de voix, un sourire que je ne lui connaissais pas
encore.

Alors quoi! ce n'était pas en ennemi qu'il venait.
Mon cœur fondait.

« Oui, je connais ceux-là, continua-t-il en me
rendant le petit livre. Mais, en allemand, je préfère
ceux de Gœthe. »

Craintivement, je hasardai :

« Je sais que tu en fais. »

Récemment on s'était passé de main en main,
dans la classe, un poème burlesque que Louis avait

remis à Dietz en guise de pensum, pour avoir
« grogné » pendant la classe.

« Monsieur Pierre Louis, vous me ferez pour
lundi prochain trente vers sur le grognement »,
avait dit Dietz.

J'avais appris par cœur la pièce (je crois que je
la sais encore); elle était d'un écolier sans doute,
mais prodigieusement bien venue. Je commençai
de la lui réciter. Il m'interrompit en riant.

« Oh! ceux-là ne sont pas sérieux. Si tu veux, je
t'en montrerai d'autres; des vrais. »

Il était d'une juvénilité exquise; une sorte de
bouillonnement intérieur secouait, on eût dit, le
couvercle de sa réserve, dans une sorte de bégaie-
ment passionné qui me paraissait le plus plaisant
du monde.

La cloche sonna, qui mit fin à la récréation et,
partant, à notre causerie. J'avais mon suffisant de
joie pour ce jour. Mais les jours suivants il y eut
un retombement. Que s'était-il passé? Louis ne
m'adressait plus la parole; il semblait qu'il m'eût
oublié. C'est, je crois, que par une craintive pudeur, pareille à celle des amoureux, il voulait dérober aux autres le secret de notre naissante amitié.
Mais je ne le comprenais pas ainsi; je jalousais
Glatron, Gouvy, Brocchi, ceux avec qui je le voyais
parler; j'hésitais à m'approcher de leur groupe; ce
qui me retenait n'était point tant la timidité que
l'orgueil; je répugnais à me mêler aux autres, et
n'admettais point que Louis m'assimilât à eux.
J'épiais l'occasion de le rencontrer seul; elle s'offrit
bientôt.

J'ai dit que Louis était querelleur; comme il
était plus bouillant que robuste, il avait souvent le
dessous. Ces empoignades entre copains de l'Ecole

Alsacienne n'étaient pas bien féroces; elles ne rappelaient en rien les brimades du lycée de Montpellier. Mais Louis était taquin; il provoquait; et, dès qu'on le touchait, se débattait en forcené; ce dont ses vêtements avaient parfois beaucoup à souffrir. Ce jour-là, il y laissa sa casquette, qui s'en alla voler au loin, qui retomba de mon côté, dont subrepticement je m'emparai, et que je cachai sous ma veste, avec le propos, qui déjà me faisait battre le cœur, de la rapporter chez lui tout à l'heure. (Il habitait presque à côté.)

« Certes, il sera touché de cette attention, me disais-je; il me dira sans doute : Mais entre donc. Je refuserai d'abord. Et puis j'entrerai tout de même. Nous causerons. Peut-être qu'il me lira de ses vers... »

Tout ceci se passait après la classe. Je laissai les autres s'éloigner et sortis le dernier. Devant moi, Louis marchait sans se retourner; et, sitôt dans la rue, il pressa son allure; j'emboîtai le pas. Il arriva devant sa porte. Je le vis s'engager dans un vestibule obscur, et quand j'y pénétrai moi-même, j'entendis son pas dans l'escalier. C'est au second qu'il habitait. Il atteignit le palier, sonna... Alors, vite, avant que la porte aussitôt ouverte ne se refermât entre nous, je criai, d'une voix qui s'efforçait d'être amicale, mais que l'émotion étranglait :

« Eh! Louis! Je te rapporte ta casquette. »

Mais, en retour, du haut des deux étages, tombèrent sur mon pauvre espoir ces mots écrasants :

« C'est bien. Pose-la chez le concierge. »

Ma déconvenue ne fut que de courte durée. Le surlendemain un entretien pressant y mit fin, qui fut suivi de beaucoup d'autres; et, bientôt après,

j'avais pris le pli de m'arrêter chez Louis à la
sortie de la classe du soir, autant de fois et aussi
longtemps que nos leçons du lendemain le permettaient. Ma mère avait demandé à connaître ce
nouvel ami, des mérites duquel je lui rebattais les
oreilles. Avec quel tremblement je l'amenai rue de
Commaille. S'il allait n'être pas agréé!

Les bonnes manières de Louis, son tact et sa
décence me rassurèrent, aussitôt que je l'eus présenté; et j'eus l'immense plaisir, après qu'il fut
parti, d'entendre ma mère déclarer :

« Il est très bien élevé, ton ami. » Puis, comme
se parlant à elle-même, elle ajouta : « Et cela
m'étonne. »

Je hasardai timidement :

« Pourquoi?

— Ne m'as-tu pas dit qu'il a perdu ses parents
de bonne heure et qu'il vit seul avec un frère aîné?

— Il faut croire, arguai-je, que ces bonnes manières lui sont naturelles. »

Mais maman tenait pour l'éducation. Elle eut
un petit geste de la main (qui rappelait un peu
celui de sa sœur) où je pouvais lire : Je sais très
bien ce que je pourrais répondre, mais je préfère
ne pas discuter; puis par conciliation elle ajouta :

« Enfin c'est certainement un garçon distingué. »

Quelque temps après cette présentation, Louis
me proposa de l'accompagner un dimanche à la
campagne. Nous irions dans les bois de Meudon
par exemple, que déjà je connaissais aussi bien
que le Luxembourg, mais à quoi notre nouvelle
amitié saurait prêter tous les mystères du Laby-
rinthe. La seule ombre de ce projet c'était la promesse que j'avais faite à Louis d'apporter des vers
à mon tour; de mes vers... En lui disant que j'en

faisais je m'étais beaucoup avancé; j'étais, il est
vrai, tourmenté par un constant désir de poésie;
mais rien n'était plus embarrassé que ma muse. Au
vrai, tout mon effort tendait à « traduire en vers »
des pensées auxquelles j'attachais beaucoup trop
d'importance — à la manière de Sully Prudhomme,
dont je raffolais alors et dont l'exemple et le
conseil étaient bien les plus pernicieux que pût
écouter et suivre l'écolier sentimental que j'étais.
Je me laissais affreusement gêner par les rimes; loin
d'être escortée, guidée, soutenue par elles, mon
émotion se fatiguait et s'épuisait à leur poursuite,
et je n'avais rien pu mener à bien jusqu'alors. Le
samedi qui précéda cette sortie, je peinai désespérément, mais ne parvins, ô désespoir! à dépasser
la seconde strophe d'un poème qui commençait
ainsi :

> J'ai voulu lui parler, il ne m'a pas compris.
> Quand j'ai dit que j'aimais, il s'est mis à sourire.
> J'aurais dû mieux choisir les mots pour le lui dire,
> De mon amour secret feindre quelque mépris,
> Ne pas paraître ému, peut-être même en rire.

La suite ne valait rien, et j'enrageais de le sentir.
Mais, racontai-je à Pierre Louis pour expliquer
ma maladresse, un livre, un projet de livre, habitait uniquement mon cœur, m'occupait tout entier, me désœuvrait de tout le reste. C'était *André
Walter* que déjà je commençais d'écrire et que
j'alimentais de toutes mes interrogations, de tous
mes débats intérieurs, de tous mes troubles, de
toutes mes perplexités; de mon amour, surtout,
qui formait proprement l'axe du livre et autour de
quoi je faisais tout le reste graviter.

Ce livre se dressait devant moi et fermait ma

vue, au point que je ne supposais pas que je pusse jamais passer outre. Je ne parvenais pas à le considérer comme le premier de ma carrière, mais comme un livre unique, et n'imaginais rien au-delà; il me semblait qu'il devait consumer ma substance; après, c'était la mort, la folie, je ne sais quoi de vide et d'affreux vers quoi je précipitais avec moi mon héros. Et je n'aurais plus su dire bientôt qui de nous deux guidait l'autre, car si rien n'appartenait à lui que je ne pressentisse d'abord et dont je ne fisse pour ainsi dire l'essai en moi-même, souvent aussi, poussant ce double en avant de moi, je m'aventurais à sa suite, et c'est dans *sa* folie que je m'apprêtais à sombrer.

Il s'en fallait encore de plus d'un an que je pusse m'atteler vraiment à ce livre; mais j'avais pris l'habitude de tenir un journal, par besoin d'informer une confuse agitation intérieure; et maintes pages de ce journal ont été transcrites telles quelles dans ces *Cahiers*. La préoccupation où je vivais avait ce grave inconvénient d'absorber introspectivement toutes mes facultés attentives; je n'écrivais et ne souhaitais rien écrire que d'intime; je dédaignais l'histoire, et les événements m'apparaissaient comme d'impertinents dérangeurs. Aujourd'hui que je n'admire peut-être rien tant qu'un récit bien fait, une irritation me prend à relire ces pages; mais, en ce temps, loin de comprendre que l'art ne respire que dans le particulier, je prétendais le soustraire aux contingences, tenais pour contingent tout contour précis, et ne rêvais que quintessence.

Pierre Louis m'eût-il encouragé dans ce sens j'étais perdu. Heureusement il n'avait garde, artiste autant que j'étais musicien. On n'imaginerait pas deux natures plus dissemblables, et c'est pourquoi je trouvais à sa fréquentation un si extraordinaire profit. Mais à quel point nous différions, c'est ce que nous ne savions pas encore. Un égal amour pour la littérature et les arts nous rapprochait; il nous semblait (avions-nous tort?) que cet amour seul importait.

L'année suivante nous sépara. Georges Louis s'installa à Passy. C'est à Janson que mon ami devait faire sa philosophie. Quant à moi je décidai, je ne sais trop pourquoi, de lâcher l'Ecole Alsacienne pour Henri-IV. Ou plus exactement je décidai de ne suivre bientôt plus aucun cours, mais bien de préparer mes examens tout seul, avec le secours de quelques répétitions. L'initiation à la sagesse, que je voulais que fût cette classe de philosophie, nécessitait à mon avis la retraite. Dès après le premier trimestre, je séchai le lycée.

IX

ENTRAINÉ par mon récit, je n'ai su parler en son
temps de la mort d'Anna. C'est en mai 84 qu'elle
nous quitta. Nous l'avions accompagnée, ma mère
et moi, dix jours auparavant, à la maison de santé
de la rue Chalgrin, où on devait l'opérer d'une
tumeur qui depuis assez longtemps la déformait et
l'oppressait. Je la laissai dans une petite chambre
banale, propre et froide; et je ne la revis plus.
L'opération réussit, il est vrai, mais la laissa trop
affaiblie; Anna ne put s'en remettre et prit congé
de la vie à sa modeste manière, si doucement et
discrètement qu'on ne s'aperçut point qu'elle mourait, mais seulement qu'elle était morte. Je fus
extrêmement affecté à la pensée que ni ma mère, ni
moi, n'avions pu l'entourer à son heure dernière,
qu'elle ne nous avait pas dit adieu et que ses derniers regards n'avaient rencontré que des visages
étrangers. Durant des semaines et des mois m'habita l'angoisse de sa solitude. J'imaginais, j'entendais l'appel désespéré, puis le retombement, de
cette âme aimante que tout, sauf Dieu, désertait; et
c'est l'écho de cet appel qui retentit dans les dernières pages de ma *Porte étroite*.

Aussitôt après ma rhétorique, Albert Démarest proposa de faire mon portrait. J'avais pour mon cousin, je l'ai dit, une sorte d'admiration tendre et passionnée; il personnifiait à mes yeux l'art, le courage, la liberté; mais, bien qu'il me témoignât une affection des plus vives, je restais inquiet près de lui, arpentant impatiemment le peu d'espace que j'occupais dans son cœur et dans sa pensée, soucieux sans cesse des moyens de l'intéresser à moi davantage. Sans doute Albert était-il aussi soucieux de tempérer mes sentiments, que je l'étais de les exagérer au contraire. Je souffrais indistinctement de sa réserve, et je ne puis croire aujourd'hui qu'il ne m'aurait pas rendu plus grand service en s'en départant.

Sa proposition me surprit. Il ne s'agissait tout d'abord que de lui servir de modèle pour le tableau qu'il voulait présenter au Salon, où figurait un violoniste. Albert m'arma d'un violon, d'un archet, et durant de longues séances je crispai mes doigts sur les cordes de l'instrument, m'évertuant à garder une pose où devait se profiler l'âme du violon et la mienne.

« Prends un air douloureux », me disait-il. Et certes je n'y avais aucun mal, car le maintien de cette position surtendue devenait vite une torture. Mon bras replié s'ankylosait; l'archet allait s'échapper de mes doigts...

« Allons! repose-toi. Je vois que tu n'en peux plus. »

Mais je craignais, si je la quittais, de ne pouvoir retrouver la pose.

« Je tiens encore. Va toujours. »

Puis, au bout d'un instant, l'archet tombait. Albert déposait palette et pinceaux, et nous nous

mettions à causer. Albert me racontait sa vie. Mon
oncle et ma tante s'étaient longtemps opposés à ses
goûts, de sorte qu'il n'avait commencé de travailler
sérieusement que très tard. A quarante ans il tâ-
tonnait encore, trébuchait, reprenait sans cesse, et
n'avançait que sur terrain rebattu. De sensibilité
vive, mais de pinceau lourd et maladroit, tout ce
qu'il peignait restait déplorablement en deçà de
lui-même; il avait conscience de son impuissance,
mais à chaque nouveau tableau, l'espoir d'en
triompher par excès d'émotion l'exaltait. D'une
voix tremblante et avec les larmes aux yeux, il me
racontait son « sujet », en me faisant promettre
de n'en parler à personne. Les sujets des tableaux
d'Albert n'avaient le plus souvent qu'un rapport
assez peu direct avec la peinture; lignes et couleurs, il les appelait à la rescousse et se désolait de
leur peu de docilité. Sa défiance, son tremblement,
se confessaient malgré lui dans ses toiles, leur prêtant, indépendamment de ce qu'il voulait y dire,
une sorte de grâce plaintive qui restait leur plus
réelle qualité. Avec un peu plus d'assurance, un
peu plus d'ingénuité, ces mêmes maladresses eussent pu le servir; mais, par conscience, par modestie, il s'appliquait sans cesse à les corriger et ne
parvenait qu'à banaliser ses velléités les plus exquises. Si inexpérimenté que je fusse encore, je
devais bien reconnaître qu'Albert, dans le monde
des arts, malgré tout son trésor intérieur, ne faisait
pas figure de héros; mais en ce temps je croyais,
moi aussi, l'émotion de souveraine efficace, et partageais son espoir de voir soudain un de ses « sujets » triompher.

« Je voudrais, comprends-tu, mettre en peinture
ce sentiment que Schumann exprime dans sa mé-

lodie : l'*Heure du Mystère*. Ce serait le soir; sur
une espèce de colline, une forme de femme,
étendue, voilée dans les vapeurs du couchant, ten-
drait les bras vers une créature ailée qui descendrait vers elle. Je voudrais mettre dans les ailes de
l'ange quelque chose de frémissant — et ses mains
simulaient des battements d'ailes — de tendre,
d'éperdu comme la mélodie »; et il chantait :

> Le ciel étreint la terre
> Dans un baiser d'amour.

Puis il me montrait des esquisses, où l'abondance
des nuées dissimulait de son mieux les formes de
l'ange et de la femme, c'est-à-dire l'insuffisance du
dessin.

« Naturellement, disait-il en manière d'excuse
et de commentaire, naturellement je devrai me reporter au modèle. » Puis il ajoutait soucieuse-
ment : « On ne se figure pas ce que c'est embêtant,
dans notre métier, ces questions de modèles.
D'abord ça coûte horriblement cher... »

Ici j'ouvre une parenthèse : Albert, depuis qu'il
avait hérité sa part de la fortune de son père, se
serait trouvé dans une position presque aisée s'il
n'avait assumé les charges secrètes que je vais être
amené à dire. Mais la crainte de n'y point suffire
le tourmentait sans cesse, l'obsédait. Au surplus,
cette crainte de la dépense était dans sa nature; il
l'avait toujours eue.

« Que veux-tu, disait-il; c'est plus fort que moi.
J'ai toujours été regardant. C'est un défaut dont
j'ai honte, mais dont je n'ai jamais pu me corriger.
Quand, il y a vingt ans, je suis parti pour l'Algérie, j'emportais avec moi une petite somme que
j'avais mise de côté pour le voyage; ma crainte

se sent coupable de
de pense

de trop dépenser a fait que je l'ai rapportée
presque intacte; là-bas, niaisement, je me refusais
tout plaisir. »

Certes ce n'était point de l'avarice, mais bien,
chez cet être au contraire si foncièrement généreux, une forme de la modestie. Et tout ce que
lui coûtait sa peinture (car il n'était jamais assuré
de la vendre) il se le reprochait. Il lésinait misérablement, préoccupé sans cesse de ne pas gâcher
de la toile, ni d'employer trop de couleurs. Il lésinait surtout sur les séances de modèles.

« Et puis, continuait-il, je ne trouve jamais de
modèles à ma convenance; jamais exactement; et
puis jamais ces gens-là ne comprennent ce qu'on
leur demande. Tu ne peux pas imaginer ce qu'ils
sont bêtes. Ce qu'ils vous mettent devant les yeux
est toujours si différent de ce que l'on voudrait!
Il y a des peintres qui interprètent, je sais bien;
d'autres qui se fichent du sentiment. Moi je suis
toujours gêné par ce que je vois. Et d'un autre
côté, je n'ai pas assez d'imagination pour pouvoir
me passer de modèle... Enfin, c'est ridicule, mais
pendant tout le temps de la pose, je reste tourmenté par la crainte que le modèle ne se fatigue;
je me retiens tout le temps pour ne pas le prier
de se reposer. »

Mais l'empêchement principal était celui qu'Albert n'osait avouer à personne, et que je ne fus à
même de comprendre que deux ans plus tard.
Depuis quinze ans, à l'insu de tous les siens, de
son frère même, Albert vivait conjugalement avec
une compagne dont le jaloux amour supportait
mal de le voir s'enfermer des heures durant avec
une femme jeune, belle et aussi dévêtue que
« l'heure du mystère » le comportait.

Pauvre cher Albert! Je ne sais qui de nous deux était le plus ému, le jour où il me fit confidence du secret de sa double vie. Rien de plus pur, de plus noble, de plus fidèle, que son amour; et rien de plus craintif ni de plus absorbant. Il avait installé celle qu'il appelait déjà sa femme et qu'il devait plus tard épouser, dans un petit appartement de la rue Denfert, où il s'ingéniait à l'envelopper de confort; et elle s'ingéniait à augmenter les modiques ressources de leur ménage, par des travaux de couture fine et de broderie. Je fus surtout frappé, lorsqu'il m'introduisit près d'elle, par l'extrême distinction de ma cousine Marie; son beau visage, patient et grave, s'inclinait pensivement dans l'ombre; elle ne parlait qu'à demi-voix; le bruit semblait l'effaroucher autant que la pleine lumière, et je crois que c'est par humilité qu'elle ne demandait point à Albert de légitimer une situation que la naissance d'une petite fille avait depuis longtemps consacrée. Albert, malgré son aspect herculéen, était le plus timide des êtres. Il reculait devant le chagrin que pourrait causer à sa mère ce que celle-ci considérerait sûrement comme une mésalliance. Il avait peur du jugement de tous et de chacun, de sa belle-sœur en particulier; ou plus exactement, il redoutait l'ombre que ces méjugements pourraient porter sur son ménage. Il préférait, lui si franc, si ouvert, les louvoiements sournois à quoi cette fausse situation l'obligeait. Avec cela très scrupuleux, soucieux d'autant plus de ne rien rogner sur ce qu'il estimait devoir à sa mère, il partageait son cœur, son temps et ne vivait jamais qu'à cloche-pied. Ma tante, dont il restait le seul compagnon depuis la mort de mon oncle et le mariage de mes autres cousins,

le traitait en grand enfant écervelé et se persua-
dait qu'il ne saurait se passer d'elle; il prenait
avec elle un dîner sur deux et rentrait coucher
chez elle tous les soirs. Pour protéger son secret,
Albert évoquait une amitié qui tenait, à vrai dire,
dans sa vie presque autant de place que son
amour; mais reconnue, celle-ci, admise, et même
que sa mère voyait d'un assez bon œil. Chaque
repas qu'Albert n'accordait pas à ma tante, c'est
avec son ami Simon qu'il était censé le prendre;
c'est près de lui qu'il était censé s'attarder.
M. Simon était célibataire, et rien ne paraissait
moins suspect que l'association de ces deux vieux
garçons. Le manteau de cette amitié couvrait de
même les longues absences d'Albert et ses villégia-
tures conjugales durant les mois d'été que ma
tante passait à La Roque ou à Cuverville.

Edouard Simon était juif; mais, sinon peut-être
sur les traits de son visage, les caractères de sa
race étaient, me semble-t-il, on ne peut moins
marqués; ou peut-être étais-je trop jeune pour
savoir les reconnaître. Edouard Simon vivait très
modestement, bien qu'il ne fût pas sans fortune;
il n'avait de goût, de besoin, que d'aider et de
secourir. Ancien ingénieur, il n'exerçait d'autre
profession, depuis longtemps, que celle de phi-
lanthrope. En rapport à la fois avec les ouvriers
en quête d'ouvrage et les patrons en quête d'ouvriers, il avait organisé chez lui une sorte d'agence
gratuite de placement. Sa journée se passait en
visites de pauvres, en courses, en démarches. Je
crois que le poussait l'amour moins de chaque
homme en particulier que de l'humanité tout entière et, plus abstraitement encore : de la justice.
Il donnait à sa charité l'allure d'un devoir social;

et, tout de même, en cela se montrait très juif.

Auprès d'une vertu si active, si pratique, auprès de ses résultats évidents, le pauvre Albert prenait honte de sa chimère, à laquelle son ami, force était de s'en convaincre, n'entendait rien.

« J'aurais besoin d'être encouragé, soutenu, me disait Albert tristement. Edouard feint de s'intéresser à ce que je fais; mais c'est par affection pour moi; au fond il ne comprend que ce qui est utile. Ah! vois-tu, il me faudrait faire un chef-d'œuvre pour me prouver à moi-même que je ne suis pas un vaurien. »

Alors il passait son énorme main veinée et velue sur son front déjà dégarni, et je voyais, un instant après, ses sourcils bourrus tout ébouriffés et ses grands bons yeux pleins de larmes.

Je n'étais peut-être pas d'abord très sensible à la peinture — moins qu'à la sculpture assurément — mais animé par un tel désir, un tel besoin de compréhension, que mes sens bientôt s'affinèrent. Certain jour que, par expérience, Albert avait laissé traîner une photographie sur sa table, il fut ravi parce que j'y reconnus à première vue un dessin de Fragonard; et je m'étonnai à mon tour de son étonnement même, car il ne me paraissait pas que personne eût pu s'y tromper. Il hochait la tête et souriait en me regardant :

« Il faudra que je te mène chez le *patron,* dit-il enfin. Ça t'amusera de voir son atelier. »

Albert avait été l'élève de Jean-Paul Laurens; il gardait pour celui qu'il appelait toujours « le patron » des sentiments de chien, de fils et d'apôtre. Jean-Paul Laurens occupait alors, rue Notre-Dame-des-Champs, un assez incommode appartement flanqué de deux grands ateliers; l'un,

pensée, dont bientôt il me fit part. Sa fille, qui maintenant avait plus de douze ans, se révélait musicienne. Albert, dont les doigts, au piano, restaient aussi maladroits que ses pinceaux sur la toile, rêvait de prendre sa revanche avec elle; il reportait sur Antoinette ses espoirs et ses ambitions.

« Je veux en faire une pianiste, me disait-il. Cela me consolera. J'ai trop souffert de n'avoir pas travaillé quand j'étais jeune. Il est temps qu'elle s'y mette. »

Or, ma mère, dont les yeux enfin s'étaient ouverts sur la médiocrité des leçons de piano que j'avais reçues jusqu'alors, et sur le profit que je pourrais tirer de leçons meilleures, avait depuis vingt mois confié mon instruction musicale à un maître des plus remarquables, Marc de la Nux, qui m'avait aussitôt fait faire des progrès surprenants. Albert me demanda si je pensais pouvoir, à mon tour, donner des leçons à ma cousine et lui transmettre quelque reflet de cet excellent enseignement; car, reculant devant la dépense, il n'osait s'adresser à M. de la Nux lui-même. Je commençai tout aussitôt, gonflé par l'importance de mon rôle et par la confiance d'Albert, que je travaillai donc à mériter. Ces leçons bi-hebdomadaires, auxquelles, durant deux ans, je mis un point d'honneur à ne point manquer, me furent de profit aussi grand qu'à mon élève, dont par la suite le vieux père de la Nux s'occupa directement. Si j'avais à gagner ma vie, je me ferais professeur; professeur de piano, de préférence; j'ai la passion de l'enseignement et, pour peu que l'élève en vaille la peine, une patience à toute épreuve. J'en fis plus d'une fois l'expérience et

j'ai cette fatuité de croire que mes leçons valaient
celles des maîtres les meilleurs. Ce que celles du
père de la Nux furent pour moi, si je ne l'ai pas
dit encore, c'est par crainte de trop m'y étendre;
mais le moment est venu d'en parler.

Les leçons de Mlle de Gœcklin, de M. Schifmacker, de M. Merriman surtout, étaient on ne
peut plus rebutantes. De loin en loin je revoyais
M. Gueroult, qui veillait à ce que le « feu
sacré », comme il disait, ne s'éteignît point; mais,
même plus suivis, les conseils de ce dernier n'eussent pu me mener bien loin. M. Gueroult était
trop égoïste pour bien enseigner. Quel pianiste
eût fait de moi M. de la Nux, si je lui eusse été
confié plus tôt! Mais ma mère partageait cette
opinion courante que, pour les débuts, tous les
maîtres se valent. Dès la première séance, Marc de
la Nux entreprit de tout réformer. Je croyais
n'avoir point de mémoire musicale ou que très
peu; je n'apprenais par cœur un morceau qu'à
force de le ressasser, me reportant au texte sans
cesse, perdu dès que je le quittais des yeux. De
la Nux s'y prit si bien qu'en quelques semaines
j'avais retenu plusieurs fugues de Bach sans seulement avoir ouvert le cahier; et je me souviens
de ma surprise en retrouvant, écrite en *ut* dièse,
celle que je croyais jouer en *ré* bémol. Avec lui
tout s'animait, tout s'éclairait, tout répondait à
l'exigence des nécessités harmoniques, se décom-
posait et se recomposait subtilement; je comprenais. C'est avec un pareil transport, j'imagine, que
les apôtres sentirent descendre sur eux le Saint-
Esprit. Il me semblait que je n'avais fait jusqu'à
présent que répéter sans les vraiment entendre
les sons d'une langue divine, que tout à coup je

devenais apte à parler. Chaque note prenait sa
signification particulière, se faisait mot. Avec quel
enthousiasme je me mis à étudier! Un tel zèle me
soulevait, que les plus rebutants exercices devinrent mes préférés. Certain jour, après ma leçon,
ayant cédé la place à un autre élève, je m'attardai
sur le palier, derrière la porte refermée mais qui
ne m'empêchait point d'entendre. L'élève qui
m'avait remplacé, non plus âgé que moi peut-être,
joua le morceau même qu'alors j'étudiais, la
grande *Fantaisie* de Schumann, avec une vigueur,
un éclat, une sûreté, à quoi je ne pouvais encore
prétendre; et je demeurai longtemps, assis sur
une marche de l'escalier, à sangloter de jalousie.

M. de la Nux semblait prendre le plus vif plaisir à m'instruire, et ses leçons se prolongeaient
souvent bien au-delà de l'heure convenue. Je
ne connus que longtemps ensuite la démarche qu'il
fit auprès de ma mère; il tâcha de la persuader
qu'il valait la peine de sacrifier à la musique le
reste de mon instruction, déjà suffisamment avancée disait-il; il la pria de me confier à lui complètement. Ma mère avait hésité, eut recours au
conseil d'Albert, puis enfin prit sur elle de refuser,
estimant que j'aurais dans la vie mieux à faire
qu'à simplement interpréter l'œuvre d'autrui; et,
pour ne point éveiller en moi de vaine ambition,
elle pria M. de la Nux de ne me rien dire de ses
propositions (je dois ajouter qu'elles étaient parfaitement désintéressées). Et tout cela je ne l'appris
que beaucoup plus tard, par Albert, alors qu'il
n'était plus temps d'y revenir.

Au cours des quatre années que je restai sous la
direction de M. de la Nux, une grande intimité
s'était établie entre nous. Même après qu'il eut

cessé de m'instruire (à mon grand regret, je l'entendis un jour me déclarer qu'il m'avait appris
à me passer de lui, et mes protestations ne purent
le décider à continuer des leçons qu'il jugeait
désormais inutiles), je continuai de le fréquenter
assidûment. J'avais pour lui une sorte de vénération, d'affection respectueuse et craintive, semblable à celle que je ressentis un peu plus tard
auprès de Mallarmé, et que je n'éprouvai jamais
que pour eux deux. L'un comme l'autre réalisait
à mes yeux, sous une de ses formes les plus rares,
la sainteté. Un ingénu besoin de révérence inclinait devant eux mon esprit.

Marc de la Nux n'était pas seulement un professeur; sa personnalité même était des plus marquées, sa vie tout entière admirable. Il avait
fait de moi son confident. J'ai noté de ses propos, nombre de conversations que j'eus avec lui,
surtout dans les derniers temps de sa vie; celles-ci
me paraissent encore, à les relire, d'un intérêt
extrême; mais elles chargeraient trop mon récit.
Je ne puis ici que tracer rapidement son portrait :

Marc de la Nux était né à la Réunion, comme
son cousin Leconte de Lisle. Il devait à son origine ses cheveux à demi crépus, qu'il portait assez
longs et rejetés en arrière, son teint olivâtre et
son regard languide. Tout son être respirait un
bizarre mélange de fougue et de nonchaloir. La
main qu'il vous tendait fondait dans la vôtre
plus qu'aucune autre main de pianiste que j'aie
serrée, et son grand corps dégingandé semblait
tout de cette même étoffe. Il donnait ses leçons
debout, arpentant la pièce, ou appuyé contre un
grand piano à queue, dont il ne se servait pas

pour l'étude, les coudes en avant et le buste penché, d'une main soutenant son front bombé.
Sanglé dans une longue redingote de coupe romantique, le col relevé par une cravate de mousseline
à double tour et à tout petit nœud haut placé,
sous certain éclairage qui faisait valoir la saillie
de ses pommettes et le ravalement de ses joues,
il ressemblait extraordinairement au portrait de
Delacroix par lui-même. Une sorte de lyrisme,
d'enthousiasme, l'animait parfois et il devenait
alors vraiment beau. Par modestie je crois, il
consentait rarement à se mettre au piano devant
moi, ou seulement pour quelque indication passa-
gère; par contre, il ressortait volontiers (avec moi
du moins) un violon, qu'il tenait caché d'ordinaire
et dont il prétendait jouer fort mal, bien que,
dans les sonates que nous lûmes ensemble, il tînt
sa partie beaucoup mieux que je ne tenais la
mienne. De son humeur je ne dirai donc rien, de
crainte de me laisser entraîner; mais je ne me
retiens pas de rapporter ce petit trait, qui peint
tout l'homme :

Il trouvait qu'on élevait très mal ses petits-
enfants.

« Tenez, me disait-il en s'en ouvrant à moi, je
vais vous donner un exemple : chaque mercredi
soir la petite Mimi vient coucher ici (c'était la
seconde de ses petites-filles). Dans la chambre
qu'elle occupe, il y a un réveille-matin; la petite
s'en plaint; elle dit que le tic-tac l'empêche de
dormir. Savez-vous ce qu'a fait Mme de la Nux?
Elle a enlevé le réveille-matin. Alors comment
voulez-vous que la petite s'habitue? »

Et ceci me fait penser à ce mot exquis de
Mlle de Marcillac, certain jour que je tombai chez

elle, à Genève, au milieu d'une réunion de vieilles filles. L'une d'elles parlait de sa petite-nièce qui manifestait une particulière horreur pour ces grosses larves de hanneton qu'on appelle communément « turcs », ou « vers blancs ». Sa mère avait résolu de triompher de cette répugnance.

« Savez-vous comment elle s'y est prise? Elle a imaginé de lui en faire manger, à la pauvre enfant!

— Mais, s'écria Mlle de Marcillac, il y avait de quoi l'en dégoûter pour toute la vie! »

Peut-être ne verra-t-on pas bien le rapport. Laissons.

L'Ecole Alsacienne, excellente dans les basses classes, passait en ce temps pour insuffisante dans les classes supérieures. La rhétorique allait encore, mais pour la philosophie, ma mère se laissa persuader que les cours d'un lycée seraient préférables, et décida que je ferais la mienne à Henri-IV. Cependant je m'étais promis de préparer le nouvel examen tout seul, ou avec l'aide de quelques leçons particulières. (N'avais-je pas, en deux ans de semblable régime, rattrapé cinq années de friche?) L'étude de la philosophie me paraissait alors exiger un recueillement peu compatible avec l'atmosphère des classes et la promiscuité des camarades. Je quittai donc le lycée dès le troisième mois. M. L..., dont je suivis le cours à Henri-IV, accepta de me guider dans les sentiers de la métaphysique et de corriger mes devoirs. C'était un petit homme, sec et court — j'entends quant à l'esprit, car de corps il était long et mince; sa voix grêle et sans harmoniques eût morfondu la plus avenante pensée; mais, dès avant qu'il l'exprimât, la pensée dont il s'était saisi, l'on sentait qu'il la dépouillait de toute fleur, de toute branche, et qu'elle ne pouvait qu'à l'état de concept trouver place en ce triste esprit. Son enseignement distillait l'ennui le plus pur. J'éprouvais avec lui le même désenchantement qu'avec M. Couve lors de mon instruction religieuse. Quoi! c'était là cette science suprême dont j'espérais l'éclaircissement de ma vie, ce sommet de la connaissance d'où l'on pût contempler l'univers... Je me consolais avec Schopenhauer. Je pénétrai dans son *Monde comme représentation et comme volonté* avec un ravissement indicible, le lus de part en part, et le relus avec une application de pensée dont, durant de longs mois, aucun appel du dehors ne put me distraire. Je me suis mis plus tard sous la tutelle d'autres maîtres et que, depuis, j'ai de beaucoup préférés : Spinoza, Descartes, Leibniz, Nietzsche enfin; je crois même m'être assez vite dégagé de cette première influence; mais mon initiation philosophique, c'est à Schopenhauer, et à lui seul, que je la dois.

Recalé en juillet, je passai tant bien que mal, en octobre, la seconde partie de mon baccalauréat, que je considérais comme devant clore la première partie de mes études. Nullement désireux de pousser jusqu'à la licence, de faire du droit, ou de me préparer à n'importe quel autre examen, je résolus de me lancer tout aussitôt dans la carrière. Ma mère obtint de moi, néanmoins, la promesse de travailler encore, avec M. Dietz, l'an suivant; n'importe! je me sentais dès lors étrangement libre, sans charges, sans soucis matériels, — et j'imaginais mal, à cet âge, ce que pouvait être

celui d'avoir à gagner sa vie. Libre? non, car tout
obligé par mon amour et par ce projet de livre
dont j'ai parlé, qui s'imposait à moi comme le
plus impérieux des devoirs.

Une autre résolution que j'avais prise, c'était
celle d'épouser au plus tôt ma cousine. Mon livre
ne m'apparaissait plus, par moments, que comme
une longue déclaration, une profession d'amour;
je la rêvais si noble, si pathétique, si péremptoire,
qu'à la suite de sa publication nos parents ne pussent plus s'opposer à notre mariage, ni Emmanuèle
me refuser sa main. Cependant mon oncle, son
père, à la suite d'une attaque, venait de mourir;
elle et moi nous l'avions veillé, penchés, rejoints
sur ses derniers instants; il me semblait que dans
ce deuil s'étaient consacrées nos fiançailles.

Mais malgré le pressant besoin de mon âme, je
sentais bien que mon livre n'était pas mûr, que
je n'étais pas encore capable de l'écrire; c'est
pourquoi j'envisageai sans trop d'impatience la
perspective de quelques mois d'études supplémen-
taires, d'exercices et de préparations; de lectures
surtout (je dévorais un livre par jour). Un court
voyage, entre-temps, occuperait profitablement mes
vacances, pensait ma mère; je pensais de même;
mais nous cessâmes de nous entendre quand il
fallut faire choix d'un pays. Maman optait pour
la Suisse; elle acceptait de me laisser voyager sans
elle; mais non précisément seul. Quand elle parla
de m'enrôler dans une bande d'excursionnistes du
Club Alpin, je déclarai tout net que l'allure de
cette association me rendrait fou, et que du reste
j'avais pris la Suisse en horreur. C'est en Bre-
tagne que je voulais aller, sac au dos et sans
compagnon. Ma mère commença par ne rien vou-

loir entendre. J'appelai Albert à la rescousse; lui
qui m'avait fait lire *Par les champs et par les
grèves*, comprendrait mon désir; il plaiderait pour
moi... Ma mère finit par céder; mais du moins
voulait-elle me suivre. Il fut convenu que nous
nous retrouverions de loin en loin, tous les deux
ou trois jours.

Je tins un carnet de route. Quelques pages de
ce journal ont paru dans *La Wallonie;* considérablement remaniées, car j'éprouvais déjà le plus
grand mal à désembroussailler ma pensée. De plus,
tout ce que j'eusse aisément exprimé me paraissait banal, sans intérêt. D'autres reflets de ce
voyage ont passé dans *André Walter*. Grâce à quoi
je n'ai plus envie d'en rien dire. Ceci pourtant :

Comme je suivais le littoral, remontant à
courtes étapes de Quiberon à Quimper, j'arrivai,
certaine fin de jour, dans un petit village : Le
Pouldu, si je ne fais erreur. Ce village ne se composait que de quatre maisons, dont deux auberges;
la plus modeste me parut la plus plaisante; où
j'entrai, car j'avais grand-soif. Une servante m'introduisit dans une salle crépie à la chaux, où
elle m'abandonna en face d'un verre de cidre. La
rareté des meubles et l'absence de tentures laissaient remarquer d'autant mieux, rangées à terre,
un assez grand nombre de toiles et de châssis de
peintre, face au mur. Je ne fus pas plus tôt seul
que je courus à ces toiles; l'une après l'autre, je
les retournai, les contemplai avec une stupéfac-
tion grandissante; il me parut qu'il n'y avait là
que d'enfantins bariolages, mais aux tons si vifs,
si particuliers, si joyeux que je ne songeai plus
à repartir. Je souhaitai connaître les artistes capables de ces amusantes folies; j'abandonnai mon

premier projet de gagner Pont-Aven ce même soir,
retins une chambre dans l'auberge, et m'informai
de l'heure du dîner.

« Voudriez-vous qu'on vous serve à part? ou si
vous mangerez dans la même salle que ces messieurs? » demanda la servante.

« Ces messieurs » étaient les auteurs de ces
toiles : ils étaient trois, qui s'amenèrent bientôt,
avec boîtes à couleurs et chevalets. Il va sans dire
que j'avais demandé qu'on me servît avec eux, si
toutefois cela ne les dérangeait pas. Ils montrè-
rent, du reste, que je ne les gênais guère; c'est-à-
dire qu'ils ne se gênèrent point. Ils étaient tous
trois pieds nus, débraillés superbement, au verbe
sonore. Et, durant tout le dîner, je demeurai
pantelant, gobant leurs propos, tourmenté du
désir de leur parler, de me faire connaître, de
les connaître, et de dire à ce grand, à l'œil clair,
que ce motif qu'il chantait à tue-tête et que les
autres reprenaient en chœur, n'était pas de Masse-
net, comme il croyait, mais de Bizet...

Je retrouvai l'un d'eux, plus tard, chez Mallarmé : c'était Gauguin. L'autre était Sérusier. Je
n'ai pu identifier le troisième (Filiger, je crois).

Cet automne et cet hiver furent occupés par
de menus travaux surveillés par M. Dietz, par des
visites, des entretiens avec Pierre Louis, des projets de revue où s'usait impatiemment notre
flamme. Au printemps je sentis le moment venu;
mais, pour écrire mon livre, il me fallait la solitude. Un petit hôtel, au bord du minuscule lac
de Pierrefonds, m'offrit un gîte provisoire. Le surlendemain Pierre Louis vint m'y relancer : force
était de chercher plus loin. Je partis pour Gre-

noble, fouillai les environs, d'Uriage à Saint-Pierre
de Chartreuse, d'Allevard à je ne sais où; la plupart des hôtels étaient encore fermés, les chalets
réservés pour les familles — et je commençais
à me décourager, lorsque je découvris, près d'Annecy et presque sur les bords du lac, à Menthon,
un charmant cottage entouré de vergers, dont le
propriétaire accepta de me louer au mois deux
chambres. Aménageant en cabinet de travail la
plus grande, je fis aussitôt venir d'Annecy un
piano, sentant que je ne pourrais me passer de
musique. Je pris pension, pour mes repas, dans
une sorte de restaurant d'été, au bord du lac, et
dont, vu la saison peu avancée, je restai, tout le
mois durant, le seul hôte. M. Taine habitait
non loin. Je venais de dévorer sa *Philosophie de
l'Art*, son *Intelligence* et sa *Littérature anglaise;*
mais je m'abstins de l'aller voir, par timidité, et
par crainte de me distraire de mon travail. Dans
la complète solitude où je vécus, je pus chauffer
à blanc ma ferveur, et me maintenir dans cet
état de transport lyrique hors duquel j'estimais
malséant d'écrire.

Quand je rouvre aujourd'hui mes *Cahiers d'André Walter*, leur ton jaculatoire m'exaspère.
J'affectionnais en ce temps les mots qui laissent à
l'imagination pleine licence, tels qu'*incertain, infini, indicible* — auxquels je faisais appel, comme
Albert avait recours aux brumes pour dissimuler
les parties de son modèle qu'il était en peine de
dessiner. Les mots de ce genre, qui abondent
dans la langue allemande, lui donnaient à mes
yeux un caractère particulièrement poétique. Je
ne compris que beaucoup plus tard que le caractère propre de la langue française est de tendre

à la précision. N'était le témoignage que ces
Cahiers apportent sur l'inquiet mysticisme de ma
jeunesse, il est bien peu de passages de ce livre
que je souhaiterais conserver. Pourtant, au moment que je l'écrivais, ce livre me paraissait un
des plus importants du monde, et la crise que j'y
peignais, de l'intérêt le plus général, le plus
urgent; comment eussé-je compris, en ce temps,
qu'elle m'était particulière? Mon éducation puritaine avait fait un monstre des revendications
de la chair; comment eussé-je compris, en ce
temps, que ma nature se dérobait à la solution la
plus généralement admise, autant que mon puritanisme la réprouvait. Cependant l'état de chasteté,
force était de m'en persuader, restait insidieux
et précaire; tout autre échappement m'étant refusé, je retombais dans le vice de ma première
enfance et me désespérais à neuf chaque fois que
j'y retombais. Avec beaucoup d'amour, de musique, de métaphysique et de poésie, c'était le
sujet de mon livre. J'ai dit précédemment que
je ne voyais rien au-delà; ce n'était point seulement mon premier livre, c'était ma Somme; ma vie
me paraissait devoir s'y achever, s'y conclure.
Mais par moments pourtant, bondissant hors de
mon héros, et tandis qu'il sombrait dans la folie,
mon âme, enfin délivrée de lui, de ce poids
moribond qu'elle traînait depuis trop longtemps
après elle, entrevoyait des possibilités vertigi-
neuses. J'imaginais une suite de « Sermons
laïques », à l'imitation des *Sources* du Père Gratry,
où, par un vaste détour, bouclant la terre entière,
je ramenais les plus rétifs au Dieu de l'Evangile
(qui n'était point tout à fait tel qu'on l'imagine
d'ordinaire, ainsi que je le démontrais dans une

seconde suite plus purement religieuse). Je projetais aussi certain récit, inspiré par la mort d'Anna, qui devait s'appeler « l'essai de bien mourir » et qui devint plus tard *La Porte étroite*. Enfin je commençais de me douter que le monde était vaste et que je n'en connaissais rien.

Je me souviens d'une longue course par-delà l'extrémité du lac; ma solitude m'exaltait et m'exaspérait à la fois; la réclamation de mon cœur devint, à la tombée du jour, si véhémente que, tout en marchant à grands pas (à si grands pas qu'il me semblait voler; c'est-à-dire que je courais presque), j'appelais instamment ce camarade dont l'exaltation fraternelle eût gémellé la mienne, et je me racontais à lui, et lui parlais à haute voix, et sanglotais de ne le point sentir à mon côté. Je décidai que ce serait Paul Laurens (qu'en ce temps je connaissais à peine, car ce que j'ai dit de lui et de mon introduction dans l'atelier de son père, il faut le reporter à plus tard) et pressentis extraordinairement qu'un jour nous partirions ainsi, tous deux ensemble, seuls, au hasard des routes.

Quand, vers le milieu de l'été, je revins à Paris, ce fut avec mon livre achevé. Albert, à qui je le lus aussitôt, fut consterné par l'intempérance de mon piétisme et par l'abondance des citations de l'Ecriture. On peut juger de cette abondance par ce qu'il en reste encore après que, sur ses conseils, j'en eus supprimé les deux tiers... Puis je le lus à Pierre Louis. Il avait été convenu que chacun laisserait en blanc une page de son premier livre, page que l'ami remplirait; par une semblable courtoisie Aladin laissait à son beau-père le soin de décorer un des balcons de son palais. Le conte

nous apprend que le beau-père ne parvint point
à mettre ce balcon d'accord avec le reste de l'édifice; et, de même, nous nous sentîmes l'un et
l'autre aussi peu capables, moi d'écrire un de ses
sonnets, que lui d'écrire une page de mes *Cahiers*.
Mais pour ne renoncer point tout à fait, Louis me
proposa une sorte d'introduction qui donnerait
au livre une apparence vraiment « posthume [1] ».

En ce temps les journaux étaient pleins de pres-
sants appels à la jeunesse. Au *Devoir présent* de
Paul Desjardins, il me semblait que mon livre
faisait réponse. Tel article que Melchior de Vogüé
adressait « à ceux qui ont vingt ans », me per-
suadait que j'étais attendu. Oui, mon livre, pensais-je, répondait à un tel besoin de l'époque, à
une si précise réclamation du public, que je
m'étonnais même si quelque autre n'allait pas
s'aviser de l'écrire, de le faire paraître, vite, avant
moi. J'avais peur d'arriver trop tard, et pestais
contre Dumoulin, l'imprimeur, à qui j'avais envoyé le « bon à tirer » depuis longtemps et qui
ne me livrait point le volume. Le vrai, comme je
l'appris un peu plus tard, c'est que mon livre
le mettait dans un grand embarras. Dumoulin,
qu'on m'avait indiqué comme un des meilleurs
imprimeurs de Paris, était très catholique, et bien
pensant, et désireux de le paraître; il avait accepté
ce travail sans avoir pris connaissance du texte;
or voici qu'il lui revenait que ce livre sentait le
fagot. Sans doute il balança quelque temps, puis,
par crainte de se compromettre, emprunta la si-
gnature d'un confrère.

---

1. Cette courte préface, signée P. C., initiales de son premier
pseudonyme (Pierre Chrysis), ne figure que dans l'édition
Perrin.

A côté de cette édition soignée et tirée à peu d'exemplaires, qui devait être la première, j'en ménageais une autre, plus commune, pour satisfaire à l'appétit du public, que je m'imaginais devoir être considérable. Cependant les scrupules de Dumoulin, ses pourparlers avec le complaisant confrère, avaient tant duré que, malgré toutes mes précautions, je ne pus faire que l'édition vulgaire ne prît le pas.

Le nombre des coquilles qui s'y trouvaient me consterna; et comme d'autre part la vente, force était de m'en convaincre, s'annonçait nulle, dès que la petite édition fut prête, je condamnai l'autre au pilon. Je l'y portai moi-même, l'ayant été cueillir dans sa presque totalité chez le brocheur (moins, je pense, soixante-dix exemplaires environ, employés au service de presse) et fus fort réjoui de recevoir quelque argent en échange. On payait au poids du papier... Mais tout ceci n'a d'intérêt que pour les bibliophiles...

Oui, le succès fut nul. Mais j'ai le caractère ainsi fait que je pris plaisir à ma déconvenue. Au fond de tout déboire gît, pour qui sait l'entendre, un « ça t'apprendra » que j'écoutai. Incontinent je cessai de désirer un triomphe qui se dérobait à moi; ou du moins je commençai de le souhaiter différent, et me persuadai que la qualité des applaudissements importe bien davantage que leur nombre.

Quelques conversations que j'eus alors avec Albert précipitèrent une résolution qui flattait mon goût naturel, et décidèrent d'une attitude qui fut par la suite beaucoup critiquée : celle de me dérober au succès. Le moment est peut-être venu de m'expliquer là-dessus.

Je ne veux point me peindre plus vertueux que
je ne suis : j'ai passionnément désiré la gloire;
mais il m'apparut vite que le succès, tel qu'il est
offert d'ordinaire, n'en est qu'une imitation fre-
latée. J'aime être aimé pour le bon motif et
souffre de la louange si je sens qu'elle m'est
octroyée par méprise. Je ne saurais non plus me
satisfaire des faveurs cuisinées. Quel plaisir prendre à ce qui vous est servi sur commande, ou
à ce que des considérations d'intérêt, de relations,
d'amitié même, ont dicté? La seule idée que je
puisse être loué par reconnaissance, ou pour dé-
sarmer ma critique, ou pour armer mon bon vouloir, enlève d'un coup tout prix à la louange;
je n'en veux plus. Car ce qui m'importe avant
tout, c'est de connaître ce que vaut réellement
mon ouvrage, et je n'ai que faire d'un laurier
qui risque de faner bientôt.

Ma virevolte fut subite; certainement il y entrait du dépit; mais le dépit fut de courte durée,
et si d'abord il put motiver mon attitude, il
n'eut pas à la maintenir. Cette attitude, je m'en
rendis compte bientôt — cette attitude qu'on put
prendre pour de la pose — répondait exactement
à ma nature, et je m'y sentis tellement à mon aise,
que je ne cherchai point d'en changer.

J'avais fait tirer un nombre mortifiant d'exemplaires de mon premier livre; des suivants je ne
ferais tirer que tout juste assez; même un peu
moins. Je prétendais trier désormais mes lecteurs;
je prétendais, excité par Albert, me passer de
cornacs; je prétendais... Mais je crois qu'il entrait
surtout de l'amusement et de la curiosité dans
mon cas : je prétendais courir une aventure qu'aucun autre encore n'eût courue. J'avais, Dieu merci,

le jeu, l'inconnu l'aventure

de quoi vivre et pouvais me permettre de faire
fi du profit : si mon œuvre vaut quelque chose,
me disais-je, elle peut durer; j'attendrai.

Une sorte de morosité naturelle m'enfonça dans
cette résolution de rebuter les critiques, voire les
lecteurs; et cette diversité d'humeur qui me force,
aussitôt délivré d'un livre, de bondir à l'autre
extrémité de moi-même (par besoin d'équilibre
aussi) et d'écrire précisément le moins capable de
plaire aux lecteurs que le précédent m'avait acquis.

« Tu ne me feras jamais croire, s'écriait ma
vieille cousine, la baronne de Feuchères (quoi!
je ne l'ai pas encore présentée...), tu ne me feras
jamais croire que tu ne te tiendras pas à un genre,
une fois que tu y auras réussi. »

Mais précisément je préférais ne réussir point,
plutôt que de me fixer dans un genre. Quand elle
me mènerait aux honneurs, je ne puis consentir
à suivre une route toute tracée. J'aime le jeu,
l'inconnu, l'aventure : j'aime à n'être pas où l'on
me croit; c'est aussi pour être où il me plaît, et
que l'on m'y laisse tranquille. Il m'importe avant
tout de pouvoir penser librement.

Certain soir, peu de temps après la publication
des *Cahiers*, comme j'essuyais les épais compliments d'Adolphe Retté, c'est irrésistiblement que
j'y coupai court (car dans tout ce que je faisais
il faut voir beaucoup moins de résolution que
d'instinct; je ne puis agir autrement), et tout à
coup lui faussai compagnie. Ceci se passait au
café Vachette, ou à celui de la Source, où Louis
m'avait entraîné.

« Si c'est ainsi que tu accueilles les louanges,
on ne t'en fera pas souvent », me dit Louis quand
il me revit.

Pourtant j'aime les compliments; mais ceux des maladroits m'exaspèrent; ce qui ne me flatte pas au bon endroit, me hérisse; et plutôt que d'être mal loué, je préfère ne l'être point. Facilement aussi je me persuade qu'on exagère; une incurable modestie me présente aussitôt mes manques; je sais où je m'arrête et où commence le défaut; et comme je ne redoute rien tant que de m'en laisser accroire, et que je tiens l'infatuation pour fatale au développement de l'esprit, je ramène sans cesse en deçà mon estimation de moi-même et mets tout mon orgueil à me diminuer. Qu'on n'aille pas voir trop d'apprêt dans ce que j'en dis : le mouvement est spontané, que j'analyse. Si le ressort est compliqué, qu'y puis-je? La complication, je ne la recherche point; elle est en moi. Tout geste me trahit, où je ne reconnais point toutes les contradictions qui m'habitent.

Je me relis. Tout ceci ne me satisfait guère. J'aurais dû mettre en avant, pour expliquer ma sauvagerie et mes retraits, une crainte extrême de la fatigue. Dès que je ne puis m'y montrer parfaitement naturel, toute fréquentation m'exténue.

La cousine que tout à l'heure j'ai nommée, née Gide, veuve du général de Feuchères dont une avenue de Nîmes porte le nom, habitait, du temps de ma jeunesse, rue de Bellechasse, le second étage d'un élégant hôtel particulier. Il y avait une véranda devant l'entrée, et tandis qu'on traversait la cour pour l'atteindre, le concierge sonnait deux coups d'un timbre invisible, pour avertir, de manière qu'on trouvât là-haut, derrière la porte entrouverte, un grand laquais prêt à vous introduire. Ce timbre rendait exactement le même

son cristallin que, lorsqu'on la heurtait légèrement, une belle cloche à fromage dont mes parents
ne se servaient que lorsque nous avions « du
monde » à dîner; ainsi tout ce qui touchait à ma
cousine ne devait éveiller que des idées de luxe
et de cérémonie. Elle nous recevait, ma mère et
moi, lorsque j'étais petit enfant, dans une pièce
étroite, aux meubles d'acajou. Je me souviens
en particulier d'un grand secrétaire, dont je ne
pouvais détacher mes regards, car je savais qu'à
un certain moment de la visite ma cousine allait
en sortir une boîte de fruits confits, comme, dans
les théâtres, l'on passe des bonbons et des oranges
pendant l'entracte. Cela coupait agréablement la
visite, qui me paraissait interminable; car la cousine profitait de l'inlassable patience de ma mère
pour l'accabler du récit de ses fastidieux griefs
contre sa fille, ou son banquier, ou son notaire,
ou son pasteur; elle en avait à tous et à chacun.
Aussi observait-elle cette précaution de ne jamais
offrir les fruits confits trop tôt, mais au moment
où elle sentait que la patience risquait de faiblir.
Alors elle soulevait sa robe, prenait dans sa jupe de
taffetas un trousseau de clefs, en choisissait une
qui ouvrait le tiroir d'un petit « bonheur-du-
jour » près d'elle; dans ce tiroir, elle trouvait une
autre clef, celle du secrétaire d'où elle sortait,
avec la boîte de fruits confits, une liasse de papiers dont elle allait donner lecture à ma mère.
La boîte était toujours à peu près vide, de sorte
qu'on n'osât se servir qu'avec discrétion; ma mère
s'abstenait; et comme un jour je lui demandai
pourquoi :

« Tu vois bien, mon petit, que la cousine n'a
pas insisté », me dit-elle.

Après que j'avais pris mon fruit, la cousine
remettait la boîte dans le secrétaire, et le second
acte de la visite commençait. Les papiers qu'elle
produisait ainsi, papiers dont peu d'années plus
tard, et sitôt que je fus jugé d'oreille assez mûre,
j'eus à subir moi aussi la lecture, ces papiers
n'étaient pas seulement des lettres à elle adressées,
et le double de ses réponses, c'étaient aussi des
conversations dont elle avait pris note et où
elle avait consigné, non point tant les propos
d'autrui, que ses répliques qui étaient d'une excessive noblesse, à la fois lapidaires et infinies; je
soupçonne qu'à la manière de Tite-Live, elle écrivait non point tant ce qu'elle avait dit, que ce
qu'elle aurait voulu dire, et que c'est même pour
cela qu'elle l'écrivait.

« Voici donc ce que je lui ai répondu », com-
mençait-elle, d'une voix de théâtre; et l'on en
avait pour longtemps.

« Allons! aujourd'hui il a été raisonnable; il
grandit, dit-elle un jour, tandis que nous prenions congé. Il n'a pas demandé, comme autrefois, « quand on s'en irait ». Tout cela commence
à l'intéresser, lui aussi. »

Et le temps vint où je fus jugé d'âge à ne plus
accompagner ma mère. De fruits confits il ne fut
plus question. J'étais mûr pour les confidences;
et je me sentis assez flatté, lorsque, pour la première fois, ma cousine sortit pour moi ses papiers.

Ce fut avenue d'Antin (la cousine ayant démé-
nagé) dans un somptueux appartement dont elle
n'occupait guère qu'une pièce, car elle se faisait
servir ses repas dans sa chambre. En s'y rendant
on entrevoyait, à travers des glaces sans tain, deux
grands salons fastueux aux volets clos. Un jour,

elle m'y accompagna pour me montrer un grand portrait de Mignard qu'elle avait « l'intention de léguer au Louvre ». Sa préoccupation constante était de déshériter le plus possible sa fille, la comtesse de Blanzey, et je crois que certains ne demandaient pas mieux que d'y aider. Ses récits n'étaient pas inintéressants, mais péchaient par extravagance. Je me souviens en particulier de celui d'une entrevue avec le pasteur Bersier, à qui elle racontait je ne sais quelle tentative d'empoisonnement dont elle aurait été victime, et dont elle accusait sa fille :

« Mais c'est du drame, s'écriait-il.

— Non, monsieur; c'est de la cour d'assises. »

Elle prenait, pour redire ces mots, une voix tragique, se redressant dans le fauteuil à oreillettes qu'elle ne quittait guère, et où je la revois encore. Son visage blafard était encadré par les tours d'une perruque d'un noir de jais, que surmontait un bonnet de dentelle. Elle était vêtue d'une robe de faille couleur puce, qui crissait à tout mouvement; ses longues mains, enveloppées de mitaines noires, sortaient à peine de larges manchettes plissées. Elle croisait volontiers les jambes, de manière à découvrir un pied menu chaussé d'étoffe de la même couleur que la robe et que rejoignait presque la dentelle du pantalon. Devant elle, était une sorte de chancelière où l'autre pied restait douillettement enfoui.

Elle avait près de cent ans lorsqu'elle est morte, et plus de quatre-vingt-dix lorsqu'elle me faisait ces récits.

X

J'ENTRAI, sitôt après la publication de mes *Cahiers*, dans la période la plus confuse de ma vie, selve obscure dont je ne me dégageai qu'à mon départ avec Paul Laurens pour l'Afrique. Période de dissipation, d'inquiétude... Volontiers je sauterais à pieds joints par-dessus, si, par le rapprochement de son ombre, ne se devait éclairer ce qui suivra; de même que je trouve quelque explication et quelque excuse à cette dissipation, dans la contention morale où m'avait maintenu l'élaboration des *Cahiers*. Si déjà je ne peux rien affirmer qui ne soulève en moi la revendication du contraire, quelle réaction l'exagération d'un tel livre ne devait-elle pas provoquer? L'inquiétude que j'y peignais, pour l'avoir peinte il semblait que j'en fusse quitte; mon esprit ne se laissa plus occuper pour un temps que par des fadaises, plus guider que par la plus profane, la plus absurde vanité.

Je n'avais pu savoir ce qu'Emmanuèle pensait de mon livre; tout ce qu'elle m'avait laissé connaître, c'est qu'elle repoussait la demande qui s'ensuivit. Je protestai que je ne considérais pas son refus comme définitif, que j'acceptais d'attendre, que rien ne me ferait renoncer. Néanmoins je cessai pour un temps de lui écrire des lettres auxquelles elle ne répondait plus. Je restais tout désemparé par ce silence et cette désoccupation de mon cœur; mais l'amitié cependant emplit le temps et la place que cédait l'amour.

Je continuais de fréquenter presque quotidiennement Pierre Louis. Il habitait alors, avec son frère, à l'extrémité de la rue Vineuse, le second étage d'une maison basse, qui fait angle et domine le petit square Franklin. De la fenêtre de son cabinet de travail, la vue s'étendait vers le Trocadéro et jusqu'au-delà de la place. Mais nous ne songions guère à regarder au-dehors, tout occupés de nous, de nos projets et de nos rêves. Pierre Louis, durant l'année de philosophie qu'il avait faite à Janson s'était lié avec trois de ses camarades de classe, dont deux, Drouin et Quillot, devinrent bientôt mes intimes. (Avec Franc-Nohain, le troisième, je n'eus que d'agréables mais inconstants rapports.)

Je cherche à m'expliquer d'où vient que je n'ai nul désir de parler, dans ces Mémoires, d'amitiés qui pourtant tinrent une telle place dans ma vie. Peut-être simplement la crainte de me laisser trop entraîner. J'éprouvai par eux la vérité de cette boutade de Nietzsche : Tout artiste n'a pas seulement à sa disposition sa propre intelligence, mais aussi celle de ses amis. Pénétrant plus avant que je ne pouvais faire dans telle région particulière de l'esprit, mes amis faisaient office de prospecteurs. Par sympathie, si je les accompagnais quelque temps, c'était avec un instinctif souci de ne point me spécialiser moi-même; de sorte qu'il n'est pas un de mes amis que je ne reconnusse supérieur à

moi dans cette région particulière; mais leur intelligence était sans doute plus cantonnée; et tout
en comprenant moins bien que chacun d'eux pris
à part ce que celui-ci comprenait le mieux, il me
semblait que je les comprenais tous à la fois, et
que du carrefour où je me tenais, mon regard
plongeait à travers eux, circulairement, vers les
perspectives diverses que me découvraient leurs
propos.

Et je ne dirais là rien que de banal — car
chaque esprit se fait centre, et c'est autour de soi
qu'on croit que le monde s'ordonne — si, de chacun de ces amis, je ne me fusse flatté de devenir
l'ami le meilleur. Je ne supportais point de penser qu'il pût avoir confident plus intime, et je
m'offrais à tous aussi complètement que j'exigeais
que chacun se donnât à moi. La moindre réserve
m'eût paru indécente, impie; et lorsque, quelques
années plus tard, ayant hérité de ma mère, je fus
appelé à aider Quillot, dont l'entreprise indus-
trielle frisait la banqueroute, ce fut sans réticence
aucune, sans examen; en lui donnant tout ce qu'il
demandait, je ne croyais rien faire que de tout
naturel, et j'aurais consenti davantage encore,
sans m'inquiéter même si, ce faisant, je lui rendais
réellement service; de sorte que je ne sais plus aujourd'hui si, peut-être, je n'avais pas souci surtout
de mon geste, et si, plus encore que l'ami, ce
n'était pas l'amitié que j'aimais. Ma profession
était quasi mystique, et Pierre Louis, qui ne s'y
méprenait pas, en riait. Certain après-midi, dissimulé dans une boutique de la rue Saint-Sulpice,
il s'amusa de m'observer une heure durant, qui
faisais les cent pas sous la pluie, près de la fontaine,
exact au rendez-vous qu'il m'avait donné, le far-

ceur! et où du reste je pressentais qu'il ne viendrait pas. Au demeurant j'admirais mes amis plus
encore que moi-même; je n'en imaginais pas de
meilleurs. Cette sorte de foi que j'avais en ma
prédestination poétique me faisait accueillir tout,
voir tout venir à ma rencontre et le croire provi-
dentiellement envoyé, désigné par un choix exquis,
afin de m'assister, de m'obtenir, de me parfaire.
J'ai gardé quelque peu de cette humeur-là et,
dans les pires adversités, cherché instinctivement
par quoi je pourrais m'en amuser ou m'en instruire. Même je pousse si loin l'*amor fati*, que je
répugne à considérer que peut-être tel autre événement, telle autre issue, aurait pu m'être préférable. Non seulement j'aime ce qui est, mais
je le tiens pour le meilleur.

Et pourtant, méditant sur ce temps passé, je
suppute aujourd'hui de quel profit eût été pour
moi l'amitié d'un naturaliste : l'eussé-je en ce
temps rencontré, mon goût pour les sciences naturelles était si vif, que je me précipitais à sa
suite, désertant la littérature... D'un musicien :
— dans le cercle autour de Mallarmé, où je fus
bientôt entraîné par Louis, chacun se piquait
d'aimer la musique, Pierre Louis le premier; mais
il me paraissait que Mallarmé lui-même et tous
ceux qui le fréquentaient, recherchaient dans la
musique encore la littérature. Wagner était leur
dieu. Ils l'expliquaient, le commentaient. Louis
avait une façon d'imposer à mon admiration tel
cri, telle interjection, qui me faisait prendre la
musique « expressive » en horreur. Je me rejetais
d'autant plus passionnément vers ce que j'appelais la musique « pure », c'est-à-dire celle qui
ne prétend rien signifier; et par protestation contre

la polyphonie wagnérienne, préférais (je le préfère encore) le quatuor à l'orchestre, la sonate à la symphonie. — Mais déjà la musique m'occupait à l'excès; j'en oignais mon style... Non, l'ami qu'il m'eût peut-être fallu, c'est quelqu'un qui m'eût appris à m'intéresser à autrui et qui m'eût sorti de moi-même, un romancier. Mais en ce temps je n'avais de regards que pour l'âme, de goût que pour la poésie. Certes je m'indignais d'entendre Pierre nommer Guez de Balzac « Balzac le Grand », par mépris pour l'auteur de *La Comédie humaine;* mais pourtant il était dans le vrai lorsqu'il m'invitait à mettre les questions de forme au premier rang de mes préoccupations et je lui suis reconnaissant de ce conseil.

Je crois bien que, sans Pierre Louis, j'aurais continué de vivre à l'écart, en sauvage; non que le désir m'eût manqué de fréquenter les milieux littéraires et d'y quérir des amitiés; mais une invincible timidité me retenait, et cette crainte, qui me paralyse souvent encore, d'importuner, de gêner ceux vers qui je me sens le plus naturellement entraîné. Pierre, plus prime sautier, plus hardi, certainement aussi plus habile, et de talent déjà plus formé, avait fait offrande de ses premiers poèmes à ceux de nos aînés que nous consentions d'admirer. Pressé par lui, je décidai d'aller porter mon livre à Heredia.

« Je lui ai parlé de toi. Il t'attend », me répétait-il.

Heredia n'avait pas encore réuni ses sonnets en volume; la *Revue des Deux Mondes* en avait publié certains; Jules Lemaître en avait cité d'autres; la plupart, inédits encore, et dont notre mémoire gardait jalousement le dépôt, nous pa-

Heredia

raissaient d'autant plus splendides que le vulgaire
les ignorait. Mon cœur battait quand, pour la première fois, je sonnai à la porte de son appartement, rue Balzac.

J. Marie de Heredia

A quel point Heredia ressemblait peu à l'idée que
je me faisais alors d'un poète, c'est ce qui d'abord
me consterna. Aucun silence en lui, aucun mystère; nulle nuance dans le bégayant claironnement
de sa voix. C'était un petit homme, assez bien
fait, quoique un peu court et replet; mais il cam-
brait d'autant jarret et taille, et marchait en faisant sonner les talons. Il portait la barbe carrée,
les cheveux en brosse, et, pour lire, un lorgnon
par-dessus lequel, ou, plus souvent, à côté duquel,
il jetait un regard singulièrement trouble et voilé,
sans malice aucune. Comme la pensée ne l'en-
combrait pas, il pouvait sortir tout de go ce
qui lui passait par la tête, et cela donnait à sa
conversation une verdeur extrêmement plaisante.
Il s'intéressait à peu près exclusivement au monde
extérieur et à l'art; je veux dire qu'il restait on
ne peut plus embarrassé dans le domaine de la
spéculation, et qu'il ne connaissait d'autrui que
les gestes. Mais il avait beaucoup de lecture, et,
comme il ignorait ses manques, rien ne lui faisait
besoin. C'était plutôt un artiste qu'un poète; et
plutôt encore un artisan. Je fus terriblement déçu
d'abord; puis j'en vins à me demander si ma déception ne venait pas de ce que je me faisais de
l'art et de la poésie une idée fausse et si la simple
perfection de métier n'était pas chose de plus de
prix que je n'avais cru jusqu'alors. Il accueillait
à bras ouverts, et son accueil était si chaud que
l'on ne s'apercevait pas tout de suite que son
cerveau était un peu moins ouvert que ses bras;

mais il aimait tant la littérature que, même ce
qu'il ne comprenait pas par l'esprit, je crois
encore qu'il y parvenait par la lettre, et je ne
me souviens pas de l'avoir entendu bêtifier sur
rien.

Chaque samedi, Heredia recevait; dès quatre
heures son fumoir s'emplissait de monde : diplo-
mates, journalistes, poètes; et j'y serais mort de
gêne si Pierre Louis n'eût été là. C'était aussi le
jour de réception de ces dames; parfois un des
assidus passait du fumoir dans le salon, ou vice
versa; par la porte un instant entrouverte, on entendait un gazouillement de voix flûtées et de
rires; mais la peur d'être aperçu par Mme de
Heredia ou par une de ses trois filles, à qui
je sentais bien qu'il eût été séant, après que je
leur eus été présenté, et pour répondre à l'ama-
bilité de leur accueil, que j'allasse un peu plus
souvent présenter mes hommages — cette peur me
retenait à l'autre extrémité du fumoir, caché
dans la fumée des cigarettes et des cigares comme
dans une olympienne nuée.

Henri de Régnier, Ferdinand Hérold, Pierre
Quillard, Bernard Lazare, André Fontainas, Pierre
Louis, Robert de Bonnières, André de Guerne, ne
manquaient pas un samedi. Je retrouvais les six
premiers chez Mallarmé, le mardi soir. De tous
ceux-ci, nous étions Louis et moi les plus jeunes.

Chez Mallarmé s'assemblaient plus exclusivement des poètes; ou des peintres parfois (je songe
à Gauguin et à Whistler). J'ai décrit par ailleurs
cette petite pièce de la rue de Rome, à la fois
salon et salle à manger; notre époque est devenue
trop bruyante pour qu'on puisse se figurer aisément aujourd'hui la calme et quasi religieuse

atmosphère de ce lieu. Certainement Mallarmé préparait ses conversations, qui ne différaient souvent pas beaucoup de ses « divagations » les plus écrites; mais il parlait avec tant d'art et d'un ton si peu doctrinal qu'il semblait qu'il vînt d'inventer à l'instant chaque proposition nouvelle, laquelle il n'affirmait point tant qu'il ne semblait vous la soumettre, interrogativement presque, l'index levé, l'air de dire : « Ne pourrait-on pas dire aussi?... peut-être... » et faisant presque toujours suivre sa phrase d'un : « N'est-ce pas? » par quoi sur certains esprits il eut sans doute le plus de prise.

Souvent quelque anecdote coupait la « divagation », quelque bon mot qu'il rapportait avec perfection, tourmenté par ce souci d'élégance et de préciosité, qui fit son art s'écarter si délibérément de la vie.

Certains soirs que l'on n'était pas trop nombreux autour de la petite table, Mme Mallarmé s'attardait, brodant, et près d'elle sa fille. Mais bientôt l'épaisseur de la fumée les faisait fuir; car, au milieu de la table ronde autour de laquelle nous étions assis, un énorme pot à tabac où l'on puisait, chacun roulant des cigarettes; Mallarmé lui-même fumait sans cesse, mais de préférence une petite pipe de terre. Et vers onze heures, Geneviève Mallarmé rentrait, apportant des grogs; car, dans ce très simple intérieur, il n'y avait pas de domestique, et à chaque coup de sonnette le Maître lui-même allait ouvrir.

Je peindrai quelques-uns de ceux qui s'empressaient auprès de ces deux directeurs, et qui devinrent mes compagnons. Il semblait qu'en ce temps-là nous fussions soumis, plus ou moins consciem-

ment, à quelque indistinct mot d'ordre, plutôt
qu'aucun de nous écoutât sa propre pensée. Le
mouvement se dessinait en réaction contre le réalisme, avec un remous contre le Parnasse également. Soutenu par Schopenhauer, à qui je ne
comprenais pas que certains pussent préférer Hegel,
je tenais pour « contingence » (c'est le mot dont
on se servait) tout ce qui n'était pas « absolu »,
toute la prismatique diversité de la vie. Pour chacun de mes compagnons il en allait à peu près de
même; et l'erreur n'était pas de chercher à déga-
ger quelque beauté et quelque vérité d'ordre général de l'inextricable fouillis que présentait alors
le « réalisme »; mais bien, par parti pris, de tourner le dos à la réalité. Je fus sauvé par gourmandise... Je reviens à mes compagnons.

Henri de Régnier était assurément le plus marquant d'eux tous. Son physique déjà le désignait.
Sous des allures d'une cordialité charmante, encore
qu'un peu hautaine, il cachait le sentiment constant, mais discret de sa supériorité. De corps trop
grand, maigre et quelque peu dégingandé, il faisait
de sa maladresse une grâce. On était, au premier
aspect, frappé par la hauteur de son front, la longueur de son menton, de son visage, et celle de ses
belles mains qu'il en approchait constamment pour
tordre de longues moustaches tombantes, à la gau-
loise. Un monocle complétait le personnage. Leconte de Lisle avait mis le monocle à la mode dans
le cénacle et plusieurs de ces messieurs le portaient.
Chez Heredia, chez Mallarmé, Régnier, par déférence, restait presque muet; c'est-à-dire qu'avec
une habileté enjouée, il ne fournissait à l'entretien
(je parle de celui de Mallarmé) que cette discrète
réplique qui lui permît de rebondir. Mais en tête

à tête sa conversation devenait exquise. Il ne se passait pas quinze jours que je ne reçusse un billet de lui : « Si vous n'avez rien de mieux à faire, venez donc demain soir. » Je ne suis pas certain qu'aujourd'hui je prendrais plaisir égal à ces soirées, mais en ce temps je ne souhaitais rien davantage. Je n'ai pas souvenir qu'aucun de nous deux parlât beaucoup; et en ce temps je ne fumais pas encore; mais certaine indolence, mais le charme insolite de cette voix, moins musicale sans doute que celle de Mallarmé, plus sonore et qui devenait incisive dès qu'elle n'était pas assourdie; mais certain art de présenter sous l'aspect le plus fantasque et le plus déconcertant son opinion — et je n'ose dire : sa pensée, car on tenait en grand discrédit la pensée —; mais je ne sais quel amusement malicieux en face des êtres et des choses... Le temps passait et quand minuit sonnait j'étais aux regrets de partir.

L'on comprend que, pour ces portraits, je réunisse en un faisceau les traits qui, parfois sur plus de dix ans, s'éparpillent. Ainsi ce n'est qu'un peu plus tard... Je me souviens d'un soir : Régnier me paraissait soucieux; il laissait tomber son monocle; son regard se perdait :

« Qu'avez-vous, mon ami? dis-je enfin.

— Eh! me répondit-il, avec un hochement de tout le haut du corps et sur un ton grave et bouffon tout à la fois : Je m'apprête à passer le cap de la trentaine. »

Il me parut du coup très vieux. Comme il y a longtemps de cela!

En ce temps, Francis Vielé-Griffin était son ami le plus intime. Souvent on associait leurs deux noms; on confondait leur poésie; pour le public,

durant longtemps, seul le vers régulier semblait permettre des différences; tous les vers libres
se ressemblaient. Il en va de même chaque fois
qu'une nouvelle technique s'impose, en musique,
en peinture, en poésie. Rien de plus divergent
pourtant que ces deux êtres; leur amitié, comme
celle qui m'unissait à Pierre Louis, avait pour base
une maldonne. Rien de plus franc, de plus honnête, de plus prime sautier que Griffin; et je ne
veux point dire, que, contrairement à lui, Régnier fût retors, pervers et dissimulé; non certes!
mais une culture savante s'était saisie de ses sentiments les plus tendres, les plus naturels, les
meilleurs, pour les polir, les lustrer, les assouplir,
de sorte qu'à la fin il semblait qu'il n'éprouvât
rien par surprise et ne connût nulle émotion dont
par avance il ne fût maître et qu'il n'eût résolu
d'éprouver. Certains s'efforcent d'atteindre cet état
(j'en ai connu) qu'ils considèrent comme l'état
supérieur; il m'a souvent paru qu'ils y parvenaient
un peu facilement, un peu vite, et toujours à leur
détriment; autrement dit, il me paraît que cet
idéal ne convient qu'à ceux qui s'efforcent en vain
d'y atteindre. Griffin certes ne s'y efforçait guère.
Il s'affirmait par boutades, humoureusement, et
malgré le plus sincère amour pour notre pays et
pour le doux parler de France, il gardait je ne sais
quoi de vert et d'insoumis dans l'allure, qui sentait
farouchement son Nouveau Monde. Un léger gras-
seyement, qu'on eût dit bourguignon, dans sa
voix (j'ai retrouvé le même à peu près chez son
charmant compatriote Stuart Merrill) donnait à ses
moindres propos une saveur singulière; si seulement il n'eût pas trop chéri le paradoxe, rien n'eût
été plus cordial que sa façon de s'exprimer. Il était

de tempérament extraordinairement combatif; par générosité, grand redresseur de torts; au fond quelque peu puritain; il s'accommodait mal de l'extrême licence, souvent affectée, du milieu littéraire qu'il fréquentait. Il partait en guerre, contre le vers alexandrin, contre Mendès, contre les mœurs, contre l'époque, et terminait souvent un récit par cette phrase, qu'accompagnait un grand rire amusé (car il s'amusait de son indignation même) :

« Mais enfin, Gide! où allons-nous? »

Il avait un visage tout rond, tout ouvert, un front qui semblait se prolonger jusqu'à la nuque; mais il ramenait une grosse mèche de cheveux plats, d'une tempe à l'autre, pour abriter sa précoce calvitie; car, malgré sa liberté d'allures, il était soucieux du décorum. Très coloré; un regard couleur myosotis (certains, qui l'ont fort bien connu, m'affirment que son œil était jaune-gris; mais je ne puis revoir son regard que couleur de myosotis). On le sentait très fort, sous le boudinement de ses petites jaquettes; ses pantalons paraissaient toujours trop étroits et ses bras se terminaient trop tôt par des mains moins longues que larges. On racontait qu'un soir, après un dîner, il avait parié de sauter à pieds joints par-dessus la table, et l'avait fait sans rien casser. Ceci c'est la légende; le vrai c'est que, pour peu qu'on l'en priât, il sautait sans élan par-dessus les chaises, dans un salon, — ce qui, pour un poète, est déjà suffisamment surprenant.

Il est le premier qui m'ait écrit au sujet des *Cahiers d'André Walter*. Je ne l'oubliais point et cherchais à lui marquer ma reconnaissance. J'aurais voulu pouvoir causer mieux avec lui; mais l'abondance de ses paradoxes me gênait affreuse-

ment, ne pouvant épouser sa façon, je me faisais
l'effet d'un imbécile, et bientôt il n'y avait plus
que lui qui parlât; car il était de ceux qui, pour
bien parler, ont besoin de n'écouter point l'autre.
Il m'est arrivé de l'aller voir avec du précis à lui
dire, et d'être reparti sans avoir pu placer trois
mots.

Un autre petit travers d'esprit apportait dans
mes relations avec lui un peu de gêne : une sus-
ceptibilité toujours en éveil, mais pas toujours bien
éclairée. Comme il avait sans cesse peur qu'on ne
lui manquât, j'étais sans cesse en souci de ne paraître point lui manquer. Le plus souvent sa précaution aboutissait à quelque impair énorme,
dont il restait penaud, jusqu'à ce que l'emportât
sa cordialité, qu'il avait de la qualité la meilleure;
un gros rire amusé balayait tout, et l'on ne voyait
plus devant soi que le limpide de son regard. Un
exemple vaudra mieux que les commentaires (j'ai
dit que j'écrasais ici les souvenirs de plus de dix
ans) :

J'avais succédé à Léon Blum dans les fonctions
de critique littéraire à la *Revue blanche;* je m'occupais des livres de prose; à côté de moi, Gustave
Kahn s'occupait de la poésie. Je rappelle en passant que, dans certains milieux, Gustave Kahn
passait pour « l'inventeur du vers libre »;
c'était en ce temps une question fort débattue; elle
échauffait la bile de plus d'un, de Griffin entre
autres, qui prétendait que le vers libre, au besoin,
se serait bien passé de Kahn, qu'il était né tout
seul, ou qu'il avait tel autre père... Parut la *Légende ailée de Wieland,* que Griffin m'envoya,
comme il faisait ses autres livres. Regrettant qu'il
ne m'appartînt pas d'en rendre compte, je glissai,

ans songer à mal, cet alexandrin malencontreux,
ans la lettre où je le remerciais :

Que ne puis-je chasser sur les terres de Kahn!

ans doute le sang de Griffin ne fit qu'un tour;
oujours est-il que, trois jours après, je recevais
ette lettre, qui me plongea dans la stupeur.

« 20 février 1900.

« Cher André Gide,

« J'étudie votre lettre depuis quarante-huit
eures.
« Je me résous à vous demander par retour de
ourrier, le sens et la portée de cette phrase
trange :

Que ne puis-je chasser sur les terres de Kahn!

« En attendant votre explication, j'ai l'honneur
l'être

« Votre serviteur. »

Nous étions l'un et l'autre de trop bonne foi et
otre sympathie réciproque était trop vive pour
que le malentendu ne fût pas bientôt dissipé.
Cette impétuosité de Griffin, où perçait la géné-
osité de son caractère, m'entraîna dans une erreur
ssez grave, en elle-même et par ses suites — je
eux parler de la dépréciation d'un livre de Ré-
nier : *La Double Maîtresse* — où j'emboîtai le
as avec une docilité un peu niaise et que bientôt
près je regrettai cordialement. Il apparaissait à
riffin que Régnier, en écrivant ce livre, faisait
ausse route. Peu de temps auparavant, *Le Trèfle*

blanc avait révélé tel autre côté de sa nature qui,
plus frais, plus arcadien, s'apparentait à Griffin
bien davantage. Griffin n'était rien moins que
livresque, et ce qu'il apportait de meilleur c'était
peut-être, avec la clef des champs, je ne sais quelle
spontanéité encore gauche, quelle fraîcheur, dont
notre littérature, il faut le reconnaître, avait en
ce temps grand besoin. La grâce de *La Double
Maîtresse* lui paraissait tirer arrière; dans ce livre
exquis, il ne voyait que littérature et dépravation
affectée; il fit tant que me persuader que je ren-
drais aux lettres françaises, et à Régnier lui-même,
notoire service, en le ramenant (comme s'il se pouvait!) et en dénonçant franchement l'incartade.
Que l'on m'entende : je ne prétends nullement dé-
cliner, ni même diminuer, la responsabilité du sévère et même injuste article que j'écrivis alors;
mais rarement je me donnai l'occasion de regretter
plus de n'avoir point suivi mon goût naturel,
d'avoir cédé à ce besoin de réaction, de résistance
(qui m'est naturel, lui aussi) et non tout simplement à ma pente. Il va sans dire que Régnier
continua de suivre la sienne, pour le plus grand
ravissement des lecteurs; et mon article n'eut d'autre effet que de rafraîchir beaucoup nos relations
qui, jusqu'à ce jour, n'avaient été qu'excellentes. Au
demeurant, n'eût été cet article, nous eussions
bientôt rencontré d'autres raisons de brouille; nos
goûts différaient trop.

Un des plus assidus chez Mallarmé, chez Heredia, chez Bonnières, chez Judith Gautier, chez
Leconte de Lisle, assurément c'était Hérold. Je n'ai
point fréquenté chez ces deux derniers, et très rarement chez Bonnières; je n'en parle que d'après ouï-
dire; mais ce que je sais suffisamment c'est que je

rencontrais Ferdinand Hérold partout. Il ne vous
quittait point qu'il n'eût pris de nouveau rendez-
vous, et j'admire qu'il lui restât quelque temps
pour écrire ou lire; mais le fait est qu'il écrivait
beaucoup et qu'il avait tout lu. Il était inépuisa-
blement documenté sur tous les sujets où s'accrochaient nos passions d'alors : les sonnets dits « bi-
gornes » par exemple, ou l'emploi du saxophone
dans l'orchestre, sur quoi il pouvait vous entretenir des kilomètres durant; car, à quelque heure
que l'on sortît de chez Mallarmé, d'une réunion ou
d'un spectacle, il vous raccompagnait toujours, et à
pied. Ma mère l'aimait bien pour cela car elle craignait de me savoir seul dans les rues, passé minuit,
et comptait que Hérold ne m'abandonnerait qu'à
ma porte. A l'aide d'une barbe énorme il tâchait
de donner un air mâle à son visage débonnaire et
poupin; c'était le meilleur des camarades, le plus
fidèle des amis; on le retrouvait chaque fois qu'on
avait besoin de lui, et même plus souvent encore.
On eût dit qu'il attendait autrui pour exister. Ferdinand Hérold portait la tête quelques centimètres
plus en arrière et la barbe plus en avant, depuis
qu'il avait fait paraître un article sur — ou plutôt : contre — le respect; où il était démontré que
la Sagesse, au contraire de ce qu'en disait Salomon,
commençait seulement où cessait la crainte de
Dieu. Et chaque respect — envers les parents, les
coutumes, les autorités et le reste — chaque respect,
dis-je, comportant un aveuglement, c'est seulement
en s'affranchissant de ceux-ci que l'homme pouvait
espérer de progresser vers la lumière. L'antimili-
tarisme de Quillard, de Lazare, de Hérold et de
quelques autres, allait jusqu'à l'horreur de tout
uniforme. L'uniforme était assimilable, selon eux,

à la livrée des domestiques, attentait à la dignit
individuelle. Et je ne voudrais pas les désoblige
en parlant de leur internationalisme, car peut-êtr
après tout, que je leur fais injure en leur suppo
sant rétrospectivement ces opinions, mais le fait e:
que, les ayant, moi, je croyais certainement le
partager avec eux. Et même je ne concevais pa
qu'un être ayant atteint un certain degré d'intell
gence et d'éducation, pût en avoir d'autres. O
comprend que dans ces conditions je considéras:
le service militaire comme une calamité insuppo
table, à laquelle il était séant de chercher à s
soustraire, s'il se pouvait sans désertion.

Hérold était parfois flanqué de son beau-frèr
un Belge énorme, du nom de Fontainas, qui étai
peut-être bien le meilleur des êtres, du cœur l
plus tendre, et pas bête, je crois, autant qu'on e:
pouvait juger par ses silences. Il semblait avoi
découvert que le plus sûr moyen de ne jamais dir
de bêtises est de ne point parler du tout.

Que dirai-je du comte Robert de Bonnières? S:
jeune femme avait un renom de beauté qui n'étai
pas pour rien dans l'accueil qu'il trouvait partout
Je crois aussi qu'il avait fait du journalisme. I
venait de publier un roman : Le Petit Margemont
que je n'ai pas lu, mais où les habitués du salor
de Heredia se plaisaient à reconnaître le
qualités de la tradition française. Il achevai
alors un recueil de petits contes en vers de hui
pieds, dont il donnait volontiers lecture. Il étai
assez bon, je crois (je parle de l'homme) mais d
nature colérique et je faillis déchaîner un orage, le
jour où chez Heredia, comme il venait de donne:
lecture du dernier né de ses récits... C'était, il m'er
souvient, l'histoire d'un gant que laisse tomber ou

que jette une dédaigneuse beauté; le galant chevalier rebuté s'empresse, et, bien qu'il y ait péril,
je ne sais trop lequel, ramasse le gant (n'y a-t-il pas
quelque chose de ce goût-là dans Schiller?) puis,
tandis que la belle, enfin conquise, se penche, lui,
dédaigneux à son tour

> Passe aussi son chemin, ma chère.

Ainsi se terminait le récit. Silencieux d'ordinaire
autant que Fontainas, je ne sais quelle audace me
prit :

« Ne craignez-vous pas le « *sse aussi son* »? demandai-je. Tout le monde se regarda; et ce qui me
sauva, c'est qu'on ne comprit pas d'abord. Puis
que pouvait Bonnières contre le fou rire qui s'empara de chacun? Je crois que, depuis, il a modifié
ce dernier vers.

Bonnières passait pour avoir beaucoup d'esprit;
cette réputation lui donnait une grande assurance.
Il avait sur n'importe quoi des opinions d'autant
plus inébranlables, qu'il n'écoutait jamais que lui.
Dieu! que son ton péremptoire me tapait sur les
nerfs, quand je l'entendais affirmer :

« L'œuvre de chaque auteur doit pouvoir se
résumer dans une formule. Plus aisément elle s'y
réduit, plus elle a chance de survivre. Tout ce qui
déborde est caduc. »

Que devins-je certain jour où, m'étant décidé
à aller chez lui, cédant à sa cordiale insistance,
il me demanda si j'avais déjà ma formule? Il s'était
emparé d'un bouton de ma veste, et son visage
était presque contre le mien, selon son habitude.
Epouvanté, je reculai d'abord et fis mine de ne pas
comprendre; mais lui, qui ne me lâchait point :

« Enfin, reprenait-il, vous voudriez, par avance,

résumer votre œuvre future en une seule phrase,
en un mot, quel serait-il? Ce mot, le savez-vous
vous-même?

— Parbleu! m'écriai-je, impatienté.

— Eh bien, quel est-il? Allons! sortez-le. Tou
est là. »

Et le plus ridicule c'est que je la connaissais, m
formule, et que, simplement par pudeur, j'hésitai
à la livrer à ce roquentin, comme le pur secret d
ma vie. Enfin, n'y tenant plus et tremblant d'un
vraie fureur, j'articulai d'une voix blanche.

« Nous devons tous représenter. »

Il me regarda avec stupeur, puis enfin lâcha mo
bouton :

« Eh bien, allez-y! mon garçon, cria-t-il. « Re
« présentez ». (Il était mon aîné de beaucoup.)

Je paraîtrai vraiment trop bête si je n'expli
que un peu ma « formule ». En ce temps ell
dominait d'autant plus impérieusement mes pen
sées, qu'elle était nouvelle maîtresse. La moral
selon laquelle j'avais vécu jusqu'à ce jour cédai
depuis peu à je ne savais trop encore quelle vision
plus chatoyante de la vie. Il commençait à m'ap
paraître que le devoir n'était peut-être pas pou
chacun le même, et que Dieu pouvait bien avoi
lui-même en horreur cette uniformité contre quo
protestait la nature, mais à quoi tendait, me sem
blait-il, l'idéal chrétien, en prétendant mater l
nature. Je n'admettais plus que morales particu
lières et présentant parfois des impératifs opposés
Je me persuadais que chaque être, ou tout au
moins : que chaque élu, avait à jouer un rôle su
la terre, le sien précisément, et qui ne ressemblai
à nul autre; de sorte que tout effort pour se sou
mettre à une règle commune devenait à mes yeux

trahison; oui, trahison, et que j'assimilais à ce
grand péché contre l'Esprit « qui ne serait point
pardonné », par quoi l'être particulier perdait sa
signification précise, irremplaçable, sa « saveur »
qui ne pouvait lui être rendue. J'avais écrit, en
épigraphe du *journal*, que je tenais alors, cette
phrase latine cueillie je ne sais où :

« *Proprium opus humani generis totaliter accepti
est actuare semper totam potentiam intellectus pos-
sibilis.* »

Au vrai, j'étais grisé par la diversité de la vie,
qui commençait à m'apparaître, et par ma propre
diversité... Mais je m'étais promis, dans ce chapitre, de ne parler que du voisin. J'y reviens.

Bernard Lazare, de son vrai nom Lazare Bernard, était un juif de Nîmes, non point petit, mais
d'aspect court et ineffablement déplaisant. Son
visage semblait tout en joues, son torse tout en
ventre, ses jambes tout en cuisses. A travers son
monocle il jetait sur choses et gens un regard
caustique et semblait mépriser furieusement tous
ceux-là qu'il n'admirait point. Les plus généreux
sentiments le gonflaient; c'est-à-dire qu'il était sans
cesse indigné contre la muflerie et la crapulerie de
ses contemporains; mais il semblait qu'il eût besoin
de cette muflerie et qu'il ne prît conscience de lui
que par une opposition violente, car, sitôt que son
indignation faiblissait, rien plus ne restait que des
reflets, et il écrivait *Le Miroir des légendes*.

Lazare et Griffin conjuguaient leurs humeurs
combatives dans *Les Entretiens politiques et littéraires*. Cette petite revue, à couverture sang-de-
bœuf, était, ma foi, fort bien rédigée, et je me
trouvai extrêmement flatté d'y voir paraître mon

Traité du Narcisse. J'ai toujours manqué à u
degré incroyable de ce sens, qui est à la base (
bien des audaces : l'intuition de mon crédit dan
l'esprit d'autrui; je vise toujours au-dessous de m
cote, et non seulement je ne sais rien exiger, ma
le moins que l'on m'accorde je m'en sens honoré (
déguise mal ma surprise; c'est une faiblesse don
à l'âge de cinquante ans, je commence à peine
me guérir.

Bernard Lazare me faisait peur; je sentais in
distinctement en lui des possibilités déroutantes (
qui n'auraient plus rien à voir avec l'art; sar
doute ce sentiment ne m'était-il point particulie
et maintenait-il à certaine distance, sinon Quillar
et Hérold, que des préoccupations de même ordr
allaient entraîner à leur tour, du moins Régnie
Louis et moi.

« As-tu remarqué le tact de Régnier? me disa
Louis; l'autre jour, il a failli se laisser aller
traiter Lazare tout à fait en camarade. Mais, su
le point de lui taper le genou, il s'est reten
As-tu vu sa main qui restait en l'air? »

Et lorsque Lazare, au moment de l'affaire Dre
fus, mit flamberge au vent et assuma le rôle in
portant que l'on sait, nous comprîmes du cou
qu'il venait de trouver sa ligne et que, dans l
littérature, jusqu'alors, il avait fait antichambre –
comme tant d'autres font toute leur vie.

Albert Mockel, que je n'ai pas encore nomm
dirigeait une petite mais importante revue franco
belge : *La Wallonie.* Comme le goût de chacu
dans une école (et nous en formions une assuré
ment) par frottement, se tempère et s'affine,
était rare que l'un de nous commît une erreur d
jugement; ou du moins cette erreur était-elle alor

le plus souvent, celle du groupe entier. Mais, en plus de ce goût collectif, Mockel jouissait d'un sens artistique des plus fins. Il poussait même la finesse jusqu'à la ténuité; en regard de l'amenuisement de sa pensée, la vôtre vous paraissait épaisse et vulgaire [1]. Ses propos étaient d'une subtilité si rare, et pleins d'allusions si minutieuses, que l'on courait sur l'extrême pointe du pied pour l'y suivre. La conversation, par excès d'honnêteté, par scrupule, n'était le plus souvent qu'une mise au point vertigineuse. Au bout d'un quart d'heure on était laminé. Il écrivait entre-temps sa *Chantefable un peu naïve.*

En plus de tous ceux-ci, que je retrouvais plusieurs fois par semaine chez Heredia, chez Mallarmé, ou ailleurs, je fréquentais régulièrement un pauvre garçon, que je n'ose appeler précisément un ami, mais pour qui je m'étais pourtant épris d'une affection singulière. André Walckenaer, petit-fils de l'érudit lettré à qui nous devons une remarquable *Vie de La Fontaine,* était un être malingre et souffreteux, trop intelligent pour ne pas comprendre le prix de ce qui lui était refusé, mais à qui la nature n'avait donné qu'une voix fluette, et que juste ce qu'il en fallait pour se plaindre. Sorti de l'Ecole des Chartes, et devenu depuis sous-bibliothécaire à la Mazarine. Une assez proche parenté le rattachait à ma tante Démarest, qui m'avait fait le rencontrer à un dîner. Je n'avais pas encore achevé mes *Cahiers d'André Walter,* c'est-à-dire que j'avais un peu moins de vingt ans; André Walckenaer était de quelques mois plus âgé.

1. Mallarmé parlait d'une dame si extraordinairement distinguée... « Quand je lui dis bonjour, je me fais toujours l'effet de lui dire : « Merde. »

Je fus tout aussitôt flatté par son empressement et
l'attention qu'il m'accordait; pour ne point demeurer en reste, j'imaginai de découvrir en lui
d'extraordinaires ressemblances avec le héros imaginaire d'un livre que vaguement je projetais
d'écrire, sous ce titre : *L'Education sentimentale*.
Il y avait bien déjà celle de Flaubert; mais la
mienne répondait mieux au titre. Naturellement,
Walckenaer, fort excité, s'éprit de ce livre où je
devais le portraire. Je lui demandai s'il consentirait
à venir poser devant moi, comme il ferait devant
un peintre. Nous prîmes jour. Et c'est ainsi que,
trois ans durant, tout le temps que j'étais à Paris,
André Walckenaer vint s'installer chez moi de
deux à cinq, chaque mercredi; à moins que je n'allasse chez lui; et parfois nous prolongions jusqu'au
dîner nos séances. Nous causions inlassablement,
intarissablement; le texte des livres de Proust est
ce qui me rappelle le mieux le tissu de nos causeries. Nous glosions sur tout et coupions en quatre
les plus ténus cheveux du monde. Temps perdu?
Je ne puis le croire : une certaine subtilité de
pensée et d'écriture ne s'obtient pas sans ergotages.
J'ai dit que le pauvre garçon était de santé très
précaire : son fragile organisme n'échappait à
l'asthme qu'en se couvrant périodiquement d'ec-
zéma; c'était pitié que de voir ses traits tirés, que
de l'entendre haleter et geindre; il gémissait aussi
du désir d'écrire et, incapable de rien, se contor-
sionnait l'esprit affreusement. Je l'écoutais me raconter ses velléités, ses déboires, impuissant à le
consoler sans doute, mais prêtant à son mal, par
l'intérêt que je prenais à l'entendre en parler, une
apparence de raison d'être.

Il me fit faire la connaissance d'un être encore

plus falot que lui-même, dont je tairai le nom.
X. avait juste assez d'épaisseur pour promener,
dans les salons, des vêtements de coupe impeccable.
Quand on sortait dans le monde avec lui, on
s'étonnait de ne pas le voir accroché tout entier
au vestiaire. Dans les salons, il faisait sourdre, de
derrière une longue et soyeuse barbe couleur de
miel, un extraordinaire fantôme de voix flûtée,
qui nuançait suavement des banalités d'une fadeur
insurpassable. Il commençait à vivre à l'heure du
thé, courant le monde, où il jouait le rôle de gaze-
tier, de trucheman, de trait d'union et d'écouteur.
Il n'eut de cesse qu'il ne m'eût introduit dans
quelques-uns de ces milieux où Walckenaer fréquentait aussi. Fort heureusement je n'avais rien
en moi qui me permît de briller beaucoup dans
le monde; les salons où je me fourvoyai, j'y faisais
figure d'oiseau de nuit; j'y promenais, il est vrai,
des redingotes assez bien faites; et mes cheveux
longs, mes cols hauts, mon attitude penchée, attiraient l'attention, que devaient décevoir mes propos; car j'avais l'esprit si lourd, ou du moins si
peu monnayé, que j'en étais réduit à me taire
chaque fois qu'il eût fallu plaisanter. Chez
Mme Beulé, chez Mme Beignères qui, celle-ci,
n'était point bête, chez la vicomtesse de J... (— Oh!
monsieur X, s'écriait celle-ci, récitez-nous donc *Le
Vase cassé* de Sully Prudhomme. — Elle estropiait
ainsi titres et noms; parlait de sa grande admiration pour le peintre anglais John Burns, voulant
dire, on suppose, Burne-Jones) — je ne fis que
quelques apparitions épouvantées.

Chez la princesse Ouroussof l'intérêt était plus
vif; on s'amusait du moins. Les propos étaient
sans contrainte, les plus fous les mieux accueillis.

La princesse, d'une beauté plantureuse, dans des toilettes orientales, mettait aussitôt chacun à l'aise avec son affabilité volubile et son air de s'amuser elle-même de tout. La loufoquerie de la conversation tenait parfois du fantastique et l'on doutait alors si vraiment l'hôtesse était inconsciente et dupe de certaines énormités; mais une sorte de bonhomie cordiale, dont elle ne se départait point, décourageait l'ironie. Au cours d'un grand dîner, on l'entendait, tout à coup, de sa voix de contralto, crier au domestique en livrée, qui passait les mets les plus délicats :

« Comment va votre fluxion, Casimir? »

Je ne sais par quel démon poussé, certain jour que je me trouvais seul avec elle, j'ouvris tout à coup son piano et me lançai dans la *Novellette* en *mi* de Schumann. J'étais incapable en ce temps de la jouer du train qu'il fallait. A ma grande surprise, elle critiqua fort justement le mouvement, me signala doucement quelques fautes, découvrant sa parfaite connaissance et compréhension du morceau, puis :

« Si vous trouvez mon piano bon, venez donc étudier ici. Vous me ferez plaisir et ne dérangerez personne. »

La princesse me connaissait alors à peine, et cette proposition, que du reste je déclinai, me décontenança plutôt qu'elle ne me mit à l'aise; je la rapporte en exemple de la charmante spontanéité de ses façons. Mais comme l'on répétait à demi-voix qu'on avait dû l'interner, je ne restais jamais longtemps près d'elle sans craindre de voir sa fantaisie dégénérer en vraie démence.

C'est chez elle que j'emmenai Wilde certain soir, à ce dîner que raconte Henri de Régnier quelque part, où, tout à coup, poussant un grand cri, la princesse protesta qu'elle venait de voir autour du visage de l'Irlandais, une auréole.

C'est aussi chez elle, à un autre dîner, que je fis la connaissance de Jacques-Emile Blanche — le seul de tous ceux que j'ai nommés dans ce chapitre que je fréquente encore. Mais de celui-ci il y aurait tant à dire... Je remets à plus tard, également, les portraits de Maeterlinck, de Marcel Schwob et de Barrès. Déjà sans doute n'ai-je épaissi que trop l'atmosphère de cette selve obscure où j'égarais, au sortir de l'enfance, mes aspirations incertaines et la quête de ma ferveur.

*

Roger Martin du Gard, à qui je donne à lire ces Mémoires, leur reproche de ne jamais dire assez, et de laisser le lecteur sur sa soif. Mon intention pourtant a toujours été de tout dire. Mais il est un degré dans la confidence que l'on ne peut dépasser sans artifice, sans se forcer; et je cherche surtout le naturel. Sans doute un besoin de mon esprit m'amène, pour tracer plus purement chaque trait, à simplifier tout à l'excès; on ne dessine pas sans choisir; mais le plus gênant c'est de devoir présenter comme successifs des états de simultanéité confuse. Je suis un être de dialogue; tout en moi combat et se contredit. Les Mémoires ne sont jamais qu'à demi sincères, si grand que soit le souci de vérité : tout est toujours plus compliqué qu'on ne le dit. Peut-être même approche-t-on de plus près la vérité dans le roman.

DEUXIÈME PARTIE

I

LES faits dont je dois à présent le récit, les mouvements de mon cœur et de ma pensée, je veux les présenter dans cette même lumière qui me les éclairait d'abord, et ne laisser point trop paraître le jugement que je portai sur eux par la suite. D'autant que ce jugement a plus d'une fois varié et que je regarde ma vie tour à tour d'un œil indulgent ou sévère suivant qu'il fait plus ou moins clair au-dedans de moi. Enfin, s'il m'est récemment apparu qu'un acteur important : le Diable, avait bien pu prendre part au drame, je raconterai néanmoins ce drame sans faire intervenir d'abord celui que je n'identifiai que longtemps plus tard. Par quels détours je fus mené, vers quel aveuglement de bonheur, c'est ce que je me propose de dire. En ce temps de ma vingtième année, je commençai de me persuader qu'il ne pouvait m'advenir rien que d'heureux; je conservai jusqu'à ces derniers mois[1] cette confiance, et je tiens pour un des plus importants de ma vie l'événement qui m'en fit douter brusquement. Encore après le doute me ressaisis-je — tant est exi-

1. Ecrit au printemps de 1919.

geante ma joie; tant est forte en moi l'assurance
que l'événement le plus malheureux en première
apparence reste celui qui, bien considéré, peut
aussi le mieux nous instruire, qu'il y a quelque
profit dans le pire, qu'à quelque chose malheur est
bon, et que si nous ne reconnaissons pas plus souvent le bonheur, c'est qu'il vient à nous avec un
visage autre que celui que nous attendions. Mais
assurément j'anticipe, et vais gâcher tout mon
récit si je donne pour acquis déjà l'état de joie,
qu'à peine j'imaginais possible, qu'à peine, surtout, j'osais imaginer permis. Lorsque ensuite je
fus mieux instruit, certes tout cela m'a paru plus
facile; j'ai pu sourire des immenses tourments que
de petites difficultés me causaient, appeler par leur
nom des velléités indistinctes encore et qui m'épou-
vantaient parce que je n'en discernais point le
contour. En ce temps il me fallait tout découvrir,
inventer à la fois et le tourment et le remède,
et je ne sais lequel des deux m'apparaissait le
plus monstrueux. Mon éducation puritaine m'avait
ainsi formé, donnait telle importance à certaines
choses, que je ne concevais point que les questions
qui m'agitaient ne passionnassent point l'humanité
tout entière et chacun en particulier. J'étais pareil
à Prométhée qui s'étonnait qu'on pût vivre sans
aigle et sans se laisser dévorer. Au demeurant,
sans le savoir, j'aimais cet aigle; mais avec lui je
commençais de transiger. Oui, le problème pour
moi restait le même, mais, en avançant dans la vie,
je ne le considérais déjà plus si terrible, ni sous un
angle aussi aigu. — Quel problème? — Je serais
bien en peine de le définir en quelques mots. Mais
d'abord n'était-ce pas déjà beaucoup qu'il y eût
problème? — Le voici, réduit au plus simple :

Au nom de quel Dieu, de quel idéal me défendez-vous de vivre selon ma nature? Et cette nature, où m'entraînerait-elle, si simplement je la suivais? — Jusqu'à présent j'avais accepté la morale du Christ, ou du moins certain puritanisme que l'on m'avait enseigné comme étant la morale du Christ. Pour m'efforcer de m'y soumettre, je n'avais obtenu qu'un profond désarroi de tout mon être. Je n'acceptais point de vivre sans règles, et les revendications de ma chair ne savaient se passer de l'assentiment de mon esprit. Ces revendications, si elles eussent été plus banales, je doute si mon trouble en eût été moins grand. Car il ne s'agissait point de ce que réclamait mon désir, aussi longtemps que je croyais lui devoir tout refuser. Mais j'en vins alors à douter si Dieu même exigeait de telles contraintes; s'il n'était pas impie de regimber sans cesse, et si ce n'était pas contre Lui; si, dans cette lutte où je me divisais, je devais raisonnablement donner tort à l'autre. J'entrevis enfin que ce dualisme discordant pourrait peut-être bien se résoudre en une harmonie. Tout aussitôt il m'apparut que cette harmonie devait être mon but souverain, et de chercher à l'obtenir la sensible raison de ma vie. Quand en octobre 93, je m'embarquai pour l'Algérie, ce n'est point tant vers une terre nouvelle, mais bien vers *cela*, vers cette toison d'or, que me précipitait mon élan. J'étais résolu à partir; mais j'avais longtemps hésité si je ne suivrais pas mon cousin Georges Pouchet, ainsi qu'il m'y invitait, dans une croisière scientifique en Islande; et j'hésitais encore, lorsque Paul Laurens reçut, en prix de je ne sais plus quel concours, une bourse de voyage qui l'obligeait à un exil d'un an; le choix qu'il fit de moi pour

compagnon décida de ma destinée. Je partis donc
avec mon ami; sur le navire *Argo,* l'élite de la Grèce
ne frémissait point d'un plus solennel enthousiasme.

J'ai dit, je crois, que nous étions exactement de
même âge; nous avions même taille, même aspect,
même démarche, mêmes goûts. De sa fréquentation
avec les élèves des beaux-arts, il avait rapporté un
ton d'assurance un peu gouailleur qui cachait une
grande retenue naturelle; aussi l'habitude d'un
tour funambulesque, qui faisait mon admiration
et ma joie, mais aussi mon désespoir lorsque j'y
comparais l'ankylose de mon esprit.

Je fréquentais Paul moins souvent que Pierre
Louis, peut-être; mais il me semble que j'avais
pour le premier une affection plus véritable et plus
capable de développement. Pierre avait dans le
caractère je ne sais quoi d'agressif, de romantique
et de contrecarrant qui mouvementait à l'excès
nos rapports. Le caractère de Paul au contraire
était tout souplesse; il ondoyait avec le mien. A
Paris je ne le voyais guère qu'en compagnie de son
frère, qui, de tempérament plus entier et bien
qu'un peu plus jeune, nous bousculait, de sorte
qu'avec lui la conversation se faisait sommaire.
Deux fois par semaine une leçon d'escrime que
j'allais prendre chez eux, le soir, était prétexte à
des lectures et des entretiens prolongés. Nous sentions, Paul et moi, notre amitié grandir et découvrions avec ravissement l'un dans l'autre toutes
sortes de possibilités fraternelles. Nous en étions
au même point de la vie; pourtant il y avait
entre nous cette différence, que son cœur était
libre, le mien accaparé par mon amour; mais ma
résolution était prise de ne m'en laisser pas em-
pêcher. Après la publication de mes *Cahiers,* le

refus de ma cousine ne m'avait point découragé
peut-être, mais du moins m'avait forcé de reporter plus loin mon espoir; aussi bien, je l'ai dit,
mon amour demeurait-il quasi mystique; et si le
diable me dupait en me faisant considérer comme
une injure l'idée d'y pouvoir mêler quoi que ce fût
de charnel, c'est ce dont je ne pouvais encore me
rendre compte; toujours est-il que j'avais pris
mon parti de dissocier le plaisir de l'amour; et
même il me paraissait que ce divorce était sou-
haitable, que le plaisir était ainsi plus pur,
l'amour plus parfait, si le cœur et la chair ne
s'entr'engageaient point. Oui, Paul et moi, nous
étions résolus, quand nous partîmes... Et si l'on
me demande peut-être comment Paul, élevé mora-
lement sans doute, mais selon une morale catholique et non puritaine, dans un milieu d'artistes et
provoqué sans cesse par les rapins et les modèles,
avait pu, passé vingt-trois ans, rester puceau —
je répondrai que je raconte ici mon histoire et
non point la sienne et qu'un tel cas est du reste
beaucoup plus fréquent qu'on ne croit; car le
plus souvent il répugne à se laisser connaître.
Timidité, pudeur, dégoût, fierté, sentimentalité mal
comprise, effarouchement nerveux à la suite d'une
maladroite expérience (c'était le cas de Paul, je
crois) tout cela retient sur le seuil. Alors, c'est
le doute, le trouble, le romantisme et la mélancolie; de tout cela nous étions las; de tout cela
nous voulions sortir. Mais ce qui nous dominait
surtout, c'était l'horreur du particulier, du bizarre, du morbide, de l'anormal. Et dans les
conversations que nous avions avant le départ,
nous nous poussions, je me souviens, vers un
idéal d'équilibre, de plénitude et de santé. Ce

fut, je crois bien, ma première aspiration vers
ce qu'on appelle aujourd'hui le « classicisme »;
à quel point il s'opposait à mon premier idéal
chrétien, c'est ce que je ne saurais jamais assez
dire; et je le compris aussitôt si bien, que je me
refusai d'emporter avec moi ma Bible. Ceci, qui
peut-être n'a l'air de rien, était de la plus haute
importance : jusqu'alors il ne s'était point passé
de jour que je ne puisasse dans le saint livre
mon aliment moral et mon conseil. Mais c'est précisément parce que cet aliment me semblait devenu indispensable que je sentis le besoin de m'en
sevrer. Je ne dis pas adieu au Christ sans une
sorte de déchirement; de sorte que je doute à
présent si je l'ai jamais vraiment quitté.

Les Latil, amis des Laurens, nous retinrent à
Toulon quelques jours. Je pris froid, et, dès avant
de quitter la France, commençai d'aller moins
bien; mais je n'en laissai rien paraître. Je n'en
parlerais pas, si la question de santé n'avait été
si importante dans ma vie, et dès ce voyage. J'avais
toujours été délicat; au conseil de revision, deux
ans de suite ajourné, réformé définitivement au
troisième : « tuberculose » disait la feuille, et
je ne sais si j'avais été plus réjoui de la dispense
qu'effrayé par cette déclaration. De plus je savais
que mon père, déjà... Bref cette sorte de rhume
sournois que je pris à Toulon m'inquiéta tout
aussitôt au point que j'hésitai presque si je ne
laisserais point Paul s'embarquer seul, quitte à
le rejoindre un peu plus tard. Puis je m'abandonnai à mon destin, ce qui presque toujours est
le plus sage. Au surplus je pensais que la chaleur
de l'Algérie me remettrait, que nul climat ı e pouvait être meilleur.

tombe malade
de nouveau

Cependant Toulon accueillait l'escadre russe; le port était pavoisé et le soir une étrange liesse emplissait la ville illuminée, et jusqu'aux plus étroits vicolos; c'est ainsi que d'étape en étape, et dès la première, il nous parut, au cours de notre voyage, que peuple et pays devant nous se mettaient en fête, et que la nature même, à notre approche, s'exaltait. Je ne sais plus pourquoi je laissai Paul aller seul à la fête de nuit qui se donnait sur un des cuirassés de l'escadre, soit que je me sentisse trop fatigué, soit que m'attirât davantage, dans les petites rues, le spectacle de la débauche et de l'ivresse.

Le lendemain nous le passâmes au bord de la mer, à la Simiane, superbe propriété des Latil, où Paul se souvient que je lui racontai le sujet de ce qui devint plus tard ma *Symphonie pastorale*. Je lui parlai également d'un autre projet plus ambitieux, que j'eusse dû mener à bien avant de le laisser dévorer par les scrupules. Les difficultés d'un sujet, il est bon de ne les reconnaître qu'au fur et à mesure que l'on travaille; on perdrait cœur à les voir toutes d'un coup. Je projetais donc d'écrire l'histoire imaginaire d'un peuple, d'un pays, avec des guerres, des révolutions, des changements de régime, des événements exemplaires. Bien que l'histoire de chaque pays diffère de l'histoire de chaque autre, je me piquais de tracer telles lignes qui leur fussent communes à toutes. J'aurais inventé des héros, des souverains, des hommes d'Etat, des artistes — un art, une littérature apocryphe, dont j'exposais et critiquais les tendances, des genres dont je contais l'évolution, des chefs-d'œuvre dont je révélais des fragments... Et tout cela pour prouver quoi? Que

l'histoire de l'homme aurait pu être différente, différents nos us, nos mœurs, nos coutumes, nos
goûts, nos codes et nos étalons de beauté — et
rester humains tout de même. Me fussé-je lancé
là-dedans, je m'y serais perdu peut-être, mais sans
doute beaucoup amusé.

Nous eûmes une traversée, de Marseille à Tunis,
à peu près calme. Dans notre cabine l'atmosphère
était étouffante, et, la première nuit, je transpirai
si abondamment que les draps de la couchette
me collaient au corps; je passai la seconde nuit
sur le pont. D'immenses éclairs de chaleur pal-
pitaient au loin dans la direction de l'Afrique.
L'Afrique! Je répétais ce mot mystérieux; je le
gonflais de terreurs, d'attirantes horreurs, d'attente, et mes regards plongeaient éperdument
dans la nuit chaude vers une promesse oppressante
et toute enveloppée d'éclairs.

Oh! je sais qu'un voyage à Tunis n'a rien de
bien rare; non; mais le rare, c'était nous y allant.
Certes, les cocotiers des atolls ne m'émerveilleraient
pas plus aujourd'hui, et demain, hélas! ne m'émer-
veilleront plus autant, que ne firent alors les premiers chameaux aperçus du pont du navire. Sur
une langue de terre basse, encerclant le goulet
où nous venions d'entrer, ils se profilaient, tels
une démonstration sur le ciel. Je m'attendais bien
à rencontrer des chameaux à Tunis, mais je n'étais
point parvenu à les imaginer si étranges; et cette
bande de poissons dorés que le navire, sur le
point d'afflanquer le quai, fit gicler et voler hors
de l'eau; et ce peuple de Mille et une Nuits qui
s'empressait et se bousculait pour s'emparer de
nos valises. Nous étions à cet instant de la vie
où le ravissement de toute nouveauté vous enivre;

nous savourions à la fois notre soif et son étan-
chement. Tout, ici, nous étonnait au-delà de toute
espérance. Avec quelle naïveté nous donnâmes
dans tous les pièges des courtiers! Mais que les
étoffes étaient belles, de nos haïks, de nos burnous!
Que le café que le marchand nous offrait nous
semblait bon! et que généreux le marchand, de
nous l'offrir! Dès le premier jour, dès notre apparition dans les souks, un petit guide de quatorze
ans se saisit de nos personnes, nous escorta dans
les boutiques (qui nous eût dit qu'il touchait
commission nous eût indignés) et comme il parlait
le français passablement, que de plus il était charmant, nous prîmes rendez-vous à notre hôtel pour
le lendemain. Il s'appelait Céci et était originaire
de l'île de Djerba, que l'on dit être l'ancienne
île des Lotophages. Je me souviens de notre inquiétude en ne le voyant pas arriver à l'heure
dite. Je me souviens de mon trouble, quelques
jours plus tard, lorsqu'il vint dans ma chambre
(nous avions quitté l'hôtel et loué, rue Al Djezira,
un petit appartement de trois pièces) chargé de
nos récentes emplettes et commença de se dévêtir
à demi pour me montrer comment on se drapait
dans un haïk.

Le capitaine Julian, que nous avions rencontré
chez le général Leclerc, mit à notre disposition des
chevaux de l'armée et s'offrit à nous accompagner
hors les murs. Je n'avais jusqu'à présent connu
de chevauchées que celles du manège, fastidieux
défilé des élèves sous les regards critiques du
maître qui rectifiait les positions; mornes tours et
retours, une heure durant, dans une morne salle
close. Le petit alezan arabe que je montais était
peut-être un peu trop fougueux à mon gré, mais

quand j'eus pris le parti de le laisser pousser sa
pointe et galoper tout son soûl, je ne mesurai
plus ma joie. Bientôt je me vis seul, ayant perdu
mes compagnons, ma route, fort peu soucieux de
retrouver avant la nuit l'un ni l'autre. Le soleil
couchant inondait d'or et de pourpre l'immense
plaine qui s'étend entre Tunis et la montagne
de Zaghouan et que jalonnent de loin en loin
quelques arches énormes de l'antique aqueduc
en ruine; et je l'imaginais celui-là même qui
portait à Carthage les eaux limpides du nymphée. Un étang d'eaux saumâtres semblait un lac
de sang; je suivis ses bords désolés d'où quelques
flamants s'envolèrent.

Nous pensions ne quitter Tunis pas avant le
commencement de l'hiver; notre projet était de
gagner Biskra par le sud. Les conseils autorisés
du capitaine Julian nous dissuadèrent de diffé-
rer notre départ, eu égard à l'approche de la
mauvaise saison. Il revisa notre itinéraire, prépara
nos relais et couvrit de recommandations nos
étapes. A travers le chott El Djerid, une escorte
militaire, s'il me souvient bien, devait protéger
notre randonnée. Et nous nous lancions dans le
désert avec une enfantine imprévoyance, confiants
en notre étoile, certains que tout nous devait
réussir. Pour vingt-cinq francs par jour, nous nous
étions assurés d'un guide et d'un cocher qui, dans
un énorme landau, une sorte de fastueux carrosse
à quatre chevaux, devait, en quatre jours, nous
mener à Sousse, où nous aviserions s'il ne valait
pas mieux quitter le landau pour la diligence de
Sfax et de Gabès. Guide et cocher étaient maltais;
jeunes, superbement râblés, avec des airs de bri-
gands qui nous enchantaient. J'admire encore

que pour cette modique somme nous pussions
avoir un tel équipage; mais il va sans dire pourtant qu'on payait les jours de retour. Les relais
étaient assurés. Notre bagage et nos provisions
étaient cordés derrière le landau. Enfouis sous
un amoncellement de burnous et de couvertures,
Paul et moi, nous avions l'air de deux boyards :

« Et l'on s'étonnait autour d'eux de la modi-
cité de leurs pourboires », disait Paul, habile à
résumer d'un mot les situations.

Nous devions coucher à Zaghouan, et tout le
jour nous vîmes devant nous se rapprocher lentement la montagne, d'heure en heure plus rose.
Et lentement nous nous éprenions de ce grand pays
monotone, de son vide diapré, de son silence. Mais
le vent!... Cessait-il de souffler, la chaleur était
accablante; s'il s'élevait, on était transi. Il soufflait comme coule l'eau d'un fleuve, d'une hâte
ininterrompue; il traversait les couvertures, les
vêtements, la chair même; je me sentais transi jusqu'aux os. Mal remis de mon indisposition de
Toulon, la fatigue (et je me refusais d'y céder),
avait entretenu mon malaise. Il m'était dur de
ne point suivre Paul, et je l'accompagnais partout;
mais je crois que, sans moi, il en aurait fait davantage et que, par délicatesse amicale, il s'arrêtait où fléchissait ma résistance. Sans cesse je devais
prendre des précautions, m'inquiéter si je n'étais
pas trop couvert, ou trop peu. Dans ces conditions, se lancer dans le désert était folie. Mais je
ne voulais pas renoncer; aussi bien me laissais-je
prendre à cet attrait du Sud, à ce mirage qui nous
fait croire à sa clémence.

Zaghouan cependant, avec ses aimables vergers, ses eaux courantes, bien abrité dans un

repli de la montagne, eût présenté maints avan-
tages, et sans doute m'y fussé-je vite rétabli, si
j'avais pu m'y arrêter. Mais comment ne pas
imaginer que, plus loin... Nous arrivâmes à l'auberge affamés et fourbus. Sitôt après souper nous
nous apprêtions à gagner notre chambre et ne
songions déjà plus qu'à dormir, lorsqu'un spahi
(je n'entends rien aux uniformes et confonds peut-
être turcos et spahis) vint nous dire qu'averti de
notre arrivée, le commandant de la place (je n'entends non plus rien aux grades et n'ai jamais
su compter les galons) se réjouissait de nous recevoir et ne souffrirait pas que nous logeassions ailleurs qu'au camp. Il ajoutait que des cas de cho-
léra s'étaient déclarés dans le village et qu'il
n'était pas prudent d'y rester. Ceci ne faisait
point notre affaire, car déjà, dans la chambre,
nous avions étalé notre fourbi; le lendemain il
fallait quitter Zaghouan de bonne heure; nous
tombions de sommeil; mais le moyen de refuser?
Nous dûmes refaire nos sacs; un mulet attendait
à la porte, qui s'en chargea; nous le suivîmes.
Le camp était distant de plus d'un kilomètre, où
nous attendaient plusieurs officiers désœuvrés.
Leur intention était de nous entraîner vers les
danses et les chants d'un café maure, unique
distraction de ce lieu. J'arguai de ma fatigue et
Paul seul emboîta le pas. Un des officiers s'offrit
à me conduire à notre dortoir; mais les autres
ne se furent pas plus tôt éloignés qu'il m'assit en
face de lui, devant une table sur laquelle il étala
les feuillets d'un travail sur les différents dia-
lectes arabes, dont plus d'une heure durant je dus
essuyer la lecture.

Cette nuit au camp ne fut pas sans profit pour

moi, car c'est là que je fis connaissance avec les
punaises. Quand l'officier estima qu'il m'avait
suffisamment abruti, il me conduisit, à demi mort,
dans une sorte de hangar énorme, que désobscur-
cissait très insuffisamment une chandelle, et dans
un coin duquel étaient dressés deux lits de sangles.
Elles se ruèrent au festin aussitôt la bougie souf-
flée. Je ne les reconnus pas aussitôt pour des punaises et crus d'abord qu'un mauvais farceur
avait couvert mes draps de poil à gratter. Quelque temps il y eut lutte entre la démangeaison
et le sommeil; mais la démangeaison fut la plus
forte et le sommeil vaincu se retira. Je voulus
rallumer ma bougie, mais cherchai vainement les
allumettes. Je me souvins d'avoir aperçu, au chevet de mon lit, sur un escabeau, un alcarazas.
La lueur de la lune pénétrait par une embrasure.
Je bus à même l'alcarazas, à longs traits; puis
trempai mon mouchoir, l'appliquai sur ma fièvre,
inondai le col de ma chemise et les poignets.
Puis, comme il ne fallait plus songer à dormir,
à tâtons je cherchai mes vêtements, me rhabillai.

Sur le pas de la porte je croisai Paul qui rentrait :

« Je n'y puis plus tenir, lui dis-je. Je sors.

— Fais attention que nous sommes dans un
camp. Tu ne sais pas le mot de passe. Si tu
t'éloignes tu vas te faire tirer dessus. »

La lune inondait le camp de sa clarté silencieuse. Devant la porte du hangar, je fis les cent
pas quelque temps. Il me semblait que j'étais mort,
que je flottais sans plus de poids ni de substance,
un rêve, un souvenir, et si la sentinelle, que je
voyais là-bas, me pressait un peu, j'allais me résorber dans l'air nocturne. Je dus rentrer sans m'en

apercevoir, m'étendre tout habillé sur mon lit,
car c'est là que me réveilla la diane.

On vint nous avertir que la voiture nous attendait devant l'auberge. Jamais l'air du matin ne
me parut plus délectable qu'après cette nuit en-
fiévrée. Les murs blancs des maisons de Zaghouan
qui, la veille au soir, répondaient en bleu au ciel
rose, sur l'azur le plus tendre de l'aube prenaient
des tons d'hortensia. Nous quittâmes Zaghouan
sans avoir vu son nymphée, ce qui me permet de
l'imaginer un des plus beaux endroits de ce
monde.

Le second jour, notre route, qui n'était le plus
souvent qu'une piste presque effacée, s'enfonça,
aussitôt qu'elle eut quitté la montagne, dans
une région plus aride encore que celle de la veille.
Vers le milieu du jour, nous approchâmes d'un
rocher caverneux, hanté par un peuple d'abeilles,
et dont les flancs ruissellent de miel; c'est du moins
ce que nous raconta notre guide. Nous arrivâmes
au soir à la ferme modèle de l'Enfida, où nous
couchâmes. Le troisième jour nous atteignîmes
Kairouan.

La ville sainte, sans que rien l'annonce, surgit
au milieu du désert; ses alentours immédiats sont
féroces; nulle végétation, que celle des nopals —
ces paradoxales raquettes vertes, couvertes de pi-
quants venimeux — dans le fouillis desquels se
cachent, dit-on, des najas. Près de la porte de la
ville, au pied des remparts, un magicien faisait
danser au son d'une flûte un de ces redoutables
serpents. Toutes les maisons de la ville, comme
pour fêter notre venue, venaient d'être passées
au lait de chaux; à ces murs blancs, aux ombres,
aux reflets si mystérieux, il n'est que les murs

d'argile des oasis du Sud que je préfère. J'avais
plaisir à penser que Gautier ne les aimait point.

Des lettres de recommandation nous introdui-
sirent auprès des puissants de la ville. Nous ne
fûmes pas très prudents d'en user, car notre liberté
en fut fort compromise. Il y eut un dîner chez
le calife avec des officiers. Ce fut très fastueux,
très gai; après le repas, on m'assit devant un mauvais piano et je dus chercher ce que je pouvais
savoir de musique propre à faire danser les
convives... Pourquoi je raconte tout cela? Oh!
simplement pour retarder ce qui va suivre. Je sais
que cela n'a pas d'intérêt.

Nous passâmes à Kairouan toute la journée du
lendemain. Il y eut, dans une petit mosquée, une
séance d'aïssaouas, qui dépassa en frénésie, en
étrangeté, en beauté, en noblesse, en horreur, tout
ce que je pus voir ensuite; et même dans mes six
autres voyages en Algérie, je ne rencontrai rien
d'approchant.

Nous repartîmes. J'allais de jour en jour moins
bien. Le vent, de jour en jour plus froid, soufflait sans cesse. Quand, après une nouvelle journée de désert nous arrivâmes à Sousse, je respirais
si péniblement et commençais de me sentir si gêné,
que Paul alla querir un médecin. Je ne pus douter que mon état lui paraissait assez grave. Il prescrivit je ne sais plus quel révulsif pour déconges-
tionner mes poumons, et promit de revenir le lendemain.

Il va sans dire qu'il n'était plus question de
poursuivre notre randonnée. Mais Biskra ne paraissait pas un mauvais endroit pour y passer
l'hiver, du moment que nous renoncions à l'atteindre par le plus aventureux et le plus long.

Regagnant Tunis, le train nous y mènerait pro-
saïquement, mais pratiquement, en deux jours.
En attendant, il fallait d'abord me reposer, car
je n'étais pas en état de repartir de si tôt.

Je devrais écrire à présent de quel cœur j'écoutais les déclarations du docteur et quelle prise
j'offris à l'alarme. Je ne me souviens pas d'en
avoir été très affecté; soit que la mort ne m'ef-
frayât pas beaucoup en ce temps, soit que l'idée
de la mort ne se présentât pas à moi de manière
urgente et précise, soit enfin que mon état d'abru-
tissement empêchât les réactions vives. Au demeurant je n'ai pas grande disposition à l'élégie. Je
m'abandonnai donc à mon destin sans guère nourrir d'autre regret, que celui d'entraîner Paul
dans ma faillite; car de me laisser seul, de continuer sans moi le voyage, il ne voulait entendre
parler; de sorte que le premier effet de ma maladie, et si je puis dire : sa récompense, fut de
me laisser mesurer une amitié si précieuse.

Nous ne demeurâmes à Sousse que six jours.
Jours monotones, où, sur un fond d'attente morne,
se détache pourtant un petit épisode, dont le re-
tentissement en moi fut considérable. Il est plus
mensonger de le taire qu'indécent de le raconter.

Paul, à certaines heures, me quittait pour s'en
aller peindre; mais je n'étais pas si dolent que
je ne pusse parfois le rejoindre. Du reste, durant
tout le temps de ma maladie, je ne gardai le lit,
ni même la chambre, un seul jour. Je ne sortais
jamais sans emporter manteau et châle : sitôt
dehors, quelque enfant se proposait à me les
porter. Celui qui m'accompagna ce jour-là était
un tout jeune Arabe à peau brune, que déjà les
jours précédents j'avais remarqué parmi la bande

de vauriens qui fainéantisait aux abords de l'hôtel.
Il était coiffé de la chéchia, comme les autres, et
portait directement sur la peau une veste de grosse
toile et de bouffantes culottes tunisiennes qui
faisaient paraître plus fines encore ses jambes nues.
Il se montrait plus réservé que ses camarades,
ou plus craintif, de sorte que ceux-ci, d'ordinaire,
le devançaient; mais, ce jour-là, j'étais sorti, je ne
sais comment, sans être vu par leur bande, et,
lui, tout à coup, au coin de l'hôtel m'avait rejoint.

L'hôtel était situé hors la ville, dont les abords,
de ce côté, sont sablonneux. C'était pitié de voir
les oliviers, si beaux dans la campagne environ-
nante, à demi submergés par la dune mouvante.
Un peu plus loin, on était tout surpris de rencontrer une rivière, un maigre cours d'eau, surgi
du sable juste à temps pour refléter un peu de
ciel avant de rallier la mer. Une assemblée de
négresses lavandières, accroupies près de ce peu
d'eau douce, tel était le motif devant lequel venait
s'installer Paul. J'avais promis de le rejoindre;
mais, si fatigante que fût la marche dans le sable,
je me laissai entraîner dans la dune par Ali —
c'était le nom de mon jeune porteur; nous atteignîmes bientôt une sorte d'entonnoir ou de
cratère, dont les bords dominaient un peu la
contrée, et d'où l'on pouvait voir venir. Sitôt
arrivé là, sur le sable en pente, Ali jette châle
et manteau; il s'y jette lui-même et, tout étendu
sur le dos, les bras en croix, commence à me regarder en riant. Je n'étais pas niais au point de
ne comprendre pas son invite; toutefois je n'y répondis pas aussitôt. Je m'assis, non loin de lui,
mais pas trop près pourtant, et, le regardant

fixement à mon tour, j'attendis, fort curieux de
ce qu'il allait faire.

J'attendis! J'admire aujourd'hui ma constance...
Mais était-ce bien la curiosité qui me retenait?
Je ne sais plus. Le motif secret de nos actes, et
j'entends : des plus décisifs, nous échappe; et non
seulement dans le souvenir que nous en gardons,
mais bien au moment même. Sur le seuil de ce
que l'on appelle : péché, hésitais-je encore? Non;
j'eusse été trop déçu si l'aventure eût dû se terminer par le triomphe de ma vertu — que déjà
j'avais prise en dédain, en horreur. Non; c'est
bien la curiosité qui me faisait attendre... Et je
vis son rire lentement se faner, ses lèvres se
refermer sur ses dents blanches; une expression
de déconvenue, de tristesse assombrit son visage
charmant. Enfin il se leva :

« Alors, adieu », dit-il.

Mais, saisissant la main qu'il me tendait, je le
fis rouler à terre. Son rire aussitôt reparut. Il ne
s'impatienta pas longtemps aux nœuds compliqués des lacets qui lui tenaient lieu de ceinture;
sortant de sa poche un petit poignard, il en trancha d'un coup l'embrouillement. Le vêtement
tomba; il rejeta au loin sa veste, et se dressa nu
comme un dieu. Un instant il tendit vers le ciel
ses bras grêles, puis, en riant, se laissa tomber
contre moi. Son corps était peut-être brûlant, mais
parut à mes mains aussi rafraîchissant que l'ombre.
Que le sable était beau! Dans la splendeur ado-
rable du soir, de quels rayons se vêtait ma joie!...

Cependant il se faisait tard; il fallait rejoindre
Paul. Sans doute mon aspect portait-il la marque
de mon délire, et je crois bien qu'il se douta de
quelque chose; mais, comme, par discrétion peut-

être, il ne me questionnait pas, je n'osai lui raconter rien.

J'ai déjà tant de fois décrit Biskra : je n'y reviens pas. L'appartement enveloppé de terrasses, que j'ai peint dans *L'Immoraliste,* et que l'hôtel de l'Oasis mit à notre disposition, était celui-là même qu'on avait préparé pour le cardinal Lavigerie, et où il s'apprêtait à descendre lorsque la mort vint l'enlever à la mission des Pères Blancs. J'occupai donc le propre lit du cardinal, dans la plus grande chambre, dont nous fîmes également notre salon; une plus petite pièce, à côté, nous servit de salle à manger — car nous entendions bien ne pas prendre nos repas en commun avec les pensionnaires de l'hôtel. Les plats nous étaient apportés dans une *stufa,* par un jeune Arabe du nom d'Athman, que nous avions pris à notre service. Il n'avait guère que quatorze ans; mais très grand, très important sinon très fort parmi les autres enfants qui venaient sur nos terrasses, à la sortie de l'école, jouer aux billes et à la toupie, Athman les dépassait tous de la tête, ce qui rendait presque naturel l'air protecteur qu'il prenait avec eux; au reste, il y mettait une bonhomie et même une drôlerie des plus plaisantes, pour bien marquer que, s'il était peut-être un peu ridicule, ce n'était pas tout à fait malgré lui. Au demeurant le meilleur et le plus honnête garçon qu'on pût voir, incapable de marcher sur les pieds d'autrui, et aussi peu fait pour gagner de l'argent qu'un poète, mais au contraire toujours prêt à dépenser et à donner. Quand il nous racontait ses rêves, on comprenait ceux de Joseph. Il aimait beaucoup les histoires, en savait beau-

coup et les disait avec une gaucherie et une len-
teur que Paul et moi nous nous plaisions à trouver orientales. Il était indolent et musard, et pos-
sédait à un haut degré cette charmante faculté
de s'exagérer son bonheur et d'évanouir le souci
présent dans le rêve, l'espoir ou l'ivresse. Il
m'aida beaucoup à comprendre que, si le peuple
arabe, artiste pourtant, a produit si peu d'œuvres
d'art, c'est qu'il ne cherche point à thésauriser
ses joies. Il y aurait là-dessus beaucoup à dire;
mais je me suis défendu les digressions.

Athman logeait dans une troisième pièce, conti-
guë à la salle à manger, chambre toute petite
qui s'ouvrait sur une minuscule terrasse où s'achevait l'appartement; le matin, Athman y cirait nos
souliers. C'est là qu'un matin, Paul et moi nous
le surprîmes : il était accroupi à la turque,
revêtu de ses plus beaux habits et paré comme
pour une fête; autour de lui, douze bouts de
bougie, tous allumés, bien qu'il fît plein jour,
alternaient avec de petits bouquets dans des
godets; au cœur de cette modeste magnificence,
Athman, à grands coups de brosse, cirait rythmi-
quement, en chantant à plein gosier je ne sais
quoi qui ressemblait à un cantique.

Il était moins à la fête quand, chargé du che-
valet, de la boîte à couleurs, du pliant, de l'ombrelle, il accompagnait Paul à travers l'oasis. Suant
et soufflant, il se campait soudain, et avec l'air le
plus convaincu s'écriait : « Ah! le beau motif! »
pour essayer d'ancrer l'humeur vagabonde de son
patron. C'est ce que Paul, qui s'en amusait
beaucoup, me racontait au retour.

Je ne me sentais guère en état de les accompagner et les voyais partir avec un brin de mé-

lancolie. J'en fus réduit, les premiers temps, au
jardin public, qui commençait à notre porte.
Certes, je n'en menais pas large; cet « éventail
du cœur », comme Athman appelait les poumons,
rechignait au service, et je ne respirais qu'à grands
efforts. Dès notre arrivée à Biskra, Paul avait été
chercher le docteur D. qui apporta son thermo-
cautère et commença de s'en servir aussitôt; puis
revint de deux en deux jours. A ce régime de
pointes de feu, qu'on arrosait de térébenthine,
alternativement sur la poitrine et sur le dos, la
congestion, au bout d'un demi-mois consentit à
se localiser; puis passa brusquement du poumon
droit au poumon gauche, ce qui plongea le docteur D. dans la stupeur. De ma température, il
n'était pas question; et pourtant, des symptômes
dont il me souvient, il ressort pour moi que
chaque soir et chaque matin j'étais pris d'un
accès de fièvre. J'avais fait venir d'Alger un
assez bon piano, mais m'essoufflais à remonter la
moindre gamme. Incapable de travail, et de toute
attention prolongée, je traînais misérablement le
long du jour, ne trouvant distraction ou joie
qu'à contempler les jeux des enfants sur nos
terrasses ou dans le jardin public, si le temps
me permettait d'y descendre; car nous étions dans
la saison des pluies. Et je n'étais épris d'aucun
d'entre eux, mais bien, indistinctement, de leur
jeunesse. Le spectacle de leur santé me soutenait
et je ne souhaitais pas d'autre société que la
leur. Peut-être le muet conseil de leurs gestes naïfs
et de leurs propos enfantins m'engageait-il à
m'abandonner plus à la vie. Je sentais, à la double
faveur du climat et de la maladie, mon austérité
fondre et mon sourcil se défroncer. Je comprenais

enfin tout ce qui se dissimulait d'orgueil dans
cette résistance à ce que je cessais d'appeler ten-
tation puisque aussi bien je cessais de m'armer
contre elle. « Plus d'entêtement que de fidélité »,
écrivait à propos de moi Signoret; je me piquais
d'être fidèle : mais l'entêtement, c'est dans le cram-
ponnement à la décision que j'ai dite : de nous
« renormaliser » Paul et moi, que désormais je le
mettais. La maladie ne me faisait pas lâcher prise.
Et je voudrais que l'on comprît tout ce qu'il
entrait de résolution dans ce qui va suivre; et si
l'on tient à ce que je suivisse ma pente, que c'était
celle de mon esprit et non point celle de ma chair.
Mon penchant naturel, que j'étais enfin bien forcé
de reconnaître, mais auquel je ne croyais encore
pouvoir donner assentiment, s'affirmait dans ma
résistance; je l'en forçais à lutter contre, et, déses-
pérant de le pouvoir vaincre, je pensais pouvoir
le tourner. Par sympathie pour Paul, j'allais jusqu'à m'imaginer des désirs; c'est-à-dire que j'épou-
sais les siens; tous deux nous nous encouragions.
Une station d'hiver, comme Biskra, offrait à notre
propos des facilités particulières : un troupeau de
femmes y habite, qui font commerce de leur corps;
si le gouvernement français les assimile aux pros-
tituées des vulgaires maisons de débauche, et les
contraint, pour les pouvoir surveiller, de s'ins-
crire, (grâce à quoi le docteur D. pouvait nous
donner sur chacune d'elles tous les renseignements
souhaités) leurs allures et leurs mœurs ne sont
point celles des filles en carte. Une antique tradition veut que la tribu des Oulad Naïl exporte,
à peine nubiles, ses filles, qui, quelques années
plus tard, reviennent au pays avec la dot qui
leur permette d'acheter un époux. Celui-ci ne

tient point pour déshonorant ce qui couvrirait un
mari de chez nous ou de honte, ou de ridicule. Les
Oulad Naïl authentiques ont une grande réputation de beauté; de sorte que se font appeler communément Oulad Naïl toutes les filles qui pra-
tiquent là-bas ce métier; et toutes ne retournent
pas au pays, de sorte qu'on en voit de tout âge;
mais d'extrêmement jeunes, parfois; celles-ci, en
attendant la nubilité, partagent l'habitation de
quelque aînée, qui la protège et l'initie; le sacrifice
de leur virginité donne lieu à des fêtes, auxquelles la moitié de la ville prend part.

Le troupeau des Oulad Naïl est parqué dans une
ou deux rues, qu'on appelle là-bas les *rues Saintes*.
Par antiphrase? Je ne crois pas : on voit les Oulad
figurer dans maintes cérémonies mi-profanes, mi-
religieuses; des marabouts très vénérés se mon-
trent en leur compagnie; et je ne veux pas trop
m'avancer, mais il ne me paraît pas que la religion musulmane les regarde d'un mauvais œil.
Les rues Saintes sont également les rues des cafés;
elles s'animent le soir, et tout le peuple de la
vieille oasis y circule. Par groupes de deux ou
trois, s'offrant aux désirs du passant, les Oulad se
tiennent assises au pied de petits escaliers qui
mènent à leurs chambres et donnent tout droit
sur la rue; immobiles, somptueusement vêtues et
parées, avec leurs colliers de pièces d'or, leur
haute coiffure, elles semblent des idoles dans leur
niche.

Je me souviens de m'être promené dans ces
rues, quelques années plus tard, avec le docteur
Bourget, de Lausanne :

« Je voudrais pouvoir amener ici les jeunes
gens pour leur donner l'horreur de la débauche »,

me dit soudain, gonflé de dégoût, l'excellent
homme (tout Suisse porte en soi ses glaciers). Ah!
qu'il connaissait mal le cœur humain! le mien
du moins... Je ne puis mieux comparer l'exotisme
qu'à la reine de Saba qui vint auprès de Salomon
« pour lui proposer des énigmes ». Rien à faire
à cela : il est des êtres qui s'éprennent de ce qui
leur ressemble; d'autres de ce qui diffère d'eux.
Je suis de ces derniers : l'étrange me sollicite,
autant que me rebute le coutumier. Disons encore et plus précisément que je suis attiré par
ce qui reste de soleil sur les peaux brunes; c'est
pour moi que Virgile écrivait :

basane

Quid tunc si fuscus Amyntas?

Paul revint certain jour, très exalté : au retour
d'une promenade, il avait rencontré le troupeau
des Oulad qui s'en allait à la Fontaine-Chaude se
baigner. L'une d'elles, qu'il me peignait comme
des plus charmantes, avait su s'échapper du
groupe, sur un signe qu'il avait fait; rendez-vous
avait été pris. Et comme je n'étais point encore
en assez bon état de santé pour aller chez elle, il
avait été convenu qu'elle viendrait. Bien que ce
filles ne soient point parquées et que leur habita
ne rappelle en rien le bordel, chacune doit ré
pondre à certains règlements : passé certaine heure
il ne leur est plus loisible de sortir : il s'agi
d'échapper à temps; et Paul, à demi dissimul
derrière un arbre du jardin public, attenda
Mériem au retour du bain. Il devait me la ram
ner. Nous avions orné la pièce, dressé la table e
préparé le repas que nous pensions prendre ave
elle et qu'Athman, à qui nous avions donné cong
ne devait pas nous servir. Mais l'heure était passé

depuis longtemps; j'attendais dans un état d'angoisse indicible; Paul revint seul.

Il y eut un retombement d'autant plus atroce qu'aucun désir réel ne gonflait ma résolution. J'étais déçu comme Caïn lorsqu'il vit repoussée vers le sol la fumée de son sacrifice : l'holocauste n'était pas agréé. Il nous sembla tout aussitôt que jamais plus nous ne retrouverions occasion si belle; il me sembla que jamais plus je ne serais si bien préparé. Le couvercle trop lourd, qu'un instant avait entrebâillé l'espoir, se refermait; et sans doute il en irait toujours de même : j'étais forclos. Devant la délivrance la plus exquise, sans cesse je verrai se reformer l'affreux mur de la coutume et de l'inertie... Il faut en prendre son parti, me redisais-je, et le mieux assurément est d'en rire; aussi bien mettions-nous une certaine fierté à rebondir sous les rebuffades du sort; notre humeur y était habile, et le repas, commencé lugubrement, s'acheva sur des plaisanteries.

Soudain, le bruit comme d'une aile contre la vitre. La porte du dehors s'entrouvre...

De tout ce soir, l'instant dont j'ai gardé le plus frémissant souvenir; je revois sur le bord de la nuit Mériem encore hésitante; elle reconnaît Paul, sourit, mais, avant que d'entrer, recule et, penchée en arrière sur la rampe de la terrasse, agite dans la nuit son haïk. C'était le signal convenu pour congédier la servante qui l'avait accompagnée jusqu'au pied de notre escalier.

Mériem savait un peu le français; assez pour nous expliquer pourquoi d'abord elle n'avait pu rejoindre Paul, et comment Athman, sitôt ensuite, lui avait indiqué notre demeure. Un double haïk l'enveloppait, qu'elle laissa tomber devant la porte.

Je ne me souviens pas de sa robe, qu'elle dépouilla
bientôt, mais elle garda les bracelets de ses poignets et de ses chevilles. Je ne me souviens pas
non plus si Paul ne l'emmena pas d'abord dans
sa chambre qui formait pavillon à l'autre extrémité de la terrasse; oui, je crois qu'elle ne vint
me retrouver qu'à l'aube; mais je me souviens
des regards baissés d'Athman, au matin, en passant devant le lit du cardinal, et de son : « Bonjour Mériem », si amusé, si pudibond, si comique.

Mériem était de peau ambrée, de chair ferme,
de formes pleines mais presque enfantines encore,
car elle avait à peine un peu plus de seize ans.
Je ne la puis comparer qu'à quelque bacchante
— celle du vase de Gaète — à cause aussi de ses bracelets qui tintaient comme des crotales, et que sans
cesse elle agitait. Je me souvenais de l'avoir vue
danser dans un des cafés de la rue Sainte, où
Paul, un soir, m'avait entraîné. Là dansait aussi
En Barka, sa cousine. Elles dansaient à la manière antique des Oulad, la tête droite et le torse
immobile, les mains agiles, et le corps tout entier
secoué du battement rythmique des pieds nus.
Combien j'aimais cette « musique mahométane »
au flux égal, incessante, obstinée; elle me grisait,
me stupéfiait aussitôt, comme une vapeur narco-
tique, engourdissait voluptueusement ma pensée.
Sur une estrade, aux côtés du joueur de clarinette,
un vieux nègre faisait claquer des castagnettes
de métal, et le petit Mohammed, éperdu de lyrisme
et de joie, tempêtait sur son tambour de basque.
Qu'il était beau! à demi nu sous ses guenilles, noir
et svelte comme un démon, la bouche ouverte, le
regard fou... Paul s'était penché vers moi ce soir-là
(s'en souvient-il?) et m'avait dit tout bas :

« Si tu crois qu'il ne m'excite pas plus que Mériem? »

Il m'avait dit cela par boutade, sans songer à mal, lui qui n'était attiré que par les femmes; mais était-ce à moi qu'il était besoin de le dire? Je ne répondis rien; mais cet aveu m'avait habité depuis lors; je l'avais aussitôt fait mien; ou plutôt, il était déjà mien, dès avant que Paul n'eût parlé; et si, dans cette nuit auprès de Mériem, je fus vaillant, c'est que, fermant les yeux, j'imaginais serrer dans mes bras Mohammed.

Je ressentis, après cette nuit, un calme, un bien-être extraordinaire; et je ne parle pas seulement de ce repos qui peut suivre la volupté; il est certain que Mériem m'avait, d'emblée, fait plus de bien que tous les révulsifs du docteur. Je n'oserais guère recommander ce traitement; mais il entrait dans mon cas tant de nervosité cachée qu'il n'est pas étonnant que, par cette profonde diversion, mes poumons se décongestionnassent, et qu'un certain équilibre fût rétabli.

Mériem revint; elle revint pour Paul; elle devait revenir pour moi, et déjà rendez-vous était pris, quand, tout à coup, nous reçûmes une dépêche de ma mère, nous annonçant son arrivée. Quelques jours avant la première visite de Mériem, un crachement de sang, auquel je n'attachai pas grande importance, avait beaucoup alarmé Paul. Ses parents, avertis par lui, avaient cru devoir avertir ma mère; et sans doute aussi souhaitaient-ils de voir ma mère le remplacer auprès de moi, estimant que le temps d'un boursier de voyage pouvait être mieux employé qu'à ce rôle de garde-malade. Toujours est-il que ma mère arrivait.

Certainement j'étais heureux de la revoir, et de

lui montrer ce pays; n'empêche que nous étions
consternés : notre vie commune commençait de
si bien s'arranger; cette rééducation de nos ins-
tincts, à peine entreprise, allait-il falloir l'interrompre? Je protestai qu'il n'en serait rien, que
la présence de ma mère ne devrait rien changer
à nos us, et que, pour commencer, nous ne décom-
manderions pas Mériem.

Quand, par la suite, je racontai notre oaristys à
Albert, je fus naïvement surpris de le voir, lui que
je croyais d'esprit très libre, s'indigner d'un par-
tage qui nous paraissait, à Paul et à moi, naturel.
Même, notre amitié s'y complaisait, s'y fortifiait
comme d'une couture nouvelle. Et nous n'étions
non plus jaloux de tous les inconnus auxquels
Mériem accordait ou vendait ses faveurs. C'est
que nous considérions tous deux alors l'acte charnel cyniquement, et qu'aucun sentiment ici du
moins, ne s'y mêlait. Tout au contraire de nous,
Albert, non tant en moraliste qu'en romantique et
de cette génération qui se reconnaissait en Rolla,
ne consentait à considérer la volupté que comme
une récompense de l'amour, et tenait le simple
plaisir en mépris. Pour moi j'ai dit déjà combien
l'événement à la fois et la pente de ma nature
m'invitaient à dissocier l'amour du désir —
au point que presque m'offusquait l'idée de
pouvoir mêler l'un à l'autre. Au demeurant je ne
cherche pas à faire prévaloir mon éthique : ce
n'est pas ma défense, c'est mon histoire que
j'écris.

Ma mère arriva donc un soir, en compagnie de
notre vieille Marie, qui n'avait jamais fait si long
voyage. Les chambres qu'elles devaient occuper,
les seules libres de l'hôtel, de l'autre côté de l

cour ouvraient en plein sur nos terrasses. Si je
me souviens bien, c'est ce même soir que devait
nous rejoindre Mériem; elle arriva sitôt après
que ma mère et Marie se furent retirées dans
leurs chambres; et tout se passa d'abord sans impair. Mais au petit matin...

Un reste de pudeur, ou plutôt de respect pour
les sentiments de ma mère, m'avait fait condam-
ner ma porte. C'est chez Paul que Mériem avait
été directement. Le petit pavillon qu'il occupait
était ainsi placé qu'il fallait, pour le gagner, traverser d'un bout à l'autre la terrasse. Au petit
matin, lorsque Mériem, en passant, vint frapper
à la fenêtre de ma chambre, je me levai en hâte
pour lui faire un signe d'adieu. Elle s'éloignait
à pas furtifs, se fondait dans le ciel rougissant,
comme un spectre que le chant du coq va dissoudre; mais juste à ce moment, c'est-à-dire avant
qu'elle n'eût disparu, je vis les volets de la
chambre de ma mère s'ouvrir, et ma mère à sa
fenêtre se pencher. Son regard un instant suivit
la fuite de Mériem; puis la fenêtre se referma.
La catastrophe avait eu lieu.

Il était clair que cette femme venait de chez
Paul. Il était certain que ma mère l'avait vue,
qu'elle avait compris... Que me restait-il à faire,
que d'attendre? J'attendis.

Ma mère prit son petit déjeuner dans sa
chambre. Paul sortit. Alors ma mère vint, s'assit
près de moi. Je ne me souviens pas exactement
de ses paroles. Je me souviens que j'eus la cruauté
de lui dire, avec un grand effort, et tout à la
fois parce que je ne voulais pas que son blâme
retombât sur Paul seul, et parce que je prétendais protéger l'avenir :

« D'ailleurs, tu sais : elle ne vient pas que
pour lui. Elle doit revenir. »

Je me souviens de ses larmes. Je crois même
qu'elle ne me dit rien, qu'elle ne trouva rien
à me dire et ne put que pleurer; mais ces larmes
attendrissaient et désolaient mon cœur plus que
n'eussent pu faire des reproches. Elle pleura,
pleura, je sentais en elle une tristesse inconsolable,
infinie. De sorte que si j'eus le front de lui annoncer le retour de Mériem, de lui faire part de ma
résolution, je n'eus pas le courage, ensuite, de
me tenir parole à moi-même, et la seule autre
expérience que je tentai à Biskra, ce fut loin de
l'hôtel, avec En Barka, dans la chambre de celle-
ci. Paul était avec moi, et, pour lui comme pour
moi, cette nouvelle tentative échoua misérablement. En Barka était beaucoup trop belle (et, je
dois ajouter : sensiblement plus âgée que Mériem);
sa beauté même me glaçait; je ressentais pour elle
une sorte d'admiration, mais pas le moindre soup-
çon de désir. J'arrivais à elle comme un adora-
teur sans offrande. A l'inverse de Pygmalion, il me
semblait que dans mes bras la femme devenait
statue; ou bien plutôt c'est moi qui me sentais
de marbre. Caresses, provocations, rien n'y fit; je
restai muet, et la quittai n'ayant pu lui donner
que de l'argent.

Cependant le printemps touchait l'oasis. Une
indistincte joie commença de palpiter sous les
palmes. J'allais mieux. Certain matin, je risquai
une promenade beaucoup plus longue; ce pays
monotone était pour moi d'inépuisable attrait :
ainsi que lui, je me sentais revivre; et même
il me semblait que pour la première fois je vivais
sorti de la vallée de l'ombre de la mort, que

volupt'

je naissais à la vraie vie. Oui, j'entrais dans une existence nouvelle, toute d'accueil et d'abandon. Une légère brume azurée distançait les plans les plus proches, dépondérait, immatérialisait chaque objet. Moi-même, échappé de tout poids, j'avançais à pas lents, comme Renaud dans le jardin d'Armide, frissonnant tout entier d'un étonnement, d'un éblouissement indicibles. J'entendais, je voyais, je respirais, comme je n'avais jamais fait jusqu'alors; et tandis que sons, parfums, couleurs, profusément en moi s'épousaient, je sentais mon cœur désœuvré, sanglotant de reconnaissance, fondre en adoration pour un Apollon inconnu.

« Prends-moi! Prends-moi tout entier, m'écriais-je. Je t'appartiens. Je t'obéis. Je m'abandonne. Fais que tout en moi soit lumière; oui! lumière et légèreté. En vain je luttai contre toi jusqu'à ce jour. Mais je te reconnais à présent. Que tes volontés s'accomplissent : je ne résiste plus; je me résigne à toi. Prends-moi. »

Ainsi j'entrai, le visage inondé de larmes, dans un univers ravissant plein de rire et d'étrangeté.

Notre séjour à Biskra touchait à sa fin. Ma mère, venue pour délivrer Paul, proposa bien de le remplacer près de moi, dont l'état de santé nécessitait encore beaucoup de soins, de sorte que lui pût poursuivre insoucieusement son voyage; mais il protesta qu'il n'avait pas l'intention de me quitter, me donnant ainsi de son amitié une preuve nouvelle, sans que pourtant je lui eusse avoué que son départ m'eût désolé. Ce fut donc ma mère qui repartit avec Marie

pour rentrer directement en France, tandis que
Paul et moi nous nous embarquâmes de Tunis
pour la Sicile et l'Italie[1].

Nous ne fîmes que traverser Syracuse; de la
Cyané, de l'allée des tombeaux, des latomies, je
ne vis rien; j'étais trop fatigué pour rien regarder, pour rien voir; et ce n'est que quelques années plus tard que je pus tremper mes mains
dans les eaux de la source Aréthuse. Au surplus
nous étions pressés de gagner Rome et Florence;
et si nous nous attardâmes à Messine quelques
jours, ce fut seulement pour reprendre souffle, car
ce premier trajet m'avait rompu. Dieux! que
cette question de santé nous était fâcheuse! Elle
empêchait nos plus beaux mouvements; toujours
il fallait compter avec elle; bien plus gênante
assurément que la question d'argent; heureusement
de ce côté nous étions bons; ma mère, pour plus
de soins, m'avait ouvert de nouveaux crédits.
Souffrant incessamment du froid, du chaud, de
l'inconfort, j'entraînais Paul dans les meilleurs
hôtels. Les bizarreries de l'auberge, les aventures,
les rencontres, si plaisantes en Italie et qui sont
devenues pour moi le plus attrayant du voyage,
je ne devais les connaître que plus tard; mais du
moins, que nos dîners en tête à tête se prêtaient
bien à nos intarissables causeries! Nous y pesions
toutes nos idées; nous les passions au laminoir,
au crible; nous les contemplions dans l'esprit
de l'autre se refléter, se développer, se parfaire.

---

1. Plus exactement, nous quittâmes Tunis avec l'intention de
gagner Tripoli, par manière de compensation pour tout ce
quoi mon mauvais état de santé nous avait forcés de renoncer.
Mais ce dernier projet alla rejoindre les autres. La traversée
fut si mauvaise que le cœur nous manqua, et de Malte, nous
gagnâmes Syracuse au plus tôt.

nous éprouvions la flexibilité de l'extrémité de
leurs branches. Je ne crois pas, si ces conversations
je pouvais aujourd'hui les réentendre, qu'elles
me paraîtraient moins belles qu'elles me paraissaient alors; en tout cas je sais bien que, depuis,
je n'ai jamais retrouvé pareil amusement à
causer.

Des environs de Naples, je ne pus rien voir;
l'insupportable raison de santé mettait obstacle
à tout, et même aux courses en voiture. De nouveau je traînais misérablement comme aux plus
mauvais jours de Biskra, suant au soleil, grelot-
tant dans l'ombre et ne pouvant un peu marcher
qu'en terrain absolument plat. Dans ces conditions, on juge ce que Rome aux sept collines put
me plaire! De la Ville Eternelle, à ce premier séjour, je ne connus guère que le Pincio; dans
son jardin public, je passais, assis sur un banc,
les meilleures heures du jour; encore y arrivais-je
hors d'haleine, épuisé, bien que fût toute voisine
la Via Gregoriana où j'avais pu trouver à louer
une chambre. Elle était au rez-de-chaussée, du
côté gauche de la rue quand on s'en revient du
Pincio. Bien que cette pièce fût vaste, Paul, pour
plus de liberté, s'était installé, à l'extrémité de la
même rue, dans une autre chambre, qui donnait
sur une petite terrasse où il espérait pouvoir travailler. Mais c'est dans ma chambre qu'il recevait
celle que nous appelions « la dame », une putain
de style, qu'un des élèves de la villa Médicis nous
avait présentée. Je crois bien que j'essayai d'en
tâter moi-même, mais je n'ai gardé souvenir que
du dégoût qu'elle me causait avec la distinction de
son allure, son élégance et son affèterie. Je commençais à comprendre que je n'avais supporté

Mériem que grâce à son cynisme et à sa sauvagerie;
avec elle du moins on savait à quoi s'en tenir;
dans ses propos, dans ses manières, rien ne singeait
l'amour; avec l'autre je profanais ce que j'avais
de plus sacré dans le cœur.

A Florence, je n'étais guère en état de visiter
beaucoup les musées ni les églises; du reste je
n'étais pas mûr pour profiter beaucoup du conseil·
des vieux maîtres, non plus que je n'avais su
écouter celui de Raphaël à Rome. Leur œuvre
me paraissait appartenir au passé; or, rien ne me
point, que l'urgence, et ce n'est que quelques
années plus tard, plus attentif et mieux instruit,
que je me mis à leur école et sus réactualiser leur
présence. Il ne me paraît pas non plus que Paul ait
apporté à leur étude une attention et une sympathie suffisantes; le temps qu'il passait aux *Of-
fices*, c'était devant le portrait du chevalier de
Malte, par Giorgione, dont assurément il fit une
copie excellente, mais qui ne l'enrichit point que
de quelques habiletés de plus.

C'est à Florence que nous nous séparâmes, pour
ne plus nous retrouver qu'à Cuverville, vers la fin
de l'été. De Florence je gagnai directement Genève,
où j'allai consulter le docteur Andræ, nouveau
Tronchin, grand ami des Charles Gide, homme excellent, et non seulement des plus habiles, mais
aussi des plus sages, et à qui je dois mon salut. Il
eut vite fait de me persuader que mes nerfs seuls
étaient malades, et qu'une cure d'hydrothérapie à
Champel, d'abord, puis un hiver dans la montagne,
me feraient plus de bien que les précautions et les
médicaments.

A Champel vint me retrouver Pierre Louis. Il
se rendait à Bayreuth, où il avait retenu des places

pour les spectacles de la saison; mais il supportait
mal de demeurer si longtemps sans me revoir, et,
de plus, voulait avoir le frais récit de mon voyage.
Une autre raison l'invitait à ce détour : l'espoir de
semer en chemin Ferdinand Hérold, qui s'était fait
son compagnon et ne le quittait plus d'une se-
melle, ayant lui aussi retenu des places à Bayreuth
aussitôt qu'il avait appris que son ami Pierre y
allait. Je les vis s'amener tous deux à l'hôtel des
Bains, où j'achevais ma cure. J'eus plaisir à raconter à Louis nos aventures; et je n'eus pas plus
tôt commencé à lui parler de Mériem, qu'en lui se
forma le projet de partir pour la retrouver, laissant Hérold aller seul à Bayreuth. Mais celui-ci ne
l'entendait pas ainsi, et sitôt que son ami lui eut
fait part de son nouveau projet :

« Je pars avec vous », s'écria Hérold.

Pierre Louis pouvait avoir bien des défauts de
caractère : il était capricieux, quinteux, fantasque,
autoritaire; il cherchait sans cesse à incliner autrui
vers ses goûts à lui, et prétendait forcer l'ami à
marcher dans sa dépendance; mais il avait des gé-
nérosités exquises et je ne sais quelle fougue,
quels élans qui rachetaient d'un coup tout le détail. Il se persuada qu'il devait à notre amitié de
faire de Mériem sa maîtresse. Il partit donc, au
milieu de juillet, avec Hérold, emportant un fou-
lard de soie que m'avait donné Mériem et que je
lui remis comme un gage, qui devait lui servir à
la retrouver et à s'introduire auprès d'elle. Il emportait aussi un orgue de Barbarie, qu'il comptait
offrir à Athman, et que celui-ci revendit pour quelques francs, préférant sa flûte.

J'appris, peu de temps après, qu'Hérold et
Louis avaient fait bon voyage, qu'ils étaient restés

à Biskra juste le temps d'attraper la fièvre (car il y
faisait une infernale chaleur) et d'enlever Mériem,
avec laquelle ils s'installèrent aux portes de Cons-
tantine. C'est là que Pierre Louis acheva d'écrire
ses exquises *Chansons de Bilitis*, qu'il me dédia en
souvenir de Mériem ben Atala; et c'est là ce que
signifient les trois lettres mystérieuses qui font suite
à mon nom, en première page du volume[1]. Si Mériem n'est pas exactement Bilitis, puisque nombre
de ces poèmes étaient écrits (s'il m'en souvient
bien) avant le départ de Louis pour l'Algérie, néanmoins elle circule à travers le livre, et soudain je la
reconnais.

Dois-je rapporter une gaminerie à laquelle Louis
et moi, avec le concours de Mériem, nous nous
amusâmes? — Lorsque Louis m'écrivit, un
jour :

« Mériem demande ce qu'elle pourrait bien
t'envoyer? »

Je répondis sans hésiter :

« La barbe de Hérold. »

Il faut dire (ou rappeler, car je l'ai déjà dit)
que cette barbe constituait la partie la plus impo-
sante, sinon la plus importante, de sa personne :
on n'osait imaginer Hérold sans barbe, non plus
que sans son auréole un martyr; et j'avais demandé
la barbe de Hérold par plaisanterie, comme un
autre aurait demandé la lune. Mais l'étonnant c'est
que cette barbe, un beau matin, je la reçus; oui,
par la poste; Louis m'avait pris au mot; Mériem,
pendant un complaisant sommeil de Hérold,
l'avait coupée, et Pierre Louis me l'expédiait sous
enveloppe, avec, en guise d'envoi, ces deux vers,

---

1. Cette dédicace ne figure que dans la première édition.

pastichés de ceux de *La Colombe* de Bouilhet [1] :

> Les grands Parnassiens étaient si désirables
> Que les Oulad Naïl coupaient leur barbe d'or.

C'est à Champel que je donnai lecture à mes deux parnassiens de la *Ronde de la Grenade* que j'avais écrite entre-temps, je ne sais plus trop où. J'écrivais cela sans aucune idée préconçue, sans autre prétention qu'une plus souple obéissance au rythme intérieur. Déjà j'avais l'idée des *Nourritures;* mais c'était un livre qu'il fallait laisser s'écrire tout seul; et tout ce que je pus leur en dire ne me valut pas grand encouragement de leur part. L'idéal du Parnasse n'était pas le mien, et Louis, non plus que Hérold, n'avait de sens que pour l'idéal du Parnasse. Lorsque, deux ans plus tard, parurent mes *Nourritures,* elles rencontrèrent une incompréhension presque totale. Ce n'est qu'une vingtaine d'années plus tard que l'attention s'éveilla.

Depuis ma résurrection, un ardent désir s'était emparé de moi, un forcené désir de vivre. Non seulement les douches de Champel m'y aidèrent, mais les excellents conseils d'Andreæ :

« Chaque fois, me disait-il, que vous voyez une eau où pouvoir vous plonger, n'hésitez pas. »

Ainsi fis-je. O torrents écumeux! cascades, lacs glacés, ruisseaux ombragés, sources limpides, transparents palais de la mer, votre fraîcheur m'attire; puis, sur le sable blond, le doux repos près du repliement de la vague. Car ce n'était pas seulement le bain, que j'aimais, mais la mythologique

---

1. Voici les vers de Bouilhet :

> *Les grands Olympiens étaient si misérables*
> *Que les petits enfants tiraient leur barbe d'or.*

attente, ensuite, de l'enveloppement nu du dieu; en
mon corps pénétré de rayons, il me semblait goûter
je ne sais quel bienfait chimique; j'oubliais, avec
mes vêtements, tourments, contraintes, sollicitudes,
et, tandis que se volatilisait tout vouloir, je laissais
les sensations, en moi poreux comme une ruche,
secrètement distiller ce miel qui coula dans mes
Nourritures.

Je rapportais, à mon retour en France, un secret
de ressuscité, et connus tout d'abord cette sorte
d'angoisse abominable que dut goûter Lazare
échappé du tombeau. Plus rien de ce qui m'occupait d'abord ne me paraissait encore important.
Comment avais-je pu respirer jusqu'alors dans
cette atmosphère étouffée des salons et des cénacles,
où l'agitation de chacun remuait un parfum de
mort? Et sans doute aussi mon amour-propre souf-
frait-il de voir que le cours ordinaire des choses
avait tenu si peu de compte de mon absence et que
maintenant chacun s'affairait comme si je n'étais
pas de retour. Mon secret tenait en mon cœur tant
de place que je m'étonnais de n'en pas tenir, moi,
une plus importante dans ce monde. Tout au plus
pouvais-je pardonner aux autres de ne pas reconnaître que j'étais changé; du moins, près d'eux,
moi, je ne me sentais plus le même; j'avais à
dire des choses nouvelles, et je ne pouvais plus
leur parler. J'eusse voulu les persuader et leur
délivrer mon message, mais aucun d'eux ne se
penchait pour m'écouter. Ils continuaient de vivre;
ils passaient outre, et ce dont ils se contentaient
me paraissait si misérable, que j'eusse crié de
désespoir de ne les en persuader point.

Un tel état d'*estrangement* (dont je souffrais surtout auprès des miens) m'eût fort bien conduit au

suicide, n'était l'échappement que je trouvai à le décrire ironiquement dans *Paludes*. Il me paraît curieux, aujourd'hui, que ce livre ne soit pourtant point né du besoin de projeter hors de moi cette angoisse, dont toutefois il s'alimenta par la suite; mais il est de fait que je le portais en moi dès avant mon retour. Un certain sens du saugrenu, qui déjà s'était fait jour dans la seconde partie de mon *Voyage d'Urien,* me dicta les premières phrases, et le livre, comme malgré moi, se forma tout entier autour de celles-ci, que j'écrivis au cours d'une promenade dans un jardin public de Milan, où je m'arrêtai avant mon séjour à Champel :

« *Chemin bordé d'aristoloches* », et :
« — *Pourquoi par un temps toujours incertain n'avoir emporté qu'une ombrelle?*
— *C'est un en-tout-cas, me dit-elle...* »

On comprend de reste qu'avec la disposition d'esprit que j'ai dite, je ne songeasse qu'à repartir. Mais il n'était pas encore temps de prendre mes quartiers d'hiver dans le petit village du Jura que le docteur Andreæ m'avait indiqué. (Je suivais ses prescriptions à la lettre, et m'en trouvais fort bien.) C'est à Neuchâtel que je m'installai donc en attendant.

Je trouvai à louer, sur une petite place près du lac, une chambre au second étage d'une « maison de tempérance ». La salle à manger, au premier étage, recevait, vers midi, quantité de vieilles demoiselles frugales ou peu fortunées, qui prenaient leur maigre repas en face d'une énorme pancarte où l'on pouvait lire ce verset de l'Écriture sainte,

bien choisi pour exalter et sublimer, si j'ose dire,
les déceptions de mon appétit :

**L'ETERNEL EST MON BERGER; JE N'AU-
RAI POINT DE DISETTE.**

Et plus bas, sur une pancarte plus petite :

LIMONADE AUX FRAMBOISES

Cela voulait dire qu'il fallait s'attendre à faire
ici maigre chère. Mais quelles privations n'eussé-je
pas endurées pour l'amour de la vue que j'avais
de mes fenêtres. Depuis ce temps, un grand hôtel
est venu dresser sa masse indiscrète, tout au bord
du lac, à l'endroit même où mes regards aimaient
à s'attarder — où la glauque plaine du lac apparaissait çà et là, par surprise, à travers le feuillage
épais de vieux tilleuls ou de vieux ormes que do-
rait l'automne.

J'avais laissé depuis des mois ma pensée se dé-
nouer et se dissoudre; je m'en ressaisissais enfin,
jouissais de la sentir active et j'aimais ce calme
pays qui l'aidait à se recueillir. Rien de moins sublime, de moins suisse, rien de plus tempéré, de
plus humain que les bords modestes de ce lac où le
souvenir de Rousseau rôde encore. Nul pic altier
alentour n'humilie ou ne disproportionne l'effort
de l'homme, ni ne distrait le regard du charme intime des premiers plans. De vieux arbres penchent
vers l'eau leurs branches basses, où parfois la rive
incertaine hésite parmi les roseaux et les joncs.

Je passai à Neuchâtel un des plus heureux temps
dont il me souvienne. J'avais repris espoir en la
vie; elle m'apparaissait à présent étrangement plus
riche et plus pleine que ne me l'avait d'abord

figurée la pusillanimité de mon enfance. Je la sentais m'attendre, et je comptais sur elle, et ne me
hâtais point. Cet inquiet démon ne me tourmentait pas encore, fait de curiosité, de désir, qui,
depuis... Dans les allées tranquilles du jardin, le
long des quais du lac, sur les routes et, quittant la
ville, au bord des bois chargés d'automne, j'errais,
comme sans doute je ferais aujourd'hui, mais tranquille. Je ne poursuivais rien que ma pensée ne
pût saisir. J'avais fait de la *Théodicée* de Leibniz
mon étude, et je la lisais en marchant; j'y trouvais
un extrême plaisir, que je ne retrouverais sans
doute plus aujourd'hui; mais la difficulté même
de suivre et d'épouser une pensée si différente de
la mienne, mais l'effort même auquel celle-ci m'invitait, me laissait voluptueusement pressentir le
progrès dont serait capable la mienne dès que je
l'abandonnerais à son cours. En rentrant, je retrouvais sur ma table l'énorme manuel de zoolo-
gie de Claus que je venais d'acheter et qui soulevait devant mon émerveillement le mystérieux ri-
deau d'un monde plus riche encore et moins ombreux que celui de la pensée.

Sur les conseils d'Andreæ, c'est à La Brévine
que je passai l'hiver. La Brévine est un petit village, près de la frontière, sur le sommet le plus
glacé du Jura. Le thermomètre s'y maintient durant des semaines au-dessous de o et, certaines
nuits, baisse jusqu'à 30. Pourtant, moi si frileux,
je ne souffris pas du froid un seul jour. J'avais
pu m'installer, non loin d'une auberge où j'allais
prendre mes repas, dans une sorte de ferme, à l'extrémité du village, près d'un abreuvoir, où le
matin j'entendais conduire les vaches. Un escalier
particulier menait à trois pièces; j'avais fait mon

cabinet de travail de la plus vaste, où une sorte de
lutrin (j'écrivais volontiers debout) faisait face à
un piano venu de Neuchâtel; un même poêle,
enfoncé dans le mur, la chauffait à la fois et ma
chambre; je dormais les pieds contre le poêle,
enveloppé de laine jusqu'au cou et la tête enca-
puchonnée, car je gardais ma fenêtre grande ouverte. Une plantureuse Suissesse venait faire mon
ménage. Elle avait nom Augusta. Elle me parlait
beaucoup de son fiancé; mais un matin, tandis
qu'elle me faisait admirer la photographie de
celui-ci, je m'amusai inconsidérément à lui cha-
touiller le col avec ma plume, et me vis fort embarrassé lorsque tout aussitôt elle s'écroula dans mes
bras. Avec un grand effort je la trimbalai sur un
divan; puis, comme elle se cramponnait à moi et
que j'avais culbuté sur son sein entre ses jambes
ouvertes, écœuré je m'écriai soudain : « J'entends
des voix! » et, feignant l'épouvante, je m'échappai
de ses bras comme un Joseph, et courus me laver
les mains.

Je restai à La Brévine près de trois mois, sans
frayer avec personne; non point que mon humeur
me cloîtrât, mais j'éprouvai que les habitants de ce
pays sont les moins accueillants du monde. La
visite que, muni de lettres de recommandation du
docteur Andreæ, je fis au pasteur et au médecin du
village, n'amena de leur part pas le moindre encouragement à retourner les voir, et encore moins
à les accompagner, comme d'abord j'avais espéré,
dans leurs tournées de pauvres et de malades. Il
faut avoir vécu dans ce pays pour bien comprendre
cette partie des *Confessions* de Rousseau et celles
de ses *Rêveries* qui se rapportent à son séjour à
Val-Travers. Mauvais vouloir, méchants propos,

regards haineux, moqueries, non il n'inventa rien;
j'ai connu tout cela, et même les cailloux jetés
contre l'étranger par les enfants ameutés du village.
Et qu'on juge si son accoutrement d'Arménien
donnait prise à la xénophobie. Où commençait
l'erreur, la folie, c'était de voir, dans cette hostilité,
complot.

Chaque jour, malgré la hideur du pays, je m'im-
posais d'énormes promenades. Suis-je injuste en
disant : hideur? Peut-être; mais j'avais pris la
Suisse en horreur; non point celle des hauts pla-
teaux peut-être, mais cette zone forestière où les
sapins semblaient introduire dans la nature entière
une sorte de morosité et de rigidité calviniste. Au
vrai, je regrettais Biskra; la nostalgie de ce grand
pays sans profil, du peuple en burnous blancs,
nous avait poursuivis à travers l'Italie, Paul et
moi; le souvenir des chants, des danses, des parfums, et, avec les enfants de là-bas, de ce commerce charmant où déjà tant de volupté se glissait
captieusement sous l'idylle. Ici, rien ne me dis-
trayait du travail et, malgré l'exaspération que me
causait la Suisse, je sus m'y cramponner aussi
longtemps qu'il fallut pour terminer *Paludes;* avec
l'idée fixe de regagner l'Algérie sitôt après.

II

CE n'est qu'en janvier que je m'embarquai, après
un court séjour à Montpellier chez les Charles
Gide. Mon intention était de me fixer à Alger
que je ne connaissais pas encore. Je m'exaltais à
l'idée d'y trouver déjà le printemps; mais le ciel
était sombre; il pleuvait; un vent glacé rabattait
des sommets de l'Atlas ou du fond du désert la
fureur et le désespoir. J'étais trahi par Jupiter.
Mon retombement fut atroce. Si amusante que fût
la ville, Alger n'était pas ce que j'avais cru; l'im-
possibilité de trouver à se loger ailleurs que dans
le quartier européen me dépitait. Aujourd'hui je
serais plus habile; plus résistant aussi : en ce temps
l'habitude d'un excès de confort et le souvenir de
ma récente maladie me rendaient extrêmement
craintif et difficile. Mustapha, qui peut-être sinon
m'aurait plu, n'offrait que des hôtels trop luxueux.
Je pensai trouver mieux à Blidah. Je lisais alors,
il me souvient, la *Doctrine de la Science*, de Fichte,
sans autre plaisir que celui de mon application, et
sans rien retrouver dans ce livre de ce qui m'avait
séduit dans la *Méthode pour arriver à la vie bien-
heureuse*, et dans la *Destinée du savant et de*

l'homme de lettres. Mais je répugnais à m'abandonner à moi-même et savais gré à tout ce qui
exigeait de moi une certaine contention — dont je
me reposais avec *Barnabé Rudge*, après avoir dé-
voré coup sur coup *La Petite Dorrit, Les Temps
difficiles, Le Magasin d'Antiquités* et *Dombey*.

Avant de m'embarquer, j'avais fait cette folie
d'écrire à Emmanuèle et à ma mère pour les persuader de venir toutes deux me rejoindre. Il va
sans dire que ma proposition n'eut pas de suite;
mais je fus assez étonné de voir que ma mère ne
la repoussait pas avec le haussement d'épaules que
j'avais craint. Mon oncle mort l'an passé après
quelques jours de douloureuse agonie où Emmanuèle et moi, ensemble, l'avions veillé, et ce deuil,
qui laissait mes cousines sans autre protection que
celle de leurs tantes, de ma mère en particulier,
avait resserré nos liens. J'ai su depuis qu'on s'inquiétait beaucoup dans ma famille de la direction
que semblait prendre ma vie. L'idée de mon mariage avec Emmanuèle commençait d'être regardée
d'un moins mauvais œil et comme le meilleur moyen
peut-être de discipliner mon humeur; enfin on ne
laissait point d'être sensible à ma constance.

« Il n'est pas dit que ce mariage soit heureux —
écrivait mon oncle Charles Gide à ma mère, dans
une lettre qui plus tard me fut montrée — et ce
serait prendre une grande responsabilité que d'y
pousser. Toutefois, s'il ne se fait pas, l'un et l'autre
probablement en seront sûrement (je transcris la
phrase telle quelle) malheureux, en sorte qu'il n'y
a guère que le choix entre un mal certain et un
mal éventuel. » Pour moi j'avais la certitude que
ce mariage se ferait, et ma patience dans l'attente
était faite d'une confiance absolue. Mon amour

pour celle que j'avais décidé d'épouser me persua-
dait de ceci : qu'elle avait besoin de moi, si moi
je n'avais pas besoin d'elle, de moi spécialement,
pour être heureuse. Aussi bien n'était-ce pas de
moi qu'elle attendait tout son bonheur? Ne
m'avait-elle pas fait entendre qu'elle ne se refusait
à moi que parce qu'elle croyait ne point devoir
abandonner ses sœurs, ni se marier, qu'après elles.
J'attendrais; mon obstination, mon assurance sau-
raient triompher de tout ce qui se dressait sur ma
route, sur notre route. Mais, encore que je n'aie
pu le tenir pour définitif, le refus de ma cousine
m'avait été des plus pénibles. J'avais à me raidir;
or, précisément, ma belle exaltation, trop sus-
pendue aux sourires du ciel, tout azur absent, fléchissait.

Blidah, que je devais retrouver au printemps
pleine de grâces et parfumée, m'apparut morne et
sans attraits. Je rôdais à travers la ville, à la recherche d'un logement, mais ne trouvais rien à ma
convenance. Je regrettais Biskra. Je n'avais goût
à rien. Ma détresse était d'autant plus grande
que je la promenais en des lieux où mon espoir
n'avait imaginé que merveilles, l'hiver les désolait
encore et me désolait avec eux. Le ciel bas pesait
sur mes pensées; le vent, la pluie éteignaient toute
flamme en mon cœur. Je voulais travailler, mais je
me sentais sans génie; je traînais un ennui sans
nom. Il se mêlait à ma révolte contre le ciel, de la
révolte contre moi-même; je me prenais en mépris,
en haine; j'eusse voulu me nuire et cherchais comment pousser à bout ma torpeur.

Trois jours passèrent ainsi.

Je m'apprêtais à repartir, et déjà l'omnibus
avait pris ma valise et ma malle. Je me revois dans

le hall de l'hôtel, attendant ma note; mes yeux tombèrent par hasard sur un tableau d'ardoise où les noms des voyageurs étaient inscrits, que, machinalement, je commençai de lire. Le mien d'abord, puis des noms d'inconnus; et tout à coup mon cœur sursauta : les deux derniers noms de la liste étaient ceux d'Oscar Wilde et de lord Alfred Douglas.

J'ai raconté déjà, par ailleurs, ce premier mouvement qui me fit aussitôt prendre l'éponge, effacer mon nom. Puis je payai ma note et partis à pied pour la gare.

Je ne sais plus trop ce qui me fit effacer ainsi mon nom. Dans mon premier récit, j'ai mis en avant la mauvaise honte. Peut-être, après tout, cédai-je simplement à mon humeur insociable. Durant les crises de dépression, que je n'ai que trop connues, pareilles à celle que je traversais alors, je prends honte de moi, me désavoue, me renie, et, comme un chien blessé, longe les murs et vais me cachant. Mais, sur le chemin de la gare, tout en marchant, je réfléchis que peut-être Wilde avait déjà lu mon nom, que ce que je faisais était lâche, que... bref, je fis recharger malle et valise, et je revins.

J'avais beaucoup fréquenté Wilde, à Paris; je l'avais rencontré à Florence; j'ai raconté déjà tout cela longuement; également ce qui va suivre, mais dans le détail que j'y veux apporter ici [1]. Le livre infâme de Lord Alfred Douglas, *Oscar Wilde et*

---

1. « *I am delighted that you have reprinted your brilliant Souvenirs of Oscar Wilde* — m'écrivait, le 21 mars 1910, son exécuteur testamentaire et fidèle ami Robert Ross. *I have told many friends, since your study appeared first in « l'Ermitage », that it was not only the best account of Oscar Wilde at the different stages of his career, but the only true and accurate*

moi, travestit trop effrontément la vérité pour que je me fasse scrupule aujourd'hui de la dire, et puisque mon destin a voulu que ma route en ce point croisât la sienne, je tiens de mon devoir d'apporter ici ma déposition de témoin.

Wilde avait observé jusqu'à ce jour vis-à-vis de moi une parfaite réserve. Je ne connaissais rien de ses mœurs que par ouï-dire; mais dans les milieux littéraires que nous fréquentions l'un et l'autre à Paris, on commençait de jaser beaucoup. A dire vrai, l'on ne prenait pas Wilde bien au sérieux, et ce qui commençait à percer de son être réel, semblait une affectation de plus : on se scandalisait un peu, mais surtout on le prenait à la blague, on se gaussait. J'admire le mal qu'ont les Français, je parle du grand nombre d'entre eux, d'accepter pour sincères des sentiments qu'eux-mêmes ne ressentent point. Pierre Louis cependant avait été passer à Londres quelques jours de l'été

impression of him that I have ever read; so I can only repeat to you what I have said so often to others.

« Some day, perhaps, I shall publish letters of Oscar Wilde to myself which will confirm everything you have said — if there can be any doubt as to the truth of what you so vividly describe.

« This may one day become necessary in order to refute the lies of Alfred Douglas. You no doubt heard reported in a recent libel action that he swore in the witness-box that he was unaware of Oscar Wilde's guilt, and that he was the « only decent friend who remained with Oscar Wilde ». You know perfectly well that Alfred Douglas was the cause of Oscar Wilde's ruin both before and after the imprisonment. I would like to have pretended this was not the case, out of old friendship and regard for Douglas : and the fact that I had quarrelled with him personally would not have affected my determination to let the world think he was really the noble friend he always posed as being. But since he has taken on himself, in his new character of social and moral reformer, to talk about Oscar Wilde's « sins » (in most of which he participated) and has betrayed all his old friends, there is no longer any reason for me to be silent...

« ROBERT ROSS. »

précédent. Je l'avais vu dès mon retour; bien que
ses goûts fussent autres, il était un peu chaviré :

« Ce n'est pas du tout ce qu'on croit ici, me
disait-il. Ces jeunes gens sont des plus charmants.
(Il parlait des amis de Wilde et de ceux de son
entourage, dont la compagnie allait bientôt devenir si suspecte). Tu ne t'imagines pas l'élégance de leurs manières. Ainsi tiens! pour t'en
donner une idée : le premier jour où je fus introduit près d'eux, X. à qui je venais d'être présenté,
m'a offert une cigarette; mais, au lieu de me
l'offrir simplement comme nous aurions fait, il a
commencé par l'allumer lui-même et ne me l'a
tendue qu'après en avoir tiré une première bouf-
fée. N'est ce pas exquis? Et tout est comme cela.
Ils savent tout envelopper de poésie. Ils m'ont
raconté que quelques jours auparavant, ils avaient
décidé un mariage, un vrai mariage entre deux
d'entre eux, avec échange d'anneaux. Non, je te
dis, nous ne pouvons imaginer cela; nous n'avons
aucune idée de ce que c'est. »

N'empêche que, quelque temps ensuite, comme
la réputation de Wilde s'ennuageait, il annonça
son désir d'en avoir le cœur net, partit pour Baden,
je crois, où Wilde faisait une cure, sous prétexte
de demander à Wilde des explications, mais avec
le désir de rompre; et ne revint qu'ayant rompu.

Il m'avait raconté l'entrevue :

« Vous pensiez que j'avais des amis, lui aurait
dit Wilde. Je n'ai que des amants. Adieu. »

Décidément je crois qu'il entrait de la vergogne
dans le sentiment qui m'avait fait effacer mon
nom de l'ardoise. La fréquentation de Wilde était
devenue compromettante et je n'étais pas fier quand
je l'affrontai de nouveau.

Wilde était extrêmement changé; non point dans
son aspect, mais dans ses manières. Il semblait résolu à se départir de sa réserve; et je crois aussi
que la compagnie de Lord Alfred Douglas l'y
poussait.

Je ne connaissais point Douglas, mais Wilde
commença tout aussitôt à me parler de lui, dans
un extraordinaire éloge. Il l'appelait *Bosy*, de sorte
que je ne compris pas d'abord à qui ses louanges
se rapportaient, d'autant moins qu'il semblait mettre une certaine affectation à ne louer de Bosy que
la beauté.

« Vous allez le voir, répétait-il, et vous me direz
si vous pouviez rêver une divinité plus charmante.
Je l'adore; oui, je l'adore vraiment. »

Wilde recouvrait ses sentiments les plus sincères d'un manteau d'affectation, ce qui le rendit
insupportable à plus d'un. Il ne consentait pas à
cesser d'être acteur; ni ne le pouvait, sans doute;
mais c'était son personnage qu'il jouait; le rôle
même était sincère, qu'un incessant démon lui
soufflait.

« Que lisez-vous là? » me demanda-t-il en désignant mon livre.

Je savais que Wilde n'aimait point Dickens; que
du moins il affectait de ne pas l'aimer; et comme
je me sentais plein de regimbement, je fus heureux
de lui tendre la traduction de *Barnabé Rudge* (à
cette époque, je ne savais pas un mot d'anglais).
Wilde fit une curieuse grimace; commença par protester qu'il « ne fallait pas lire Dickens »; puis,
comme je m'amusais de professer pour ce dernier
l'admiration la plus vive — qui du reste était parfaitement sincère, et que j'ai conservée — il sembla
en prendre son parti et se mit à me parler du

« divin Booz » avec une éloquence qui marquait, au-dessous de cette réprobation de commande, beaucoup de considération. Mais Wilde n'oubliait jamais d'être artiste, et ne pardonnait pas à Dickens d'être humain.

A l'ignoble procureur qui nous pilota ce même soir à travers la ville, Wilde ne se contentait pas d'exprimer le souhait de rencontrer de jeunes Arabes; il ajoutait : « beaux comme des statues de bronze », et ne sauvait sa phrase du ridicule que par une sorte de lyrique enjouement, et par le léger accent britannique, ou irlandais, qu'il se plaisait à garder. Quant à Lord Alfred, je ne le vis apparaître, je crois bien, qu'après le dîner; autant qu'il m'en souvient, Wilde et lui se firent servir leur repas dans leur chambre; et sans doute Wilde m'invita-t-il à prendre le mien avec eux; et sans doute aussi refusai-je car en ce temps toute invite provoquait d'abord en moi du retrait... Je ne sais plus. J'ai exigé de moi cette promesse de ne point chercher à meubler les chambres vides du souvenir. Mais j'acceptai de sortir avec eux après dîner; et ce dont je me souviens fort bien, c'est que nous ne fûmes pas plus tôt dans la rue, que Lord Alfred me prit affectueusement par le bras et déclara :

« Ces guides sont stupides : on a beau leur expliquer, ils vous mènent toujours dans des cafés pleins de femmes. J'espère que vous êtes comme moi : j'ai horreur des femmes. Je n'aime que les garçons. Je préfère vous dire cela tout de suite, puisque vous nous accompagnez ce soir... »

Je cachai de mon mieux la stupeur que le cynisme de cette déclaration me causa, et j'emboîtai le pas sans rien dire. Je ne parvenais pas à trouver

Bosy aussi beau que le voyait **Wilde**; mais il mêlait
tant de grâce à ses façons despotiques d'enfant
gâté, que je commençai vite à comprendre que
Wilde lui cédât sans cesse et se laissât mener par
lui.

Le guide nous introduisit dans un café qui, pour
être louche, n'offrait pourtant rien de ce que mes
compagnons y cherchaient. Nous n'étions assis que
depuis quelques instants lorsque une rixe éclata
dans le fond de la salle, entre des Espagnols et des
Arabes; les premiers sortirent incontinent leurs
couteaux, et comme la mêlée menaçait de s'étendre, chacun prenant parti ou s'empressant pour
séparer les combattants, au premier sang versé nous
jugeâmes prudent de déguerpir. Je ne trouve rien
d'autre à raconter de ce soir-là, qui, somme toute,
fut assez morne. Le lendemain je regagnai Alger,
où Wilde ne me rejoignit que quelques jours plus
tard.

Il y a certaine façon de portraiturer les grands
hommes, par quoi le peintre semble soucieux de
ressaisir quelque avantage sur son modèle. Je voudrais me garder tout autant d'une peinture trop
complaisante; mais, à travers tous les défauts ap-
parents de Wilde, je suis surtout sensible à sa gran-
deur. Sans doute rien n'était plus exaspérant que
nombre de ses paradoxes, où l'entraînait ce besoin
de faire montre sans cesse de son esprit. Mais certains, après l'avoir entendu s'écrier, devant une
étoffe de tenture : « Je voudrais m'en faire un
gilet », ou devant une étoffe de gilet : « Je veux en
tapisser mon salon », oubliaient trop de sentir tout
ce qui se cachait de vérité, de sagesse, et plus subtilement : de confidence, sous son masque de

concetti. Cependant, avec moi, je l'ai dit, Wilde à
présent jetait le masque; c'est l'homme même enfin
que je voyais, car sans doute il avait compris qu'il
n'était plus besoin de feindre et que, ce qui l'eût
fait renier par d'autres, ne m'écartait point. Douglas était rentré à Alger avec lui; mais Wilde semblait s'efforcer un peu de le fuir.

Je me souviens particulièrement d'une fin de
jour que je passai près de lui, dans un bar. Il était
attablé, quand je l'y retrouvai, devant un sherry-
cobbler, et la table où il s'accoudait était couverte
de papiers.

« Excusez-moi, dit-il; ce sont des lettres que je
viens de recevoir. »

Il ouvrait de nouvelles enveloppes, jetait sur leur
contenu un regard rapide, souriait, se rengorgeait
avec une sorte de gloussement :

« Charmant! Aoh! tout à fait charmant! » Puis
levant les yeux vers moi : « Il faut vous dire que
j'ai à Londres un ami qui reçoit pour moi tout
mon courrier. Il garde toutes les lettres ennuyeuses,
les lettres d'affaires, les notes de fournisseurs; il ne
m'envoie ici rien que les lettres sérieuses, les
lettres d'amour... Aoh! celle-ci est d'un jeune...
How do you say?... acrobate? oui; acrobate; absolument délicieux (il accentuait fortement la seconde syllabe du mot; je l'entends encore). Il riait,
se rengorgeait et semblait s'amuser beaucoup de
lui-même. — C'est la première fois qu'il m'écrit,
alors il n'ose pas encore mettre l'orthographe. Quel
dommage que vous ne sachiez pas l'anglais! Vous
ririez cela... »

Il continuait de rire et de plaisanter, lorsque
soudain Douglas entra dans la salle, enveloppé
dans un manteau de fourrure dont le col relevé

ne laissait passer que son nez et son regard. Il passa
contre moi, comme sans me reconnaître, se campa
en face de Wilde, et, d'une voix sifflante, mépri-
sante, haineuse, lança d'une haleine quelques
phrases dont je ne compris pas un mot; puis
brusquement tourna les talons et sortit. Wilde
avait essuyé l'averse sans rien répondre; mais il
était devenu très pâle et, après que Bosy fut sorti,
nous demeurâmes quelque temps silencieux l'un et
l'autre.

« Toujours il me fait des scènes, dit-il enfin. Il
est terrible. N'est-ce pas qu'il est terrible? A Londres, nous avons vécu quelque temps au Savoy
où nous prenions nos repas et où nous avions un
petit appartement merveilleux avec une vue sur la
Tamise... Vous savez que le Savoy est un hôtel
très luxueux que fréquente la meilleure société de
Londres. Nous dépensions beaucoup d'argent et
tout le monde était furieux contre nous parce qu'
l'on croyait que nous nous amusions beaucoup et
parce que Londres déteste les gens qui s'amusent.
Mais voici pourquoi je vous raconte ceci : Nous
prenions nos repas au restaurant de l'hôtel; c'était
une grande salle où venaient beaucoup de gens de
ma connaissance; mais beaucoup plus encore qui
me connaissaient et que je ne connaissais pas —
parce qu'à ce moment on jouait une pièce de moi
qui avait beaucoup de succès et qu'il y avait des
articles sur moi et des portraits de moi dans tous
les journaux. Alors j'avais choisi, pour être tranquille avec Bosy, une table, dans le fond du restaurant, loin de la porte d'entrée, mais à côté
d'une petite porte qui donnait sur l'intérieur de
l'hôtel. Et quand il a vu que j'entrais par cette
petite porte, Bosy, qui m'attendait, m'a fait une

scène, aoh! une scène terrible, épouvantable. « Je
ne veux pas, me disait-il, je ne tolère pas que vous
entriez par la petite porte. J'exige que vous entriez
par la grande porte, avec moi; je veux que tout le
monde du restaurant nous voie passer et que chacun dise : « C'est Oscar Wilde et son mignon. »
Aoh! n'est-ce pas qu'il est terrible? »

Mais dans tout son récit, dans ces derniers mots
même éclatait son admiration pour Douglas et je
ne sais quel amoureux plaisir de se laisser dominer
par lui. Au surplus la personnalité de Douglas apparaissait beaucoup plus forte et plus marquée que
celle de Wilde; oui vraiment, Douglas était (et
jusque dans le pire sens du mot) plus *personnel;*
une sorte de fatalité le menait; on l'eût dit par
instants presque irresponsable; et comme il ne se
résistait jamais à lui-même, il n'admettait pas que
rien pût lui résister, ni personne. A dire vrai, Bosy
m'intéressait extrêmement; mais « terrible » il
l'était assurément et je crois bien que c'est lui
qu'on doit tenir pour responsable de ce qui, dans
la carrière de Wilde, fut désastreux. Wilde semblait, près de lui, doux, flottant et de volonté
molle. Cet instinct pervers habitait Douglas, qui
pousse un enfant à briser son plus beau jouet; il
ne se contentait de rien, mais éprouvait le besoin
d'aller outre. Ceci donnera la mesure de son cynisme : Comme je l'interrogeais un jour au sujet
des deux fils de Wilde, il insista sur la beauté de
Cyril (? je crois) tout jeune encore en ce temps,
puis chuchota, avec un complaisant sourire : « Il
est pour moi. » — Ajoutez à cela un don poétique
des plus rares, et qu'on sentait dans le ton musical
de sa voix, dans ses gestes, dans ses regards, et dans
l'expression de ses traits — où l'on sentait aussi ce

que les physiologistes appellent : « Une hérédité
très chargée. »

Douglas repartit le lendemain ou le surlendemain pour Blidah, où il allait travailler à l'enlè-
vement d'un jeune caouadji qu'il se proposait
d'emmener à Biskra, car les descriptions qu'il
m'avait entendu faire de l'oasis, où je me proposais
de retourner moi-même, l'avaient séduit. Mais l'en-
lèvement d'un Arabe n'est pas chose aussi facile
qu'il avait pu croire d'abord; il fallait obtenir le
consentement des parents, signer des papiers au
bureau arabe, au commissariat; il y avait là de
quoi le retenir à Blidah plusieurs jours; pendant
lesquels Wilde, se sentant plus libre, put me parler
plus intimement qu'il n'avait fait jusqu'alors. J'ai
déjà rapporté le plus important de nos conversations; j'ai peint son excessive assurance, le rauque
de son rire et le forcené de sa joie; j'ai dit aussi
quelle grandissante inquiétude laissait parfois percer cette outrance. Certains de ses amis ont soutenu que Wilde, en ce temps, ne se doutait aucu-
nement de ce qui l'attendait à Londres, qu'il re
gagna peu de jours après; ils parlent de la
confiance inébranlable que Wilde, selon eux
conserva jusqu'au retournement fatal du procès
A quoi ce que je me suis permis d'opposer, ce n'es
point une impression personnelle, ce sont les pa
roles mêmes de Wilde, que j'ai transcrites avec le
seul souci de la fidélité. Elles témoignent d'un
confuse appréhension, d'une attente d'il ne savai
quoi de tragique, qu'il redoutait mais souhaita
presque, à la fois.

« J'ai été aussi loin que possible dans mo
sens, me répétait-il. Je ne peux pas aller plus loir
A présent il faut qu'il arrive *quelque chose.* »

Wilde se montrait extrêmement sensible à
l'abandon de Pierre Louis, pour qui toujours il
avait marqué une particulière tendresse. Il me
demanda si je l'avais revu et insista pour connaître
ce que Louis m'avait rapporté de leur rupture.
Je le lui laissai connaître et redis la phrase que
j'ai transcrite plus haut.

« Est-ce vraiment cela qu'il vous a redit? s'écria
Wilde. Vous êtes bien certain que ce n'est pas
vous qui rapportez mal ses paroles? » Et comme
j'en certifiais l'exactitude, ajoutant qu'elles
m'avaient beaucoup attristé, il demeura quelques
instants silencieux, puis :

« Vous avez remarqué, n'est-ce pas, que les
plus détestables mensonges sont ceux qui se rap-
prochent le plus de la vérité. Mais certainement
Louis n'a pas voulu mentir; il n'a pas cru mentir.
Seulement il n'a pas du tout compris ce que je lui
ai dit ce jour-là. Non, je ne veux pas qu'il ait
menti; mais il s'est trompé, terriblement trompé
sur la signification de mes paroles. Vous voulez
savoir ce que je lui ai dit? — Il a commencé, dans
sa chambre d'hôtel où nous étions, par me dire
des choses affreuses, par m'accuser, parce que je
n'ai voulu lui donner aucune explication de ma
conduite; et je lui ai dit que je ne lui reconnaissais
pas le droit de me juger; mais qu'il n'avait, si cela
lui plaisait, qu'à croire tout ce qu'il entendait raconter sur moi; que tout cela m'était égal. Alors
Louis m'a dit que, dans ce cas, il ne lui restait
plus qu'à me quitter. Et moi je l'ai regardé tristement, parce que j'aimais beaucoup Pierre Louis, et
c'est pour cela, pour cela seulement, que ses reproches me faisaient tellement de peine. Mais comme
je sentais que tout était fini entre nous, je lui ai

dit : « Adieu, Pierre Louis. *Je voulais avoir un* « *ami; je n'aurai plus que des amants.* » C'est là-dessus qu'il est parti; et je ne veux plus le revoir. »

C'est ce même soir qu'il m'expliqua qu'il avait mis son génie dans sa vie, qu'il n'avait mis que son talent dans ses œuvres; j'ai noté ailleurs cette phrase révélatrice, qui depuis a été si souvent citée.

Un autre soir, sitôt après le départ de Douglas pour Blidah, Wilde me demanda si je voulais l'accompagner dans un café maure où l'on faisait de la musique. J'acceptai et allai le prendre après dîner à son hôtel. Le café n'était pas très distant, mais, comme Wilde marchait difficilement, nous prîmes une voiture, qui nous laissa, rue Montpensier, à la quatrième terrasse du boulevard Gambetta, où Wilde pria le cocher de nous attendre. A côté de celui-ci un guide était monté, qui nous escorta dans un dédale impraticable aux voitures, jusqu'à la ruelle en pente où se trouvai ledit café — la première à droite, parallèle aux escaliers du boulevard; d'après quoi l'on peut imaginer sa pente. Tout en marchant, Wilde m'exposa à demi-voix sa théorie sur les guides, et comme quoi il importait de choisir entre tout le plus ignoble, qui toujours était le meilleur. Si celui de Blidah n'avait rien su montrer d'intéressant, c'est qu'il ne se sentait pas assez laid. Ce soir, le nôtre était à faire peur.

Rien ne signalait le café; sa porte était pareille à toutes les autres portes : entrouverte, et nous n'eûmes pas à frapper. Wilde était un habitué de ce lieu, que j'ai décrit dans *Amyntas*, car j'y retournai souvent par la suite. Quelques vieux Arabes étaient là, accroupis sur des nattes fumant le kief, qui ne se dérangèrent pas lorsque

nous prîmes place auprès d'eux. Et d'abord je ne
compris pas ce qui, dans ce café, pouvait attirer
Wilde; mais bientôt je distinguai, près du foyer
plein de cendres, dans l'ombre, un caouadji,
assez jeune encore, qui prépara pour nous deux
tasses de thé de menthe, que Wilde préférait au
café. Et je me laissais assoupir à demi par la torpeur étrange de ce lieu, lorsque, dans l'entrebâille-
ment de la porte, apparut un adolescent merveilleux. Il demeura quelque temps, le coude haut
levé, appuyé contre le chambranle, se détachant
sur un fond de nuit. Il semblait incertain s'il
devait entrer, et déjà je craignais qu'il ne repar-
tît, mais il sourit au signe que lui fit Wilde, et
vint s'asseoir en face de nous sur un escabeau, un
peu plus bas que l'aire couverte de nattes où
nous nous étions accroupis à la mode arabe. Il
sortit de son gilet tunisien une flûte de roseau,
dont il commença de jouer exquisement. Wilde
m'apprit un peu plus tard qu'il s'appelait Mohammed et que c'était « celui de Bosy »; s'il hésitait
d'abord à entrer dans le café, c'est qu'il n'y voyait
pas Lord Alfred. Ses grands yeux noirs avaient
ce regard langoureux que donne le haschisch; il
était de teint olivâtre; j'admirais l'allongement de
ses doigts sur la flûte, la sveltesse de son corps
infantin, la gracilité de ses jambes nues qui sortaient de la blanche culotte bouffante, l'une repliée
sur le genou de l'autre. Le caouadji était venu
s'asseoir près de lui et l'accompagna sur une sorte
de darbouka. Comme une eau limpide et constante le chant de la flûte coula à travers un
extraordinaire silence, et l'on oubliait l'heure, le
lieu, qui l'on était et tous les soucis de ce monde.
Nous restâmes ainsi, sans bouger, un temps qui

me parut infini; mais je serais resté bien plus
longtemps encore, si Wilde, tout à coup, ne m'avait
pris le bras, rompant l'enchantement.

« Venez », me dit-il.

Nous sortîmes. Nous fîmes quelques pas dans
la ruelle, suivis du hideux guide, et je pensais
déjà que là s'achevait la soirée, mais, au premier
détour, Wilde s'arrêta, fit tomber sa main énorme
sur mon épaule et, penché vers moi, — car il était
beaucoup plus grand — à voix basse :

« *Dear,* vous voulez le petit musicien? »

Oh! que la ruelle était obscure! Je crus que le
cœur me manquait; et quel raidissement de courage il fallut pour répondre : « Oui », et de quelle
voix étranglée!

Wilde aussitôt se retourna vers le guide, qui
nous avait rejoints, et lui glissa à l'oreille quelques mots que je n'entendis pas. Le guide nous
quitta, et nous regagnâmes l'endroit où station
nait la voiture.

Nous n'y fûmes pas plus tôt assis que Wilde
commença de rire, d'un rire éclatant, non tant
joyeux que triomphant; d'un rire interminable
immaîtrisable, insolent; et plus il me voyait décon
certé par ce rire, plus il riait. Je dois dire que
si Wilde commençait à découvrir sa vie devant
moi, par contre il ne connaissait encore rien de
la mienne; je veillais à ce que rien, dans mes
propos ou dans mes gestes ne lui laissât rien
soupçonner. La proposition qu'il venait de me
faire était hardie; ce qui l'amusait tant, c'est
qu'elle eût été si tôt acceptée. Il s'amusait comme
un enfant et comme un diable. Le grand plaisir
du débauché, c'est d'entraîner à la débauche
Depuis mon aventure de Sousse, plus ne restai

au Malin grande victoire à remporter sur moi
sans doute; mais ceci, Wilde ne le savait point, ni
que j'étais vaincu d'avance — ou si l'on préfère
(car sied-il de parler de défaite quand le front
est si redressé?), que j'avais, en imagination, en
pensée, triomphé de tous mes scrupules. A vrai
dire, je ne le savais pas moi-même; c'est, je crois,
seulement en lui répondant « oui », que je pris
conscience de cela brusquement.

Par instants, coupant son rire, Wilde s'excusait :
« Je vous demande pardon de rire ainsi; mais
c'est plus fort que moi. Je ne peux pas me retenir. » Puis il repartait de plus belle.

Il riait encore lorsque nous nous arrêtâmes
devant un café, sur la place du théâtre, où nous
congédiâmes la voiture.

« Il est encore trop tôt », me dit Wilde. Et je
n'osai lui demander ce dont il était convenu
avec le guide, ni où, ni comment, ni quand le
petit musicien viendrait me retrouver; et j'en
venais à douter si la proposition qu'il m'avait
faite aurait une suite, car je craignais, en le ques-
tionnant, de trop laisser paraître la violence
de mon désir.

Nous ne nous attardâmes qu'un instant dans ce
café vulgaire, et je pensai que, si Wilde ne s'était
point fait conduire aussitôt au *petit bar* de l'hôtel
de l'Oasis, où nous allâmes ensuite, c'est qu'y
étant connu, il préférait s'écarter du café maure,
et qu'il inventait cette étape pour accroître un
peu la distance entre l'apparent et le clandestin.

Wilde me fit boire un cocktail et en but lui-
même plusieurs. Nous patientâmes une demi-heure
environ. Que le temps me paraissait long! Wilde
riait encore, mais plus d'une manière aussi convul-

sive, et quand par instants nous parlions, ce n'était
que de n'importe quoi. Enfin je le vis tirer sa
montre :

« Il est temps », fit-il en se levant.

Nous nous acheminâmes vers un quartier plus
populaire, par-delà cette grande mosquée en
contrebas, dont je ne sais plus le nom, devant
laquelle on passe pour descendre au port — le
quartier le plus laid de la ville, et qui dut être
un des plus beaux jadis. Wilde me précéda dans
une maison à double entrée, dont nous n'eûmes
pas plus tôt franchi le seuil, que surgirent devant
nous, entrés par l'autre porte, deux énormes agents
de police, qui me terrifièrent. Wilde s'amusa
beaucoup de ma peur.

« Aoh! *dear,* mais au contraire; cela prouve
que cet hôtel est très sûr. Ils viennent ici pour
protéger les étrangers. Je les connais; ce sont
d'excellents garçons qui aiment beaucoup mes
cigarettes. Ils comprennent très bien. »

Nous laissâmes les flics nous précéder. Ils dé-
passèrent le second étage, où nous nous arrêtâmes.
Wilde sortit une clef de sa poche et m'introduisit dans un minuscule appartement de deux
pièces, où, quelques instants après, le guide
ignoble vint nous rejoindre. Les deux adolescents
le suivaient, chacun enveloppé d'un burnous qui
lui cachait le visage. Le guide nous laissa. Wilde
me fit passer dans la chambre du fond avec le
petit Mohammed et s'enferma avec le joueur de
darbouka dans la première.

Depuis, chaque fois que j'ai cherché le plaisir,
ce fut courir après le souvenir de cette nuit. Après
mon aventure de Sousse, j'étais retombé misérablement dans le vice. La volupté, si parfois

j'avais pu la cueillir en passant, c'était comme
furtivement; délicieusement pourtant, un soir, en
barque avec un jeune batelier du lac de Côme
(peu avant de gagner La Brévine) tandis qu'enveloppait mon extase le clair de lune où l'enchantement brumeux du lac et les parfums humides des
rives fondaient. Puis rien; rien qu'un désert
affreux plein d'appels sans réponses, d'élans sans
but, d'inquiétudes, de luttes, d'épuisants rêves,
d'exaltations imaginaires, d'abominables retombements. A La Roque, l'avant-dernier été, j'avais
pensé devenir fou; presque tout le temps que
j'y passai, ce fut cloîtré dans la chambre où n'eût
dû me retenir que le travail, vers le travail m'efforçant en vain (j'écrivais *Le Voyage d'Urien*),
obsédé, hanté, espérant peut-être trouver quelque
échappement dans l'excès même, regagner l'azur
par-delà, exténuer mon démon (je reconnais là
son conseil) et n'exténuant que moi-même, je me
dépensais maniaquement jusqu'à l'épuisement, jusqu'à n'avoir plus devant soi que l'imbécillité, que
la folie.

Ah! de quel enfer je sortais! Et pas un ami à
qui pouvoir parler, pas un conseil; pour avoir
cru tout accommodement impossible et n'avoir
rien voulu céder d'abord, je sombrais... Mais
qu'ai-je besoin d'évoquer ces lugubres jours? Leur
souvenir explique-t-il mon délire de cette nuit?
La tentative auprès de Mériem, cet effort de « nor-
malisation » était resté sans lendemain, car il
n'allait point dans mon sens; à présent je trouvais enfin ma normale. Plus rien ici de contraint,
de précipité, de douteux; rien de cendreux dans
le souvenir que j'en garde. Ma joie fut immense
et telle que je ne la puisse imaginer plus pleine

si de l'amour s'y fût mêlé. Comment eût-il été
question d'amour? Comment eussé-je laissé le
désir disposer de mon cœur? Mon plaisir était sans
arrière-pensée et ne devait être suivi d'aucun
remords. Mais comment nommerai-je alors mes
transports à serrer dans mes bras nus ce parfait
petit corps sauvage, ardent, lascif et ténébreux?...

Je demeurai longtemps ensuite, après que
Mohammed m'eut quitté, dans un état de jubilation frémissante, et bien qu'ayant déjà, près
de lui, cinq fois atteint la volupté, je ravivai nombre de fois encore mon extase et, rentré dans ma
chambre d'hôtel, en prolongeai jusqu'au matin les
échos.

Je sais bien que certaine précision, que j'ap-
porte ici, prête à sourire; il me serait aisé de
l'omettre ou de la modifier dans le sens de la
vraisemblance; mais ce n'est pas la vraisemblance
que je poursuis, c'est la vérité; et n'est-ce point
précisément lorsqu'elle est le moins vraisemblable
qu'elle mérite le plus d'être dite? Pensez-vous sinon
que j'en parlerais?

Comme je donnais ici simplement ma mesure,
et qu'au surplus je venais de lire le *Rossignol*
de Boccace, je ne me doutais pas qu'il y eût de
quoi surprendre, et ce fut l'étonnement de
Mohammed qui d'abord m'avertit. Où je la
dépassai, cette mesure, c'est dans ce qui suivit,
et c'est là que pour moi commence l'étrange :
si soûlé que je fusse et si épuisé, je n'eus de
cesse et de répit que lorsque j'eus poussé l'épuisement plus loin encore. J'ai souvent éprouvé par
la suite combien il m'était vain de chercher à
me modérer, malgré que me le conseillât la raison,
la prudence; car chaque fois que je le tentai, il

me fallut ensuite, et solitairement, travailler à
cet épuisement total hors lequel je n'éprouvais
aucun répit, et que je n'obtenais pas à moins
de frais. Au demeurant je ne me charge point
d'expliquer; je sais qu'il me faudra quitter la vie
sans avoir rien compris, ou que bien peu, au
fonctionnement de mon corps.

Aux premières pâleurs de l'aube je me levai;
je courus, oui vraiment courus, en sandales, bien
au-delà de Mustapha; ne ressentant de ma nuit
nulle fatigue, mais au contraire une allégresse,
une sorte de légèreté de l'âme et de la chair, qui
ne me quitta pas de tout le jour.

Je retrouvai Mohammed deux ans plus tard.
Son visage n'avait pas beaucoup changé. Il paraissait à peine moins jeune; son corps avait gardé
sa grâce, mais son regard n'avait plus la même
langueur; j'y sentais je ne sais quoi de dur, d'inquiet, d'avili.

« Tu ne fumes plus le kief? lui demandai-je,
sûr de sa réponse.

— Non, me dit-il. A présent, je bois de l'ab-
sinthe. »

Il était attrayant encore; que dis-je? plus attrayant que jamais; mais paraissait non plus tant
lascif qu'effronté.

Daniel B... m'accompagnait. Mohammed nous
conduisit au quatrième étage d'un hôtel borgne;
au rez-de-chaussée, un cabaret où trinquaient des
marins. Le patron demanda nos noms; j'inscrivis :
César Bloch sur le registre. Daniel commanda
de la bière et de la limonade, « pour la vraisemblance », disait-il. C'était la nuit. La chambre
où nous entrâmes n'était éclairée que par le
bougeoir qu'on nous avait donné pour monter.

Un garçon nous apporta les bouteilles et des verres,
qu'il posa sur une table, près de la bougie. Il n'y
avait que deux chaises. Nous nous assîmes, Daniel
et moi; et Mohammed, entre nous deux, sur la
table. Relevant le haïk qui remplaçait à présent
son costume tunisien, il étendit vers nous ses
jambes nues.

« Une pour chacun », nous dit-il en riant.

Puis, tandis que je restais assis près des verres
à demi vidés, Daniel saisit Mohammed dans ses
bras et le porta sur le lit qui occupait le fond
de la pièce. Il le coucha sur le dos, tout au bord
du lit, en travers; et je ne vis bientôt plus que,
de chaque côté de Daniel ahanant, deux fines
jambes pendantes. Daniel n'avait même pas enlevé
son manteau. Très grand, debout contre le lit,
mal éclairé, vu de dos, le visage caché par les
boucles de ses longs cheveux noirs, dans ce manteau qui lui tombait aux pieds, Daniel paraissait
gigantesque, et penché sur ce petit corps qu'il
couvrait, on eût dit un immense vampire se re-
paître sur un cadavre. J'aurais crié d'horreur...

On a toujours grand mal à comprendre les
amours des autres, leur façon de pratiquer
l'amour. Et même celles des animaux (je devrais
réserver cet « et même » pour celles des hommes).
On peut envier aux oiseaux leur chant, leur vol;
écrire :

> *Ach! wüsstest du wie's Fischlein ist*
> *So wohlig auf dem Grund!*

Même le chien qui dévore un os trouve en moi
quelque assentiment bestial. Mais rien n'est plus
déconcertant que le geste, si différent d'espèce
en espèce, par quoi chacun d'entre eux obtient

la volupté. Quoi qu'en dise M. de Gourmont, qui
s'efforce de voir sur ce point, entre l'homme
et les espèces animales, de troublantes analogies,
j'estime que cette analogie n'existe que dans la
région du désir; mais que c'est peut-être au
contraire dans ce que M. de Gourmont appelle
« la physique de l'amour » que les différences sont
les plus marquées, non seulement entre l'homme
et les animaux, mais même souvent d'homme à
homme, — au point que, s'il nous était permis de
les contempler, les pratiques de notre voisin nous
paraîtraient souvent aussi étranges, aussi saugrenues, et, disons : aussi monstrueuses, que les
accouplements des batraciens, des insectes — et,
pourquoi chercher si loin? que ceux des chiens ou
des chats.

Et sans doute est-ce aussi pour cela que sur
ce point les incompréhensions sont si grandes, et
les intransigeances si féroces.

Pour moi, qui ne comprends le plaisir que face
à face, réciproque et sans violence, et que souvent,
pareil à Whitman, le plus furtif contact satisfait, j'étais horrifié tout à la fois par le jeu de
Daniel, et de voir s'y prêter aussi complaisamment Mohammed.

Nous partîmes d'Alger, Wilde et moi, très peu
de temps après cette mémorable soirée; lui, rappelé en Angleterre par le besoin d'en finir avec
les accusations du marquis de Queensberry, père
de Bosy; moi, désireux de précéder ce dernier
à Biskra. Il avait résolu d'y emmener Ali, le
jeune Arabe de Blidah dont il s'était épris; une
lettre de lui m'annonçait son retour; il espérait
que je consentirais à l'attendre pour faire avec

lui, avec eux, ce long voyage de deux jours qui,
seul avec Ali, s'annonçait mortel; car il se découvrait qu'Ali ne savait pas plus le français ni l'anglais, que Bosy ne savait l'arabe. J'ai le caractère
si mal fait que cette lettre précipita mon départ
au contraire; soit qu'il me déplût de prêter la
main à cette aventure et de favoriser quelqu'un
qui croit que tout lui est dû; soit que le moraliste qui sommeille en moi estimât malséant de
dépouiller de leurs épines les roses; soit, plus simplement, que ma maussaderie l'emportât — ou le
tout concourant — je partis. Mais, à Sétif où je
devais passer la nuit, me rejoignit une dépêche
instante.

Avec un empressement pervers j'accueille tout
ce qui vient briser ma route; c'est un trait de
ma nature que je ne chercherai pas à expliquer,
car je ne parviens pas à le comprendre... Bref,
interrompant aussitôt mon voyage, je commençai
d'attendre Douglas à Sétif, d'aussi bon cœur que
je l'avais fui la veille. Aussi bien le trajet d'Alger
à Sétif m'avait paru furieusement long. Mais cette
attente, bientôt, me parut plus longue encore.
Quelle interminable journée! Et que serait celle
du lendemain, qui me séparait encore de Biskra?
pensais-je, arpentant les rues régulières et fastidieuses de cette laide petite ville militaire et colo-
niale, où je n'imaginais point qu'on pût venir
que pour affaires, ni demeurer que par consigne,
où les quelques Arabes qu'on y rencontre paraissent déplacés, misérables.

J'étais impatient de connaître Ali. Je m'attendais
à quelque caouadji bien modeste, mis comme
Mohammed à peu près; c'est un jeune seigneur
que je vis descendre du train, en vêtements bril-

lants, ceinturé d'une écharpe de soie, enturbanné
d'or. Il n'avait pas seize ans, mais quelle dignité
dans la démarche! Quelle fierté dans le regard!
Quels sourires dominateurs il laissa tomber sur
les domestiques de l'hôtel inclinés devant lui!
Comme il avait vite compris, si humble encore
la veille, qu'il devait entrer le premier, s'asseoir
le premier... Douglas avait trouvé son maître, et
quelque élégamment vêtu lui-même, on eût dit un
suivant aux ordres de son fastueux serviteur. Tout
Arabe, et si pauvre soit-il, contient un Aladin
près d'éclore et qu'il suffit que le sort touche : le
voici roi.

Ali certainement était très beau; blanc de teint,
le front pur, le menton bien formé, la bouche
petite, les joues pleines, des yeux de houri; mais
sa beauté n'exerçait sur moi point d'empire;
une sorte de dureté dans les ailes du nez, d'indifférence dans la courbe des sourcils trop parfaite,
de cruauté dans la moue dédaigneuse des lèvres,
arrêtait en moi tout désir; et rien ne me distançait plus que l'apparence efféminée de tout son
être, par quoi précisément d'autres sans doute
eussent été séduits. Ce que j'en dis est pour laisser entendre que le temps assez long que je
vécus auprès de lui fut sans trouble. Même,
comme il advient souvent, le spectacle de la
félicité de Douglas, non enviée, m'inclina vers
des dispositions d'autant plus chastes, dispositions
qui subsistèrent, après son départ, tout le temps
de mon séjour à Biskra.

L'hôtel de l'Oasis, de qui dépendait l'appartement du cardinal que nous avions loué l'an
précédent, avait déjà disposé de ces chambres;
mais le *Royal* venait de s'ouvrir, où nous pûmes

trouver une installation qui, en agrément et en
commodité, ne le cédait que de très peu à la première : au rez-de-chaussée de l'hôtel, trois
chambres, dont deux contiguës, à l'extrémité d'un
couloir qui, là, prenait issue sur le dehors. La
porte du couloir, dont nous eûmes la clef, car elle
ne pouvait servir qu'à nous, nous permettait
de gagner nos chambres sans avoir à traverser
l'hôtel. Mais le plus souvent je sortais et rentrais
par ma fenêtre. Ma chambre, où je fis mettre un
piano, était séparée de celle de Douglas et d'Ali
par le couloir. Les deux premières prenaient vue
sur le nouveau casino; un assez vaste espace en
séparait, où s'ébattaient, en rupture de classes, ces
mêmes enfants arabes qui, l'an précédent, venaient
jouer sur nos terrasses.

J'ai dit qu'Ali ne comprenait point le français;
entre Douglas et lui je proposai, comme inter-
prète, Athman, qui précisément avait lâché son
travail à l'annonce de ma venue, désireux de
prendre près de moi du service, mais que je ne
savais comment employer. J'ai pu me blâmer par
la suite d'avoir osé songer à lui pour un tel
poste, mais, outre que les relations de Douglas
et d'Ali n'offraient rien qui pût particulièrement
surprendre un Arabe, j'étais loin d'avoir alors
pour Athman la grande amitié qui m'occupa tant,
par la suite, et qu'il commença bientôt de mériter.
Car, s'il accepta d'abord avec empressement la
proposition, aussitôt qu'elle lui fut faite, je compris vite que c'était dans l'espoir de passer plus
de temps près de moi. Le pauvre garçon fut bien
quinaud, quand il me vit résolu à n'accompagner
point Douglas dans ses promenades; quand il
comprit que, somme toute, il ne me verrait que

très peu. Douglas l'emmenait avec Ali, chaque jour, en voiture, jusqu'à quelque oasis non lointaine, Chetma, Droh, Sidi Okba, que, des terrasses de l'hôtel, l'on pouvait voir, sombre émeraude sur le manteau roux du désert. En vain Douglas insistait-il pour m'entraîner. Je ne me sentais point de pitié pour l'ennui qu'assurément il devait éprouver entre ses deux pages, et qui m'apparaissait comme la rançon du plaisir. — Tu l'as voulu! pensais-je, tâchant de m'armer d'une factice sévérité contre ce que je n'étais que trop enclin à admettre. Et pour rançon aussi, je m'enfonçais dans le travail d'autant plus, avec le sentiment flatteur que je rachetais quelque chose. A présent que les années m'ont rendu plus docile, je m'étonne de tant de réticences, survivances d'une éthique ancienne que rien en moi n'approuvait plus; mais les réflexes moraux en dépendaient encore. Si je cherche à découvrir quels ressorts faisaient ainsi cabrer comme malgré moi ma machine, je trouve surtout, il me faut bien l'avouer, du rechignement et du mauvais vouloir. Mais aussi Bosy ne me plaisait guère; ou pour mieux dire : il m'intéressait beaucoup plus qu'il ne me plaisait; malgré ses gentillesses, ses prévenances, ou peut-être même : à cause d'elles, je restais sur la défensive. Sa conversation me lassait vite; et je veux croire qu'avec un Anglais, ou seulement un Français un peu plus versé que je ne l'étais alors dans les choses anglaises, cette conversation eût pu être plus variée et abondante; mais, sujets communs épuisés, Douglas en revenait toujours, et avec une obstination dégoûtante, à ce dont je ne parlais qu'avec une gêne extrême, que sa totale absence de gêne augmentait. Il me

suffisait de le retrouver aux interminables repas
de la table d'hôte — avec quelle charmante et
mutine grâce il s'écriait soudain : « Il faut absolument que je boive du champagne »; et pourquoi refusais-je maussadement la coupe qu'il me
tendait? — ou parfois, à l'heure du thé, en compagnie d'Athman et d'Ali, et je l'entendais répéter pour la dixième fois, s'amusant non tant de la
phrase même que de sa redite : « Athman, dites
à Ali que ses yeux sont comme ceux des gazelles. »
Il reculait un peu chaque jour la limite de son
ennui.

Cette idylle prit fin brusquement. Bosy, qui
voyait avec un amusement assez vif une douteuse
intrigue s'ébaucher entre Ali et un jeune berger
de la Fontaine-Chaude, entra dans une grande
fureur lorsqu'il vint à comprendre qu'Ali pouvait
bien être sensible également aux charmes des Oulad, et spécialement à ceux de Mériem. L'idée
qu'Ali pût coucher avec elle lui était insupportable; il doutait si la chose était déjà faite (pour
ma part je n'en doutais plus), se fâcha, exigea
d'Ali des aveux, des regrets, des promesses, jurant,
s'il manquait à celles-ci, de le renvoyer aussitôt.
Je sentais en Douglas non tant de jalousie réelle
que de dépit : « Des garçons, protestait-il; oui
des garçons tant qu'il voudra; je le laisse libre;
mais je ne puis supporter qu'il aille avec des
femmes. » Au reste je ne suis point convaincu
qu'Ali désirât vraiment Mériem; je crois plutôt
qu'il cédait à son appel flatteur et qu'il pensait
ainsi riposter à l'accusation d'impuissance qu'il
entendait murmurer contre lui; je crois qu'il
aimait se donner des airs, imiter les aînés, se
grandir. Ali fit mine de se soumettre, mais Dou-

glas avait perdu confiance. Certain jour, soup-
çonneux, il s'avisa de fouiller dans la valise d'Ali,
découvrit sous des vêtements une photographie
de Mériem, qu'il lacéra... Ce fut tragique : Ali,
cravaché d'importance, poussa des hurlements à
ameuter tous les gens de l'hôtel. J'entendais ces
clameurs, mais restai enfermé dans ma chambre,
jugeant plus sage de ne pas intervenir. Douglas
apparut le soir à dîner, blême, le regard dur;
il m'annonça qu'Ali regagnerait Blidah par le
premier train, c'est-à-dire celui du lendemain
matin. Lui-même quitta Biskra deux jours
après.

C'est alors que je reconnus combien le spectacle
de la dissipation, par protestation, me donnait
de cœur à l'ouvrage. A présent que je n'avais plus
à résister aux sollicitations des courses en voiture,
je partais chaque jour, souvent dès le matin, me
lançais à travers le désert dans d'exténuantes randonnées, tantôt suivant le lit aride de l'oued,
tantôt gagnant les grandes dunes où parfois j'attendais la tombée du soir, ivre d'immensité,
d'étrangeté, de solitude, le cœur plus léger qu'un
oiseau.

Au soir Athman venait me trouver, sa journée
faite. Depuis le départ de Douglas et d'Ali, il
avait repris son métier de guide; triste métier à
quoi son pliant caractère ne le disposait que
trop. Avec autant d'inconscience et aussi peu de
gêne, son innocence acceptait de mener les étrangers chez les Oulad, qu'il acceptait de transmettre
à Ali les propos sucrés de Douglas. Il me racontait
l'emploi de ses journées, et chaque jour grandissait en moi, avec mon affection pour lui, mon
dégoût pour ces complaisances; et comme aussi

sa confiance grandissait, il m'en racontait toujours
plus.

Un soir il arriva tout joyeux :

« Ah! la bonne journée! » s'écria-t-il. Il m'expliqua comment il venait de gagner trente francs,
ayant accepté d'une part dix francs de commission d'une Oulad pour amener à elle un Anglais,
majoré de dix francs le salaire de l'Ouled, et reçu
dix francs de l'Anglais en paiement de ce petit
service. Je m'indignai. J'acceptais qu'il se fît
proxénète; mais qu'il fût malhonnête, non, cela je
ne le tolérais point. Il s'étonna de ce qu'il prit
d'abord pour un sursaut d'humeur; et tout ce que
j'obtins de lui d'abord, fut le regret de m'avoir
parlé trop ouvertement. J'eus alors l'idée de faire
appel à ce sentiment de noblesse que je me flattais
de retrouver dans chaque Arabe. Il me sembla
qu'il comprenait :

« C'est bien, bougonna-t-il; je vais aller rendre
l'argent.

— Je ne te demande pas cela, protestai-je. Simplement, si tu veux être mon ami, ne recommence
plus ce honteux trafic.

— Alors, reprit-il en souriant — et je retrouvais aussitôt le docile enfant que j'aimais —, je
crois qu'il vaut mieux que je ne mène plus les
étrangers chez les femmes; avec elles il y a toujours trop à gagner.

— Tu comprends, ajoutai-je en manière d'encouragement, si je te demande cela, c'est pour
que tu sois digne de mes amis, lorsque tu les
rencontreras à Paris. »

L'idée d'emmener Athman à Paris grandissait
lentement en mon cœur. Je commençais de m'en
ouvrir dans mes lettres à ma mère, craintivement

d'abord; puis plus décidément, tandis que s'affirmait sa résistance; car je n'étais que trop enclin
à regimber contre les admonitions maternelles;
mais il faut dire aussi que ma mère en abusait
un peu. Ses lettres n'étaient le plus souvent qu'une
suite de remontrances; celles-ci parfois détendues
jusqu'à pouvoir se dissimuler sous la bénévole
formule : « Je ne te conseille pas; j'appelle simplement ton attention... » mais ces dernières
étaient celles qui m'irritaient le plus; je savais en
effet que, si l'attention ainsi sollicitée n'acquiesçait point, ma mère reviendrait à la charge, inlassablement, car nous prétendions ne céder ni l'un
ni l'autre. En vain, ici, m'efforçai-je de la persuader, comme j'avais fini par m'en persuader moi-
même, qu'il s'agissait d'un sauvetage moral et
que le salut d'Athman dépendait de sa transplan-
tation à Paris, que je l'avais comme adopté... Ma
mère, que déjà l'exaltation de mes lettres précé-
dentes inquiétait, crut que la solitude et le désert
m'avaient dérangé la cervelle. Une lettre mit le
comble à ses craintes, où je lui appris brusquement qu'avec le peu d'argent qui m'était revenu
de ma grand-mère, je venais d'acheter un terrain
à Biskra (que je possède encore). Pour donner
à cette lubie quelque apparence de sagesse, je raisonnais ainsi : Si Biskra devient une station d'hiver en vogue et, partant, cesse de me plaire, le
terrain « monte » et je fais une bonne affaire en
le revendant; si Biskra continue d'être ce qu'il
est, à savoir l'endroit du monde où je souhaite
le plus de vivre, j'y fais construire et reviens y
habiter chaque hiver. Je rêvais d'aménager le
rez-de-chaussée de ma maison en café maure, que
je faisais gérer par Athman; j'y invitais déjà tous

mes amis... Cette dernière combinaison, je ne l'avais pas dite à ma mère; le reste suffisait déjà pour la faire me juger fou.

Ma mère fit feu de tout bois, appela à l'aide Albert et ceux de mes amis qu'elle pouvait atteindre. J'étais exaspéré par cette coalition que je sentais qu'elle soulevait contre moi. Quelles lettres je reçus! Supplications, objurgations, menaces; en ramenant Athman à Paris, je me couvrirais de ridicule; que ferais-je de lui? Que penserait de moi Emmanuèle?... Je m'obstinais; lorsque enfin une lettre éperdue de notre vieille Marie me força soudain de lâcher prise : elle jurait de quitter la maison du jour où y entrerait « mon nègre ». Or, que deviendrait maman sans Marie? Je cédai; il le fallut bien.

Pauvre Athman! Je n'eus pas le cœur de jeter bas d'un coup cet imaginaire édifice qui chaque jour se fortifiait d'un nouvel espoir. Il ne m'est pas arrivé souvent de renoncer; un délai, c'est tout ce qu'obtient de moi la traverse; ce beau projet, qu'en apparence je résignai, je finis pourtant bien par le réaliser; mais ce ne fut que quatre ans plus tard.

Athman cependant comprenait bien qu'il y avait quelque tirage. Je ne lui en parlais d'abord pas, confiant encore dans la fermeté de ma résolution : mais il interprétait mes silences, observait le rembrunissement de mon front. Après la lettre de Marie, j'attendis encore deux jours. Il fallut bien, enfin, me décider à tout lui dire...

Nous avions pris cette habitude d'aller chaque soir jusqu'à la gare, à l'heure de l'arrivée du train. Comme à présent il connaissait tous mes amis — car je lui parlais d'eux sans cesse, peu-

plant d'évocations ma solitude — nous feignions,
par un jeu puéril, d'aller à la rencontre de l'un
d'eux. Sans doute, il serait là, parmi les voyageurs. Nous le verrions descendre du train, se
jeter dans mes bras, s'écrier : « Ah! quel voyage!
j'ai cru que je n'arriverais jamais. Enfin, te
voilà!... » Mais le flot des indifférents s'écoulait;
nous nous retrouvions seuls, Athman et moi, et,
tous deux, au retour, nous sentions notre intimité
se resserrer sur cette absence.

J'ai dit que ma chambre ouvrait de plain-pied
sur le dehors. Non loin passait la route de Toug-
gourt, que les Arabes prenaient pour regagner à
la nuit leur village. Vers neuf heures, j'entendais
à mes volets clos un grattement léger : c'était
Sadek, le grand frère d'Athman et quelques autres;
ils enjambaient l'appui de la fenêtre. Il y avait là
des sirops et des friandises. Tous, accroupis en
cercle, nous écoutions Sadek jouer de la flûte, dans
un oubli du temps que je n'ai connu que là-bas.

Sadek ne savait que quelques mots de français;
je ne savais que quelques mots d'arabe. Mais
quand nous aurions parlé la même langue, qu'eus-
sions-nous dit de plus que ce qu'exprimaient nos
regards, nos gestes, et surtout cette tendre façon
qu'il avait de me prendre les mains, de garder
mes mains dans les siennes, ma main droite dans
sa main droite, de sorte que nous continuions de
marcher, les bras mutuellement croisés, silencieux
comme des ombres. Nous nous promenâmes ainsi,
ce dernier soir (Ah! que j'avais de mal à me décider à partir! Il me semblait que j'allais quitter
ma jeunesse). Nous nous promenâmes longtemps,
Sadek et moi; dans la rue des cafés, des Oulad,
accordant un sourire, en passant, à En Barka,

à Mériem, au petit café maure qu'Athman appelait mon petit casino, parce que, l'an passé, tandis que Paul accompagnait la femme du docteur D. dans la salle de jeu du vrai Casino qui venait d'ouvrir, j'allais jouer aux cartes, dans cette petite salle obscure et sordide, avec Bachir, Mohammed et Larbi; puis, quittant la rue des Oulad, la lumière et le bruit, nous allâmes jusqu'à l'abreuvoir, au bord duquel si souvent j'étais venu m'asseoir...

Alors, et pour ne pas abandonner tout à la fois, je proposai à Athman de m'accompagner du moins jusqu'à El Kantara, où je m'attarderais deux jours. Le printemps naissait sous les palmes; les abricotiers étaient en fleur, bourdonnant d'abeilles; les eaux abreuvaient les champs d'orge; et rien ne se pouvait imaginer de plus clair que ces floraisons blanches abritées par les hauts palmiers, dans leur ombre abritant, ombrageant à leur tour, le vert tendre des céréales. Nous passâmes dans cet éden deux jours paradisiaques, dont le souvenir n'a rien que de souriant et de pur. Lorsque le troisième jour, au matin, je cherchai dans sa chambre Athman pour lui dire adieu, je ne le trouvai point et dus partir sans l'avoir revu. Je ne pouvais m'expliquer son absence; mais tout à coup, du train qui fuyait, très loin déjà d'El Kantara, j'aperçus au bord de l'oued son burnous blanc. Il était assis là, la tête dans les mains; il ne se leva pas lorsque le train passa; il ne fit pas un geste; il ne regarda même pas les signaux que je lui adressais; et longtemps, tandis que le train m'emportait, je pus voir cette petite figure immobile, perdue dans le désert, accablée. image de mon désespoir.

Je regagnai Alger, où je devais m'embarquer
pour la France; mais je laissai partir quatre ou
cinq paquebots, sous prétexte que la mer était
trop forte; le vrai c'est qu'à l'idée de quitter
ce pays mon cœur se déchirait. Pierre Louis, qui
relevait de maladie, était venu me retrouver, de
Séville où il avait passé l'hiver; même je crois
me souvenir qu'un excès de gentillesse et d'impatience l'avait précipité à ma rencontre et que
c'est à quelques stations avant Alger que je le
vis inopinément apparaître à la portière de mon
wagon. Hélas! nous n'étions pas ensemble depuis
un quart d'heure (ceci je ne m'en souviens que
trop bien) que déjà nous nous querellions. Je
consens qu'il y allât un peu de ma faute et, par
tout ce que j'ai dit plus haut, on a pu comprendre
que mon caractère n'était pas, en ce temps, des
plus faciles, ni si ductile que je l'ai peut-être
aujourd'hui; mais je sais bien pourtant que ce
n'est qu'avec Louis que j'ai pu quereller de la
sorte, tandis que je crois bien que lui ne querellait pas qu'avec moi. C'était à propos de tout
et de rien; si plus tard on publie sa correspondance, on y verra maints échantillons de cela.
Sans cesse il était occupé de faire prévaloir son
opinion ou sa plaisance sur la vôtre; mais je crois
qu'il n'était pas très désireux que l'on cédât, ou
du moins que l'on cédât trop vite, et que ce qu'il
aimait ce n'était point tant d'avoir raison que
de se mesurer avec l'autre, pour ne pas dire de
combattre. Cette pugnacité se manifestait tout
le long du jour et tirait prétexte de tout. Souhai-
ait-on marcher au soleil, aussitôt il préférait
l'ombre; il fallait toujours lui céder; quand on
lui parlait, il s'enfonçait dans le mutisme, ou

fredonnait de petits refrains provocants; il en
haussait le ton si l'on désirait le silence; et tout
cela me tapait furieusement sur les nerfs.

Il n'eut de cesse qu'il ne m'eût entraîné au
bordel. A la manière dont je dis cela, on pourrait croire que je fis difficulté; mais non, je me
piquais de ne plus me refuser à rien, et je le
suivis donc, sans trop mauvaise grâce, aux *Etoiles
Andalouses,* sorte de café dansant qui n'avait rien
d'arabe, ni même d'espagnol, et dont la vulgarité
tout aussitôt m'écœura. Puis, comme Pierre Louis
commençait de déclarer que ce qui lui plaisait surtout, c'était cette vulgarité même, mon dégoût
l'engloba pour le vomir avec le reste. Pourtant
je n'étais point d'humeur à me laisser mener par
mes répugnances; un mauvais besoin de me pousser à bout, et je ne sais quel obscur compost de
sentiments, où sans doute entrait un peu de
tout, excepté certes du désir, me fit renouveler
cet essai qui, l'an précédent, avec En Barka, avait
si piteusement échoué; qui cette fois réussit
mieux, de sorte qu'à mon écœurement s'ajouta
bientôt la crainte de m'être fait poivrer — crainte
sur laquelle Louis s'amusa de souffler, insinuant
d'une part qu'en effet « l'étoile andalouse » avec
qui je m'étais enfermé, pour être la plus jolie de
la constellation (je devrais dire : la moins hideuse), était sans doute la moins sûre, et que
cela seulement pouvait expliquer qu'elle ne fût
pas occupée; qu'il fallait bien un niais comme
moi pour la choisir, car précisément ce reste de
jeunesse et de grâce, qui la distinguait des autres
eût dû me mettre en garde, et les rires des autres
lorsqu'elles m'avaient vu la choisir, mais que de
tout cela je n'avais rien su remarquer. Et comme

je me récriais qu'il aurait bien pu m'avertir alors
qu'il était temps encore, il protesta que, d'autre
part, ce mal, dont vraisemblablement je ressen-
tirais bientôt les effets, n'avait en soi rien de
redoutable, qu'au demeurant il fallait l'accepter
comme la taxe du plaisir, et que, chercher à l'éviter, c'était prétendre échapper à la loi commune.
Puis, pour achever de me rassurer, il me cita
quantité de grands hommes qui devaient assurément à la vérole plus des trois quarts de leur
génie.

Ce tocsin, qui me paraît assez drôle aujour-
d'hui, quand je songe à la mine que je pouvais
faire — et que surtout je sais que je m'alarmais
sans raison — ne m'amusait alors pas du tout. A
mon dégoût et à ma crainte s'ajouta vite une
espèce de fureur contre Louis. Décidément nous
ne pouvions plus nous entendre, plus nous souffrir.
Cet effort de rapprochement fut, je crois bien, un
des derniers.

Les quelques jours que je vécus encore à Alger,
après que Pierre Louis m'eut quitté, furent de
ceux que je serais le plus désireux de revivre. Je
n'en ai gardé souvenir de rien de précis, mais bien
seulement d'une extraordinaire ferveur, d'une joie,
d'une frénésie qui m'éveillait dès l'aube, éter-
nisait chaque instant de chaque heure, vitrifiait
ou volatilisait tout ce qui s'approchait de mon
cœur.

Ma mère commença de s'inquiéter beaucoup
des lettres que je lui écrivais alors, et, comme
il ne lui paraissait pas que l'exaltation qu'elles
respiraient fût possible sans cause et sans objet
précis, elle m'imaginait déjà des amours, une liaison, dont encore elle n'osait me parler ouverte-

ment, mais dont je distinguais le fantôme à travers les allusions dont ses lettres étaient remplies.
Elle me suppliait de revenir, de « rompre ».

La vérité, si elle avait pu la connaître, l'eût
effrayée bien davantage; car on rompt des liens
plus aisément qu'on ne s'échappe à soi-même; et,
pour y réussir, déjà faut-il le désirer; or ce n'est
pas à l'instant où je commençais à me découvrir,
que je pouvais souhaiter me quitter, sur le point
de découvrir en moi les tables de ma loi nouvelle.
Car il ne me suffisait pas de m'émanciper de la
règle; je prétendais légitimer mon délire, donner
raison à ma folie.

Le ton de ces dernières lignes va laisser croire
que j'ai passé condamnation là-dessus; mais plutôt il y faudrait voir de la précaution, de la réponse à tout ce que je sais que l'on peut m'ob-
jecter; une façon de faire entendre que déjà je me
l'objectais à moi-même; car je ne pense pas qu'il
y ait façon d'envisager la question morale et
religieuse, ni de se comporter en face d'elle, qu'à
certain moment de ma vie je n'aie connue et faite
mienne. Au vrai j'aurais voulu les concilier toutes,
et les points de vue les plus divers, ne parvenant
à rien exclure et prêt à confier au Christ la solution du litige entre Dionysos et Apollon. Comment, par-delà ce désert où mon adoration m'entraînait, m'enfonçant toujours plus avant à la
recherche de ma soif, comment et avec quels transports d'amour je pus retrouver l'Evangile — le
temps n'est pas encore venu d'en parler, non plus
que de l'enseignement que j'y puisai lorsque,
le lisant d'un œil neuf, j'en vis s'illuminer soudain
et l'esprit et la lettre. Et je me désolais et m'indignais tout à la fois de ce qu'en avaient fai

les Eglises, de cet enseignement divin, qu'au travers d'elles je ne reconnaissais plus que si peu. C'est pour n'avoir point su l'y voir ou point consenti de l'y voir, que notre monde occidental périt, me redisais-je; telle devint ma conviction profonde, et que le devoir de dénoncer ce mal m'incombait. Je projetai donc d'écrire un livre que j'intitulais en pensée : *Le Christianisme contre le Christ* — livre dont nombre de pages sont écrites et qui sans doute eût déjà vu le jour en des temps plus calmes, et sans cette crainte que je pus avoir, si je le publiais aussitôt, de contrister quelques amis et de compromettre gravement une liberté de pensée à laquelle j'attache plus de prix qu'à tout le reste.

Ces graves questions, qui bientôt devaient me tourmenter entre toutes, ne commencèrent de m'occuper vraiment que plus tard; mais, si je ne me les formulais pas nettement encore, pourtant m'habitaient-elles déjà, et me retenaient-elles de trouver mon confort dans un hédonisme de complaisance, fait de facile acquiescement. J'en ai dit assez pour l'instant.

Cédant enfin aux objurgations de ma mère, je vins la retrouver à Paris quinze jours avant son départ pour La Roque, où je devais la rejoindre, en juillet, et où je ne la revis que mourante. Ces derniers jours de vie commune (je parle de ceux de Paris) furent des jours de détente et de trêve; il m'est de quelque consolation de les remémorer, en regard des contestations et des luttes qui formaient, il faut bien le reconnaître, le plus clair de nos rapports. Et même si j'emploie ici le mot « trêve », c'est qu'aucune paix durable entre nous n'était possible; les concessions réci-

proques qui permettaient un peu de répit ne
pouvaient être que provisoires et partaient d'un
malentendu consenti. Au reste je ne donnais pas
précisément tort à ma mère. Elle était dans son
rôle, me semblait-il, alors même qu'elle me tourmentait le plus; à vrai dire je ne concevais pas
que toute mère, consciente de son devoir, ne cher-
chât point à soumettre son fils; mais comme aussi
je trouvais tout naturel que le fils n'acceptât point
de se laisser réduire, et comme il me semblait
qu'il en devait être ainsi, j'en venais à m'étonner
lorsque, autour de moi, je rencontrais quelque
exemple d'entente parfaite entre parents et enfants, comme celui que m'offraient Paul Laurens et
sa mère.

N'est-ce point Pascal qui disait que nous n'ai-
mons jamais des personnes mais seulement des
qualités. Je crois que l'on eût pu dire de ma mère
que les qualités qu'elle aimait n'étaient point celles
que possédaient en fait les personnes sur qui pesait
son affection, mais bien celles qu'elle leur souhaitait de voir acquérir. Du moins je tâche de
m'expliquer ainsi ce continuel travail auquel elle
se livrait sur autrui; sur moi particulièrement
et j'en étais à ce point excédé que je ne sais
plus trop si mon exaspération n'avait pas à la fin
délabré tout l'amour que j'avais pour elle. Elle
avait une façon de m'aimer qui parfois m'eût fait
la haïr et me mettait les nerfs à vif. Imaginez
vous que j'indigne, imaginez ce que peut deveni
une sollicitude sans cesse aux aguets, un consei
ininterrompu, harcelant, portant sur vos actes
sur vos pensées, sur vos dépenses, sur le choi
d'une étoffe, d'une lecture, sur le titre d'un livre.
Celui des *Nourritures terrestres* ne lui plaisai

pas, et comme il était encore temps de le changer,
inlassablement elle revenait à la charge.

De misérables questions d'argent, depuis quelques mois, apportaient dans nos rapports une
cause d'irritation nouvelle : Maman me versait
chaque mois la pension qu'elle estimait devoir me
suffire — c'est-à-dire, si j'ai bonne mémoire, trois
cents francs — dont je consacrais régulièrement
les deux tiers à l'achat de musique et de livres.
Elle tenait peu prudent de mettre à ma libre disposition la fortune qui me revenait de mon père,
fortune dont j'ignorais le montant; et du reste
elle gardait de me laisser connaître que ma majorité m'y donnait droit. Qu'on n'aille pas ici
se méprendre; nul intérêt personnel ne la guidait
en ceci, mais bien uniquement le désir de me
protéger contre moi-même, de me maintenir en
tutelle, et (c'est là ce qui m'exaspérait le plus)
un certain sentiment de la convenance et, si j'ose
dire, de la portion congrue (en l'espèce : de la
mienne), sentiment qui la faisait mesurer selon
son estimation de mes besoins ce qu'elle jugeait
séant qu'il me revînt. Les comptes qu'elle me
présenta lorsque j'eus pris conscience de mes
droits prétendaient emporter la balance; on a
parlé de « l'éloquence des chiffres » : avec maman,
chaque addition se faisait plaidoyer; il s'agissait
de me prouver que je ne trouverais aucun avantage à changer de régime, que la mensualité qu'elle
m'octroyait équivalait ou dépassait les revenus
de mon avoir; et, comme toutes les dépenses de
notre vie commune, ici figuraient en décompte, il
me parut que le moyen de tout concilier était de
proposer au contraire de lui payer pension pour
le temps que je demeurerais auprès d'elle. Ce fut

sur ce tempérament que notre différend s'apaisa.

Mais je l'ai dit, ces quinze jours de vie commune, après un long temps de séparation, furent sans nuages. Et certes, j'y mettais beaucoup du mien, comme si quelque pressentiment nous avait avertis l'un et l'autre que ces jours étaient les derniers que nous avions à passer ensemble, car de son côté maman se montrait plus conciliante que je ne l'avais jamais connue. La joie de me retrouver, moins abîmé qu'elle ne s'était imaginé d'après mes lettres, la désarmant aussi sans doute, je ne sentais plus en elle qu'une mère et me plaisais à me sentir son fils.

Cette vie en commun, que j'avais cessé de croire possible, je recommençai donc de la souhaiter et projetai de passer tout l'été près d'elle, à La Roque où elle me précéderait pour ouvrir la maison, et où il n'était pas impossible qu'Emmanuèle vînt nous rejoindre. Car, et comme pour assurer notre concorde plus parfaite, maman m'avouait enfin qu'elle ne souhaitait rien tant que de me voir épouser celle qu'elle considérait depuis longtemps comme sa bru. Peut-être aussi sentait-elle ses forces diminuer et craignait-elle de me laisser seul.

J'étais à Saint-Nom-la-Bretèche, où je m'attardais auprès de mon ami E. R. en attendant d'aller la rejoindre, lorsqu'une dépêche de Marie, notre vieille bonne, m'appela brusquement. Ma mère venait d'avoir une attaque. J'accourus. Quand la revis, elle était couchée dans la grande chambre dont j'avais fait mon cabinet de travail les étés précédents, et que d'ordinaire elle occupait de préférence à la sienne lorsqu'elle venait à La Roque pour quelques jours et qu'elle ne rouvrait p toute la maison. Je crois bien qu'elle me reconnut; mais elle semblait n'avoir plus conscience nette de l'heure, ni du lieu, ni d'elle-même, ni des êtres qui l'entouraient; car elle ne marqua ni surprise de ma venue, ni joie de me revoir. Son visage n'était pas très changé, mais ses regards étaient vagues, et ses traits devenus inexpressifs au point que l'on eût dit que ce corps qu'elle habitait encore, avait cessé de lui appartenir et qu'elle n'en disposait déjà plus. Et cela était si étrange que j'éprouvais plus de stupeur que de pitié. Des oreillers la maintenaient à demi assise; elle avait les bras hors du lit et, sur un grand registre ouvert, elle s'efforçait d'écrire. Cet inquiet besoin d'intervenir, de conseiller, de persuader la fatiguait encore; elle semblait en proie à une pénible agitation intérieure, et le crayon qu'elle avait en main courait sur la feuille de papier blanc, mais sans plus tracer aucun signe; et rien n'était plus douloureux que l'inutilité de ce suprême effort. Je tâchai de lui parler, mais ma voix ne parvenait plus jusqu'à elle; et quand elle essayait de parler je ne pouvais distinguer ses paroles. Désireux qu'elle se reposât. j'enlevai le papier de devant elle, mais sa main continua d'écrire sur les draps. Elle s'assoupit enfin et ses traits, peu à peu, se détendirent; ses mains cessèrent de s'agiter... Et soudain, regardant ces pauvres mains que je venais de voir peiner si désespérément, je les imaginai sur le piano, et l'idée qu'elles avaient naguère appliqué leur maladroit effort à exprimer, elles aussi, un peu de poésie, de musique, de beauté... cette idée m'emplit aussitôt d'une vénération immense, et tombant à genoux au pied du lit, j'enfonçai mon front dans les draps pour y étouffer mes sanglots.

Les chagrins personnels ne sont pas ce qui peut m'arracher des larmes; mon visage alors reste sec, si douloureux que soit mon cœur. C'est que toujours une partie de moi tire en arrière, qui regarde l'autre et se moque, et qui lui dit : « Va donc! tu n'es pas si malheureux que ça! » D'autre part j'ai grande abondance de larmes à répandre s'il s'agit des chagrins d'autrui, que je sens beaucoup plus vivement que les miens propres; mais plutôt encore à propos de n'importe quelle manifestation de beauté, de noblesse, d'abnégation, de dévouement, de reconnaissance, de courage, ou d'un sentiment très naïf, très pur, ou très enfantin; de même toute très vive émotion d'art s'arrose aussitôt de mes pleurs — à la grande stupeur de mes voisins si je suis au musée ou au concert : je me souviens du fou rire qui prit de jeunes Anglaises, au couvent de Saint-Marc, à Florence, à me voir ruisseler devant la grande fresque de l'Angelico; mon ami Ghéon m'accompagnait alors, qui pleurait de conserve; et je consens que le spectacle de nos deux averses put être en effet très risible. De même, il fut un temps où le nom seul d'Agamemnon ouvrait en moi de secrètes écluses, tant me pénétrait de respect et d'appréhension mythologique la majesté du Roi des rois. De sorte qu'à présent ce n'était pas tant le sentiment de mon deuil qui bouleversait mon âme à ce point (et, pour être sincère, je suis bien forcé d'avouer que ce deuil ne m'attristait guère; ou si l'on veut : je m'attristais de voir souffrir ma mère, mais pas beaucoup de la quitter. Non, ce n'était pas surtout de tristesse que je pleurais, mais d'admiration pour ce cœur qui

livrait accès jamais à rien de vil, qui ne battait
que pour autrui, qui s'offrait incessamment au
devoir, non point tant par dévotion que par une
inclination naturelle, et avec tant d'humilité, que
ma mère eût pu dire avec Malherbe, mais avec
combien plus de sincérité : « *J'ai toujours tenu
ma servitude une offrande si contemptible, qu'à
quelque autel que je la porte, ce n'est jamais
qu'avec honte et d'une main tremblante.* » Surtout j'admirais ce constant effort qu'avait été sa
vie, pour se rapprocher un peu plus de tout ce qui
lui paraissait aimable, ou qui méritât d'être aimé.

J'étais seul dans cette grande chambre, seul
avec elle, assistant au solennel envahissement de
la mort, et j'écoutais en moi l'écho des battements
inquiets de ce cœur qui ne voulait pas renoncer.
Comme il luttait encore! J'avais été témoin déjà
d'autres agonies, mais qui ne m'avaient point paru
si pathétiques, soit qu'elles me semblassent plus
conclusives et achever plus naturellement une vie,
soit simplement que je les regardasse avec moins
de fixité. Il était certain que maman ne repren-
drait pas connaissance, de sorte que je ne me
souciai pas d'appeler mes tantes auprès d'elle;
j'étais jaloux de rester seul à la veiller. Marie et
moi nous l'assistâmes dans ses derniers instants,
et lorsqu'enfin son cœur cessa de battre, je sentis
s'abîmer tout mon être dans un gouffre d'amour,
de détresse et de liberté.

C'est alors que j'éprouvai la singulière disposition de mon esprit à se laisser griser par le
sublime. Je vécus les premiers temps de mon
deuil, il me souvient, dans une sorte d'ivresse
morale qui m'invitait aux actes les plus incon-
sidérés, et dont il suffisait qu'ils me parussent

nobles pour emporter aussitôt l'assentiment de
ma raison et de mon cœur. Je commençai par dis-
tribuer à des parents même éloignés, et dont certains avaient à peine connu ma mère, en manière
de souvenirs, les menus bijoux et objets qui, lui
ayant appartenu, pouvaient avoir pour moi le
plus de prix. Par exaltation, par amour, et par
étrange soif de dénuement, à l'instant même de
m'en saisir, j'aurais donné ma fortune entière
je me serais donné moi-même; le sentiment de ma
richesse intérieure me gonflait, m'inspirait une
sorte d'abnégation capiteuse. La seule idée d'une
réserve m'aurait paru honteuse et je n'accordai
plus audience qu'à ce qui me permît de m'admirer.
Cette liberté même après laquelle, du vivant
de ma mère, je bramais, m'étourdissait comme le
vent du large, me suffoquait, peut-être bien me
faisait peur. Je me sentais, pareil au prisonnier
brusquement élargi, pris de vertige, pareil au cerf-
volant dont on aurait soudain coupé la corde, à
la barque en rupture d'amarre, à l'épave dont le
vent et le flot vont jouer.

Il ne restait à quoi me raccrocher, que mon
amour pour ma cousine; ma volonté de l'épouser
seule orientait encore ma vie. Certainement
l'aimais; et de cela seul j'étais sûr; même je me
sentais l'aimer plus que je ne m'aimais moi-
même. Lorsque je demandai sa main, je regardai
moins à moi, qu'à elle; surtout j'étais hypnotisé
par cet élargissement sans fin où je souhaitais
l'entraîner à ma suite, sans souci qu'il fût plein
de périls, car je n'admettais pas qu'il y en eût
que ma ferveur ne parvînt à vaincre; toute prudence m'eût paru lâche, lâche toute considération
du danger.

Nos actes les plus sincères sont aussi les moins
calculés; l'explication qu'on en cherche après coup
reste vaine. Une fatalité me menait; peut-être aussi
le secret besoin de mettre au défi ma nature; car,
en Emmanuèle, n'était-ce pas la vertu même que
j'aimais? C'était le ciel, que mon insatiable enfer
épousait; mais cet enfer je l'omettais à l'instant
même : les larmes de mon deuil en avaient éteint
tous les feux; j'étais comme ébloui d'azur, et ce
que je ne consentais plus à voir avait cessé pour
moi d'exister. Je crus que tout entier je pouvais
me donner à elle, et le fis sans réserve de rien.
A quelque temps de là nous nous fiançâmes.

APPENDICE

A LA suite de la publication, dans la *Nouvelle Revue française,* du premier chapitre de ces Mémoires, mon cousin Maurice Démarest, mieux renseigné que je ne pouvais être, voulut bien apporter à mon récit quelques retouches. Je transcris donc ici, en guise d'*errata,* la lettre même de mon cousin :

M. Roberty n'a été pour rien dans l'entrée d'Anna Shackleton à la rue de Crosne. Anna est entrée en 1850, 51 ou 52. M. Roberty n'est venu de Nantes à Rouen qu'en 59.

(Je retrouve la date exacte dans une lettre de ma mère.) Tu imagines les enfants Shackleton précipités d'Ecosse sur le continent par quelque revers de fortune. La réalité c'est que M. Shackleton avait été appelé par M. Rowcliffe pour être contremaître dans sa fonderie de la route d'Elbeuf. Les Anglais étaient très en avance sur les Français pour la métallurgie, comme pour la construction des chemins de fer et de leur matériel. La construction et la mise en exploitation du chemin de fer de Paris au Havre avaient amené à Rouen toute une colonie anglaise.

Autre erreur; celle-là, grossière : D'après toi, ma mère se serait mariée après l'entrée d'Anna dans la famille, et même assez longtemps après. Or, ma mère s'est mariée en 1842, et je suis né en 1844. Ta mère, en 1842, avait 9 ans. Tu vois combien peu mon père peut être qualifié de « nouveau beau-frère », dans les années 60 : partant, il est inexact de parler des demoiselles Rondeaux (au pluriel) et de « leur » gouvernante.

Je ne puis que souscrire de tout point à ce que tu dis d'Anna Shackleton. J'y ajouterais encore, si j'en parlais, car j'ai été à même d'apprécier ce qu'elle recelait en son cœur d'aspirations refoulées, de tendresse dérivée. Je m'en suis d'autant mieux rendu compte à mesure que je suis devenu plus âgé et j'y pense encore souvent avec la même tristesse et comme avec une révolte contre l'injustice du sort.

Un dernier point. Tu t'étends sur les débuts d'Anna — alors Miss Anna — dans la famille, débuts dont les conditions étaient celles d'une demi-domesticité. Tu ne marques pas son ascension progressive dans ce que tu appelles la hiérarchie; comment elle a été peu à peu considérée comme faisant partie de la famille et comment elle a fini par y prendre place à côté de ma mère, de la tienne et de ta tante Lucile. Déjà avant le mariage de ta mère, on parlait de « ces demoiselles », sans distinguer. Elles formaient ensemble un même et seul être moral.

P.-Sc. — Es-tu sûr que ce soit en 1789 que M. Rondeaux de Montbray ait été maire de Rouen, et non plus tard?

Détail tout à fait insignifiant. Es-tu certain que l'école de Mlle Fleur fût rue de Seine? N'était-elle pas plutôt rue de Vaugirard, entre la rue du Luxembourg et la rue Madame?

IMPRIMÉ EN FRANCE PAR BRODARD ET TAUPIN
6, place d'Alleray - Paris.
Usine de la Flèche, le 1-03-1969.
1797-5 - Dépôt légal n° 8238, 1er trimestre 1969.
1er Dépôt : 4e trimestre 1966.
LE LIVRE DE POCHE - 6, avenue Pierre 1er de Serbie - Paris.
30 - 21 - 1977 - 03